農
工
寫字
金魚
猴子
操
笑
桃子
櫻桃
橋
葡萄
梅子
日記
貓
澆水
羊
桑

Selma

Aan Hitler ontsnapt,
gevangene van Mao

Carolijn Visser

Selma

Aan Hitler ontsnapt,
gevangene van Mao

Uitgeverij Augustus
Atlas Contact
Amsterdam · Antwerpen

Om verwarring te voorkomen zijn de namen van een aantal personen in het boek vertaald.

Voor het schrijven van dit boek ontving de auteur een werkbeurs en een reisbeurs van het Nederlands Letterenfonds

Eerste druk september 2016
Tweede druk oktober 2016

Omslagfoto privécollectie
Foto van de auteur Annaleen Louwes
Grafische vormgeving Suzan Beijer

ISBN 978 90 450 2444 8
NUR 320/680

www.atlascontact.nl

TERUG IN PEKING

1966

Selma wierp een nerveuze blik op de wachtenden onder aan de vliegtuigtrap. Een in blauw en groen geklede menigte stond beneden samengedromd achter een hek. Alle ogen waren meteen op haar gericht. Een buitenlandse! Terwijl ze niet eens blond en groot was, maar donker en frêle.

Tot haar grote opluchting ontdekte ze tussen de geheven gezichten dat van haar zeventienjarige zoon Dop. Net als de meeste mensen om hem heen droeg hij een blauw katoenen jasje met een bijpassende pet. Toch viel hij op omdat hij zo lang was en, zelfs van deze afstand, duidelijk Chinese én westerse trekken had. Selma bleef kijken. Ze droeg haar kroezende haar strak naar achteren onder een zwarte band. Haar dik gerande bril gaf haar een ernstige uitdrukking. Ze had een donkere broek en blouse aan die ze speciaal had uitgekozen om bij aankomst geen onnodige aandacht te trekken. Greta, haar dochter van zestien, zag ze nergens. Terwijl zíj tussen Chinezen altijd nog meer opviel dan haar broer, met haar bruine krullenbos en vrijwel ronde ogen. Op elke klassenfoto pikte je haar er zo uit. En waar was haar man, Chang? Voor hem was ze zestien jaar geleden naar China verhuisd. Selma had erop gerekend dat haar hele gezin hier zou zijn om haar te verwelkomen. Zo hadden ze haar per slot van rekening vijf maanden geleden ook uitgezwaaid.

Bij het afscheid wilden haar kinderen wachten tot zij in de Toepolev was opgestegen. Chang had daar nog lichtjes tegen geprotesteerd. Hij moest die middag vergaderen en vond het geen pas geven om de chauffeur zo lang te laten wachten. Toch gaf hij toe omdat Greta en Dop het maanden zonder hun moeder zouden moeten stellen. Selma's ogen gleden nogmaals over de wachtenden.

Nederland was totaal anders geweest dan ze zich had voorgesteld. Vreemd was dat niet, haar laatste herinneringen dateerden uit de schrale jaren na de oorlog, toen alles nog op de bon was en er woningnood heerste. De huidige overvloed had haar verbluft.

Haar vader woonde nu in een villa in het deftige Santpoort. Haar broer Siert reed een eigen auto en kocht meubels met zijn verloofde voor hun toekomstige nieuwbouwwoning in Heerhugowaard. Op televisie had Selma gezien hoe in de Amsterdamse gemeenteraad een langharige provo was geïnstalleerd. Ze had kleding gekocht gemaakt van terlenka, dralon en trevira 2000. Verbijsterend makkelijk te wassen en meteen droog. Bij nader inzien had ze alles toch maar bij haar vader achtergelaten of weggegeven. Tijdens haar Nederlandse bezoek had ze begrepen dat westerse producten in China in een kwaad daglicht waren komen te staan.

In Peking, zo had de Hollandse pers bericht, was een revolutie uitgebroken. In plaats van drie was ze vijf maanden gebleven, in de hoop dat de onrust in China dan zou zijn overgewaaid, maar toen werd het toch echt tijd dat ze terugkeerde naar haar gezin. De situatie in China zou spoedig wel kalmeren, had ze tegen haar Nederlandse familie en vrienden gezegd. Chang had een belangrijke positie binnen de Academie van Wetenschappen en was een vooraanstaand lid van de Communistische Partij. Hij zou haar en de kinderen beschermen.

Maar nu was hij nergens te zien.

Het hek dat de wachtenden tegenhield was inmiddels geopend door een man in uniform. Selma werd onder aan de trap door mensen omstuwd. Dop had haar snel gevonden.

'Alles goed gegaan?' vroeg hij in het Chinees. 'De familie in Nederland gezond?' alsof het normaal was dat hij alleen was gekomen. Dop nam haar tas over.

'Waar is je vader?' wilde Selma weten.

Alle mensen zetten zich in beweging en liepen naar de aankomsthal. Aan de voorgevel, tussen een paar betonnen pilaren, hing een immens portret van Mao Zedong. Selma en Dop volgden de anderen, die hen voortdurend nieuwsgierig gadesloegen. Ook de paar Russische passagiers die met de Toepolev waren aangekomen, werden van top tot teen opgenomen.

'Vader kon niet weg bij het instituut,' antwoordde Dop.

'En Greta?' vroeg Selma meteen.

'Zij maakt thuis alles in orde.'

Dit laatste begreep Selma niet. Wat was zo dringend dat haar dochter daarvoor was thuisgebleven? Ze hadden toch een huishoudster?

'Is mevrouw Sun er dan niet?' vroeg Selma ongerust.

'Mevrouw Sun komt niet meer,' antwoordde Dop kort.

Moeder en zoon namen plaats op een van de banken in de hoge vertrekhal, waar ook al een metershoog portret hing van Mao Zedong. Reizigers moesten hier wachten tot de douane zich bij hen meldde. Twee mannen in groen uniform, de riem strak aangetrokken rond hun taille, kwamen stram naast hen staan. Selma overhandigde haar paspoort. Midden jaren vijftig was ze Chinees staatsburger geworden. Ze heette nu Wu Xiu-ming, maar iedereen noemde haar mevrouw Tsao, naar de familienaam van haar man.

De man bladerde het document door, toonde het aan zijn collega en stak op autoritaire toon van wal: 'U had toestemming voor drie maanden verblijf in het buitenland. U bleef vijf maanden weg.'

'U bent in overtreding,' bevestigde de collega streng.

Zo'n vijandige ontvangst had Selma niet verwacht. Ze was gewend beleefd bejegend te worden als echtgenote van een hooggeplaatst partijlid. 'Ik heb geprobeerd mijn verblijf in Nederland officieel te verlengen,' verdedigde ze zich. 'Er waren problemen op de Chinese ambassade. Ik kon er niemand meer te spreken krijgen.' Dop nam het woord van zijn moeder over. Haar Chinees was niet accentloos, maar ook zijn verweer maakte geen enkele indruk op de douanier.

'U had binnen drie maanden terug moeten zijn,' beschuldigde hij Selma. 'Ik leg beslag op dit document. U kunt gaan.'

Moeder en zoon liepen zwijgend naar de uitgang, waar ze Selma's koffer zonder verdere complicaties in ontvangst konden nemen. Dop tilde die achter in een taxi. De chauffeur reed hen door vlak land over een stille tweebaansweg, omzoomd door populieren met bladeren waarvan enkele al geel waren. Op de akkers stond de mais verdroogd.

Het was september. In gewone jaren was dit Selma's favoriete seizoen geweest: de zomerse hitte was verdwenen en de koude van de winter liet nog op zich wachten. Selma en haar zoon wisselden een paar opmerkingen uit over de bewolkte lucht en de regen die misschien zou komen. Daarna zwegen ze en staarden naar de dorpen in het vlakke, brokkelige land. Zolang ze niet alleen waren, zouden ze niet spreken over zaken die hen werkelijk bezighielden.

Dop vroeg zich af wat zijn moeder in Nederland had gehoord over de situatie in China. Was ze ervan op de hoogte dat hij en Greta al maanden geen les meer kregen op school? Ze moesten er alleen naartoe om politieke bijeenkomsten bij te wonen. Had zijn moeder een idee van wat haar thuis te wachten stond? Dop begreep niet wat het doel was van de chaos die was losgebarsten, ook al las hij elke publicatie die hij in handen kon krijgen. Wat zouden de Nederlandse kranten schrijven, vroeg hij zich af. Zou zijn moeder iets kunnen verklaren?

De akkers maakten plaats voor moestuinen, daarna passeerden ze fabrieken met schoorstenen en bakstenen kantoorgebouwen. De oude stadspoort doemde op. De weg leidde erlangs door een opening die in de vervallen stadsmuur was gehakt. Op de muur en de poort waren posters geplakt. Dop zag dat zijn moeder ze had opgemerkt. 'RUIM ALLE MONSTERS EN GEKKEN OP', 'LANG LEVE DE PROLETARISCHE CULTURELE REVOLUTIE!' Dop wist dat ze de karakters niet zo snel kon lezen.

Ze reden langs weer een andere muur, waarboven de golvende daken van woningen uitstaken. Peking was een stad van muren. Die muren waren nu allemaal beplakt met posters die opriepen tot wraak en geweld. Op de stoep liep een groep jonge mensen met rode banden om hun arm. Een van hen schreeuwde iets door een luidspreker. Op het zonnescherm van een winkel was 'DOOD AAN DE REVISIONISTEN' geklad. Links verscheen het hek van het Beihaipark. Dop had daar deze zomer veel tijd doorgebracht.

Ze reden achter een vrachtauto. In de laadbak stonden jongens en meisjes met rode vlaggen in hun vuisten geklemd. Het luidruchtige gezelschap ging rechtdoor, zij sloegen af de Grote Westpoortstraat in. Nu waren ze er bijna. In deze straat woonden ze. Selma zal misschien gehoopt hebben dat hier alles rustig zou zijn, maar dat was niet het geval. De muren aan weerszijden waren ook beplakt met posters. 'REVOLUTIE IS GEEN MISDAAD! REBELLEREN IS GERECHTVAARDIGD!' Aan de gevels van de winkels waar ze hun dagelijkse inkopen deden hingen grote rode vlaggen. Alleen de acacia's met hun ragfijne bladeren waren vertrouwd.

Selma moet het gevoel hebben gehad dat ze een fuik in reed. De chauffeur stopte voor hun eigen rode poort met aan weerszijden een witstenen leeuw. Aan de overkant van de straat verhief zich de oude katholieke kerk, die gesloten was zolang Selma en haar gezin hier woonden. Terwijl Dop afrekende met de chauffeur en zich ontfermde over de bagage, werd Selma begroet door een paar buurvrouwen. 'Ben je weer terug?' vroegen ze. 'Alles goed met je vader in Nederland?' Er leek opeens geen vuiltje aan de lucht.

Dop en Selma gingen de poort door. Voor een blinde muur sloegen ze links af. Bij een binnenplaats met een zieltogende dadelboom en een oude waterput gingen ze rechtsaf. 'Pas op voor de opstap,' waarschuwde Dop een paar keer, alsof zijn moeder die in haar afwezigheid was vergeten.

Nu liepen ze langs de woningen van buurfamilies. Achter de ramen verschenen nieuwsgierige gezichten. De buitenlandse was terug! Via een smalle, donkere gang bereikten ze een volgende binnenplaats. Ruim een eeuw geleden resideerden de neef van de Mantsjoekeizer en zijn concubines in dit complex van gebouwen en bijgebouwen. Later, toen het keizerrijk ten val was gekomen en de Mantsjoefamilies verarmden, had de Nationale Academie van Peking het complex aangekocht en er verschillende academici en andere medewerkers met hun gezinnen gehuisvest. Het terrein was in 1949 door de communisten geconfisqueerd. Zij brachten er medewerkers onder van de door hen nieuw opgerichte Academie van Wetenschappen. Dop zeulde met de koffer achter zijn moeder aan. Achterin, waar vroeger moestuinen waren geweest, stond een nieuwe flat van grijze baksteen met vier woningen, verdeeld over twee verdiepingen. Moeder en zoon beklommen de trap naar de entree. Selma opende een tweede deur. Ze was thuis. Greta viel haar huilend om de hals. 'Ik heb alles zo goed mogelijk opgeruimd,' snikte haar dochter.

Zonder iets te zeggen keek Selma de woonkamer rond. De grammofoon ontbrak, registreerde ze, en de door haar zo gekoesterde collectie platen met klassieke muziek. Ook was de boekenkast halfleeg en lagen de fotoalbums niet meer op hun plaats.

De aanblik van het doorzochte huis moet haar in één klap hebben teruggebracht naar de tijd van de Duitse bezetting in Nederland. Ook toen was het huis waar ze woonde doorzocht en waren spullen meegenomen, waarna ze had moeten onderduiken. Greta en Dop keken hun moeder zwijgend aan. Ze hadden hun vader gevraagd haar te schrijven dat ze beter langer kon wegblijven, tot alles weer rustig was geworden. Hij had dat niet willen doen. Waarom, had hij niet willen uitleggen.

Er was een ontslagbrief voor hun moeder gekomen. Greta en Dop hadden hun vader tevergeefs gevraagd dát in ieder geval aan haar te melden. Zij had dan zelf de conclusie kunnen trekken hoe ernstig de situatie was, maar hun vader vreesde dat de brief onderschept zou worden, vermoedden de kinderen, waardoor ze in nog ernstigere problemen zouden belanden. Greta en Dop hadden er alles voor overgehad om hun moeder de aanblik van het doorzochte huis te besparen.

Op de deurpost van de ouderlijke slaapkamer zaten nog de resten van het papier waarmee het vertrek verzegeld was geweest. Gisteren waren de Rode Gardisten opnieuw gekomen en weer hadden ze alles doorzocht. Ze hadden het tweepersoonsbed van Selma en Chang meegenomen omdat het van het instituut zou zijn. Selma zag de ledikanten van Dop en Greta in haar kamer staan. De kinderen zelf sliepen op een kist en een veldbed.

'Ze zijn dus al langs geweest,' zei Selma bedroefd. Toen kreeg ze Moumoun in de gaten, die op de sofa lag te slapen. Ze nam de poes op en drukte het dier tegen zich aan. Voor het eerst lachte Selma. Opgelucht zei ze tegen haar kinderen: 'Moumoun hebben ze tenminste niet te pakken gekregen.'

IN HET OMMUURDE HOF

1957

Achter de muur hoorde Greta een vertrouwde stem roepen: 'Al uw kommen en uw bekers weer als nieuw!' Het was de porseleinreparateur. Ze hoopte dat iemand hem binnen zou vragen zodat ze toe kon kijken terwijl hij zijn werk deed met de precisie van een chirurg. Naast een barst in een vaas maakte hij aan weerszijden minuscule gaatjes met een ragfijn boortje dat hij als een tol aandreef met een touwtje. Daarna hamerde hij daar heel voorzichtig koperen krammetjes in en werd de vaas weer waterdicht. Vandaag had blijkbaar niemand werk voor hem, want de stem verdween verder de buurt in.

Greta was zeven en ging sinds een paar maanden naar de lagere school. Alleen haar moeder noemde haar Greta, haar Chinese naam was He Li, wat Hoe Mooi! betekende. Ze zat op de betonnen trap voor het huis in de schaduw van een acaciaboom met veervormige bladeren. De treden werden voor een groot deel in beslag genomen door potten met cactussen die haar moeder nog voor de winter naar binnen zou verhuizen. Greta overwoog nog snel even naar de pasgeboren baby van de familie Hsiung te gaan kijken, maar ze bedacht zich. Haar moeder kon elk moment thuiskomen en vandaag zou zij weten of ze de volgende week naar de 1 oktober-parade mochten gaan kijken, iets waar Greta zich nu al op verheugde.

Haar vader werd elk jaar uitgenodigd voor de feestelijke viering van de stichting van de Volksrepubliek, elke keer had hij weer verteld dat het zo prachtig was geweest. De rest van de familie kende het defilé van versierde vrachtwagens en marcherende schoolkinderen alleen van krantenfoto's. Nu zouden ook zij dat alles misschien met eigen ogen te zien krijgen.

De ijsman liep langs Greta naar binnen met een groot stuk ijs op zijn schouder. Een jutezak eronder beschermde hem tegen de kou. Afgelopen winter was het ijs uit de gracht rond het voormalige keizerlijk paleis gehakt en daarna maanden in een diepe kelder bewaard. Elke dag kwam de man langs. Het stuk dat hij bracht paste precies in het vak boven in de houten koelkist. Hij had het op maat gemaakt. De huishoudster, Lentebloesem, was in de keuken om het in ontvangst te nemen. Deze jonge vrouw was jaren eerder door Selma in dienst genomen en woonde in een bijgebouwtje aan de overkant van de binnenplaats. Vrijwel alle vijftig families op het hof hadden een huishoudster in dienst, maar Lentebloesem was deel van het gezin geworden. De kinderen waren zeer op haar gesteld.

De herinneringen van Greta en Dop aan hun jeugd op het hof hebben later een gouden glans. 'We leefden in het paradijs,' zal Greta zeggen. Lentebloesem was altijd even zorgzaam en van hun ouders kregen ze alle liefde en aandacht die ze zich maar wensen konden. Vader kwam weliswaar vaak laat thuis van kantoor en reisde ook veel, 'maar als hij thuis was mochten we hem altijd alles vragen,' zal Greta later zeggen. Nooit ervoeren zij en Dop het als een gemis dat er geen familieleden in de buurt woonden. De buurkinderen voelden als neefjes en nichtjes. Ze groeiden samen met hen op en minstens een van hun ouders werkte net als hun vader voor de Academie van Wetenschappen. Vaak hadden die ouders ook in het buitenland gestudeerd, net als de vader en moeder van Greta. Buurman Hsiung had in Amerika een doctorstitel in de scheikunde gehaald en was met jazzplaten teruggekomen. Buurman Tang promoveerde in Engeland in de biologie, op een bepaald soort orchidee. Hij gebruikte elke middag nog steeds een Britse *tea*: een kopje earl grey met daarbij een paar zoete *biscuits*.

Het ommuurde hof zullen Greta en Dop zich herinneren als een vredig, veilig dorp. 's Morgens haastten de volwassenen zich naar verschillende instituten van de academie. De kinderen vertrokken met grote tassen naar school. Daarna was het hof het domein van de inwonende grootouders, de kleine kinderen en de huishoudsters. Op de binnenplaatsen schrobden zij op houten borden de was en luisterden ondertussen naar de geluiden op straat. Elke handelaar had zijn herkenbare roep of geluid. Zo wisten ze wanneer de tofoeverkoper eraan kwam, de metaalopkoper of de timmerman, die aan een houten juk twee kisten met zich meedroeg vol gereedschap. De kapper kondigde zijn komst aan met een trommeltje. Aan zijn houten juk droeg hij een krukje en een fornuisje waarop hij warm water kon maken. De grootvaders van het hof vonden het heerlijk om eens in de zoveel tijd door hem geschoren te worden. Geliefd onder de vrouwen was de edelsmid, met zijn kist vol glanzende edelstenen en voorbeelden van hoe die gezet konden worden. Hij nam bestellingen op. Het gewenste sieraad kwam hij een paar dagen later bezorgen.

Wie een van deze rondtrekkende vaklieden nodig had riep: 'Hier!', dat herhaald werd door de huishoudsters die buiten waren totdat de portier het hoorde. Hij gebaarde de man in kwestie binnen te komen en dirigeerde hem naar het juiste huis. De portier, die naast de poort woonde, gaf boodschappen door, nam post aan en liet bezoekers hun naam noteren. 's Avonds laat, als iedereen binnen was, sloot hij de deuren van de poort en vergrendelde die met een dikke balk. Het was dan aardedonker en doodstil. Het hof sliep. Vroeg in de ochtend begonnen de hanen in de omgeving te kraaien. Daarna begon de nieuwe dag. Ook op zaterdag werd er gewerkt en gingen de kinderen naar school. Alleen zondags was iedereen vrij.

Dop knikkerde dan met zijn buurjongens, Greta en de buurmeisjes hielden van touwtjespringen, elastieken twist en hinkelen op wat ze de 'weg van cement' noemden: een oprit, ooit door een vorige bewoner aangelegd en niet meer in gebruik. Soms waren de meisjes met een hele groep. Op zo'n moment had een van de vaders, meneer Tang, hen gefotografeerd. Eerst liet hij ze opstellen in een keurige rij met voorop de grootste, zijn dochter Lieverdje, en achteraan Greta, de kleinste. De voorste meisjes dragen een eenvoudige rok of overgooier, afdragertjes van oudere zussen of nichtjes. Greta is gekleed in een fonkelnieuw jurkje met bijpassend hesje, gemaakt door haar moeder. Geel met zwarte strepen, herinnert Greta zich nog. Van vrienden in Hongkong kreeg Selma westerse modebladen opgestuurd boordevol patronen die ze met een raderwieltje overtrok op flinterdun rijstpapier. Ook de stoffen voor de kleren die ze met haar Singernaaimachine maakte kwamen uit Hongkong of waren een geschenk van haar Nederlandse familie. Greta en Dop wisten dat ze bevoorrecht waren met een moeder die familie en vrienden in het buitenland had. 'Wij hadden ook het mooiste speelgoed van het hele hof,' zal Dop later zeggen. Hij bouwde een hijskraan, een trein of een vrachtwagen van de meccano die zijn grootvader uit het Noord-Hollandse Santpoort had opgestuurd. Greta koesterde haar exotische poppen, waaronder een moderne van plastic die echt kon drinken en plassen. Ze reed ze rond in een sierlijk houten wagentje. Later zal buurmeisje Lieverdje Tang zich nog herinneren dat ze van al Greta's speelgoed het minikeukentje het mooist vond. Er hoorde een miniwok bij waarin, boven een kaars, echte gerechtjes bereid konden worden.

Vergeleken met de andere families op het hof leefden zij in luxe, realiseerden Dop en Greta zich al op jonge leeftijd. Niet alleen vanwege hun buitenlandse moeder, ook omdat hun vader de hoogste functie had van alle vaders op het hof. Dat was niet iets waarop ze zich mochten voor laten staan. Greta en Dop werd door hun ouders juist bescheidenheid bijgebracht. Ze moesten hun eigen bed opmaken en hun eigen spullen opruimen, hun moeder wilde niet dat Lentebloesem dat voor hen deed. Maar het was Dop en Greta niet ontgaan dat zij de mooiste woning van het hof hadden. Als enigen konden zij thuis warm douchen. Rond het kolenfornuis in de keuken slingerde zich een buis waarin gedurende de dag water verhit werd en opsteeg in een vat. 's Avonds was er genoeg voor één, misschien wel twee personen om zich te douchen. Het huis van Greta en Dop was ook het enige met een eigen telefoon.

De andere bewoners van het hof konden alleen gebeld worden bij de portier, die hen dan zo snel hij kon kwam halen. De meeste gezinnen hadden wel een radio, maar niet zo'n mooi en groot exemplaar als zij, gekocht in Cambridge, waar hun ouders elkaar ontmoet hadden. Hun prachtig klinkende platenspeler dateerde uit diezelfde tijd. Maar hun grootste weelde was zonder enige twijfel de stofzuiger. Greta's vader had die in een bijzondere winkel gekocht, waar betaald moest worden met speciale certificaten. Hij wist hoezeer zijn Nederlandse vrouw zich ergerde aan de voorjaarsstormen die zand uit de Gobi tot in alle hoeken van het huis achterlieten. Het was een rechtopstaand model dat erg veel lawaai maakte en regelmatig stukging, maar in de werkplaats van het instituut wisten de technici de stofzuiger steeds weer aan de praat te krijgen. Omdat de Tsao's zoveel elektrische apparaten in gebruik hadden, was er in hun woning een elektriciteitsmeter geïnstalleerd. De andere bewoners betaalden een vast bedrag gebaseerd op het aantal gloeilampen in hun huis, die meestal aan een draad vanuit het plafond hingen. Bij Greta en Dop thuis zorgden de schemerlampen van hun moeder voor sfeervolle verlichting. Aan al deze voordelen zat ook een donkere kant, realiseerde Greta zich al op jonge leeftijd.

Ze was half-Chinees en half-Nederlands, van gemengd bloed dus. Dat betekende een smet, had ze ontdekt. Een Nederlands kinderboek waar ze veel van hield ging over een jongetje met een zwarte moeder en een blanke vader. Het jongetje was geboren met een geblokte huid. Precies zo ervoer Greta het. Ze was anders en iedereen kon het meteen zien. Zolang ze binnen de muren van het hof bleef, was er niets aan de hand. Alle buren waren aan haar en Dop gewend.

Ze hoefden maar één stap buiten de poort te zetten of mensen begonnen te wijzen en te roepen: 'Hé, kijk eens, buitenlanders!' Meteen waren alle ogen op hen gericht. Volwassen mannen en vrouwen bekeken hen ongegeneerd van top tot teen. Moeders draaiden het gezicht van hun kleine kind naar hen toe. 'Moet je díé zien,' lachten ze daarbij hard, alsof Greta en Dop geen Chinees verstonden, terwijl ze zelfs konden horen of de persoon in kwestie uit het westen of het zuiden van Peking kwam. Dop trok zich daar niet zoveel van aan, Greta vond het vreselijk. Door die hinderlijke aandacht kwam zij niet graag buiten het hof. Alleen als het donker was ging ze op bezoek bij haar schoolvriendinnetje Hong Fei. Ze woonde even verderop. Achter een grote rode poort, in wat de residentie was geweest van een adellijke voorvader die verwant was aan de toenmalige keizer. Het complex bestond uit verschillende gebouwen met golvende daken, gegroepeerd rond twee binnenplaatsen. Marmeren trappen leidden naar hoge vertrekken die werden verdeeld door uit hout gesneden bogen. Alle meubels waren antiek en ademden een andere tijd. Tegen de muren leunden zwartgelakte, met paarlemoer ingelegde kasten. Aan de wanden hingen kostbare kalligrafieën. Tafels en stoelen waren uit de mooiste houtsoorten gemaakt. De grootvader van Hong Fei voerde in een van de gebouwen een praktijk, hij was arts. Ook 's avonds ontving hij vaak patiënten. Greta liep op haar tenen voorbij de kliniek om niemand te storen. Hong Fei kwam haar elke ochtend thuis ophalen. 'Goedemorgen mevrouw,' zei ze dan altijd beleefd tegen Greta's moeder. Hong Fei was niet beducht voor de buitenlandse Selma, zoals de andere vriendinnen van Greta. Ze verbaasde zich er ook al snel niet meer over dat door Greta's familie vreemde dingen werden gegeten, zoals bruin brood met kaas voor ontbijt. Twee keer per dag wandelden de twee meisjes samen naar school. Hong Fei hielp Greta de blikken van de voorbijgangers te trotseren.

AAN DE GROTE WESTPOORTSTRAAT

1957

Buiten de poort voelde Greta zich het best op haar gemak in het gezelschap van haar vader. Iedereen kon zien dat zij zijn dochter was. Dat maakte haar meer tot een Chinees meisje. Haar vader straalde rust en wijsheid uit vanachter zijn ronde, zilveren bril. Hij droeg altijd een eenvoudige blauwe of grijze katoenen broek met een jasje in dezelfde kleur. Haar vader was tien jaar ouder dan haar moeder, hij was al midden veertig. Zijn achterovergekamde haar grijsde bij de slapen, maar omdat hij vrijwel geen rimpels had zag hij er toch jeugdig uit. Na het avondeten maakte hij vaak een ommetje door de buurt en Greta en Dop gingen graag met hem mee.

Wanneer je het hof uit kwam zag je in de westelijke richting de enorme stadspoort en de hoge stadsmuur boven alles uitsteken, maar zij gingen altijd de andere kant op. Over de Grootpoortstraat reden trolleybussen en vrachtwagens. Ze toeterden om de zwaarbeladen paardenkarren met groenten of bouwmaterialen ruimte te laten maken. De paarden droegen een zak onder hun staart om hun uitwerpselen op te vangen. Greta wist dat haar moeder daar blij om was, anders zou Peking nog viezer zijn, zei ze vaak. Met bakfietsen van allerlei model werden steenkool, aardappels of zakken graan vervoerd. Riksjarijders trapten hun passagiers voort. De elite van het verkeer waren de fietsers. Een fiets was een kostbaar bezit.

Greta, Dop en hun vader wandelden over een breed trottoir

tussen twee rijen acacia's. Algauw kwamen ze voorbij het theehuis, waaruit meestal luid gepraat opklonk. Zij gingen er nooit naar binnen, het was een gelegenheid voor de oude mannen uit de buurt. Soms dreef een flard naar buiten van een verhaal dat binnen door een beroepsverteller met luide stem en grote uithalen werd verteld. Over een samenzwering tegen de keizer, of een sluwe krijgsheer die zijn vijand in de pan hakt. De vertellers putten uit klassieke romans. Chang kende die goed en hield ervan. Elke gelegenheid greep hij aan om zijn kinderen er iets over te leren. Voortwandelend tussen de acacia's citeerde hij dan een paar alinea's uit het betreffende boek, hij had een geweldig geheugen. Greta was een en al oor. Dop luisterde, maar hield ondertussen zijn ogen op het stoplicht midden op het kruispunt gericht. Het werd bediend door een politieman in een cabine. Hoe was het mogelijk, vroeg Dop, dat die man met één handbeweging alle lichten kon veranderen en het altijd klopte? Wat was dat voor schakeling? Op dit soort vragen moest zijn vader het antwoord schuldig blijven, hij was psycholoog, van schakelaars had hij geen flauw benul. Daarom had hij voor Dop het uit het Russisch vertaalde boek *Honderd duizend maal waarom* gekocht. Helaas stond daar over stoplichten niets in.

Hun vader wilde tijdens deze avondwandelingen vaak medicijnen kopen bij de apotheek, hij had een hoge bloeddruk. Hun Nederlandse moeder geloofde niet in de traditionele geneeskunst, maar hun vader zwoer erbij. De kinderen raakten elke keer weer diep onder de indruk van de bitterzoet ruikende zaak. De apotheker resideerde voornaam kijkend achter een hoge toonbank, voor een hoge kast met tientallen laatjes waarin geneeskrachtige kruiden, stenen en zaden werden bewaard. Zorgvuldig woog hij daar het een en ander van af. Hun vader kreeg advies hoe van dat alles een drankje te brouwen en hoe vaak dat ingenomen moest worden. Daarna ging het trio de straat weer op, waar het inmiddels stiller was geworden.

Soms had Lentebloesem gevraagd of ze sojasaus of sesamolie mee terug konden brengen omdat ze dat in de ochtend al nodig dacht te hebben. Dan gingen ze door naar de kruidenier. Met een bamboe maatbeker schepte hij het gevraagde uit een aardewerken vat in de fles die ze hadden meegebracht. Hun moeder zat vaak verlegen om een pakje sigaretten, ze rookte het liefst het merk Da Qianmen, Grote Voorpoort, met op de verpakking een afbeelding van een stadspoort waarachter gele wolken dreven. De kruidenier telde de bedragen bij elkaar op met een telraam. Sinds Greta en Dop allebei op de lagere school zaten nam hun vader ze weleens mee naar de kantoorboekwinkel. In de herinnering van Greta was dat de mooiste winkel van de hele buurt.

Allerlei rijstpapier lag over houten stokken gedrapeerd. In vazen op de toonbank stonden varkensharenpenselen in verschillende maten gerangschikt. Van ragfijn tot polsdik. Hun vader kon die goed hanteren, zij waren de kalligrafeerkunst nog niet meester. Greta en Dop bewonderden de donkere inktstenen boven op een glazen vitrine. Grote en kleine, gedecoreerd met lotusbloemen, bamboebladeren, of dikke boeddha's. Met water en een penseel kon je er inkt vanaf nemen. Greta en Dop mochten van hun vader meestal een schrift of een potlood uitzoeken die ze, gerold in grijs pakpapier en omwikkeld met een touwtje, als schatten in ontvangst namen.

Daarna liepen ze langs de groente- en vleeswinkel waar Lentebloesem en de andere huishoudsters soms wel twee keer per dag verse ingrediënten haalden. Die was 's avonds altijd gesloten. Ook het luik van de noedelzaak was dicht. Overdag werden hier handgemaakte noedels afgewogen om thuis te verwerken tot Noord-Chinese gerechten. Rijst was in Peking minder in trek.

Eigenlijk hoefde een mens zijn hele leven de Grote Westpoortstraat niet te verlaten. Alles kon je er krijgen, zelfs doodskisten. De kinderen en hun vader liepen langs de werkplaats waar die gemaakt werden. Niemand ging daar zomaar binnen. Dat bracht ongeluk.

Helemaal aan het einde van de straat was de boekhandel. Als er nog tijd was gingen ze ook daar even kijken. Klassieke poëziebundels lagen in indrukwekkende stapels op elkaar, aan de ruggen hingen kaartjes met de titels. Ze waren gedrukt op papier dat daarna gevouwen en genaaid was. Moderne boeken stonden rechtop in een kast. De pronkstukken waren meerdelige klassiekers als *Droom van de Rode Kamer*, *De reis naar het westen*, *Roman van Drie Koninkrijken* en *Verhaal van de wateroever*. Dop zat in de derde klas van de lagere school en kende al veel karakters, maar dit soort boeken was voor hem nog te hoog gegrepen en helemaal voor Greta, die net begonnen was met lezen. Toch konden ze het niet laten om ze van de plank te pakken en de kleurige illustraties op de omslagen te bekijken. De verhalen kenden ze al wel omdat ze door hun vader, door Lentebloesem en op school werden verteld. Greta ging op zondagmiddag wel eens met haar vader naar de Peking-opera, meestal werden er scènes uit deze boeken opgevoerd. Dop en Selma gruwden van de schelle stemmen die de acteurs opzetten en de luidruchtige muziek, maar zij en haar vader hielden er juist van. Het mooiste vond Greta de schitterende kostuums die de krijgers, de prinsessen en de concubines droegen.

In dit deel van de boekhandel liet hun vader hen altijd even alleen omdat hij zelf in een vertrek achter in de zaak ging kijken. Dat werd alleen opengemaakt voor klanten met een speciale pas. De tijdschriften en boeken daar mochten uitsluitend ingekeken of gekocht worden door hoge kaderleden.

Eén wandeling met hun vader zullen Greta en Dop nooit vergeten. Het was op een zondag dat hun moeder 's ochtends wakker was geworden met migraine. Dat had ze vaak. Ze kon dan geen licht of geluid verdragen en niemand om zich heen velen, behalve Moumoun, die de situatie feilloos aanvoelde en haar gezelschap hield. Op die dag waren de kinderen en hun vader bij hoge uitzondering buiten de poort niet links maar rechts afgeslagen. De stadsmuur en de Westpoort leken heel dichtbij. Maar het was een eind lopen voordat ze die hadden bereikt. Vader vertelde dat deze verdedigingsmuur de hele stad omringde en meer dan vierhonderd jaar geleden was gebouwd, tijdens de Mingdynastie. Ze gingen door een reusachtige poort en kwamen op een grote binnenplaats. Daarna volgde een tweede poort. Greta was nog klein, ze moest haar voeten hoog optillen om over de houten drempel te kunnen stappen. Immense houten deuren, die 's nachts door poortwachters werden gesloten, rezen boven hen uit. Vervolgens waren ze bijna tegen een paar kamelen opgelopen. Greta's vader had uitgelegd dat die dieren tegenwoordig de stad niet meer in mochten omdat ze de straten zouden bevuilen. Vroeger zag je in Peking lange karavanen van kamelen die vracht, soms helemaal uit Mongolië, aanvoerden. Nu waren er alleen nog deze haveloze dieren, die steenkool hadden gebracht uit een mijn ten noorden van de stad. Die werd hier overgeladen op vrachtwagens.

De kinderen en hun vader stonden aan de rand van Peking en keken op een dorp van lemen huizen. Over een pad tussen groentetuinen liepen boeren in versleten katoenen kleren met een hak of een hooivork over hun schouder. Hier begon een andere wereld.

Hun vader was geboren in zo'n dorp zoals ze daar zagen, vertelde hij, een paar honderd kilometer ten zuiden van Peking. Hij had zijn vrouw en kinderen er nooit mee naartoe genomen, maar een zeer enkele keer kwam een van zijn broers of neven bij hen logeren. In de ogen van Greta en Dop waren het mannen van een andere planeet. Er was geen woord te verstaan van wat ze zeiden. Ze waren donker verbrand door de zon en gekleed in gewatteerde broeken en jassen gemaakt uit zelfgeweven stof. Ook hun schoenen of laarzen waren van eigen makelij. Het was duidelijk dat de broers en neven in hun dorp een heel ander soort leven leidden. Ze namen alles in de woning met grote belangstelling in zich op. Voorzichtig probeerden ze de sofa, ze bestudeerden de spoelbak van de wc en tilden een punt van het vloerkleed op om te bekijken hoe dat was gemaakt. In het dorp van de familieleden waren alle vloeren van leem, had hun vader uitgelegd. In hun woonkamers stonden niet meer dan een eettafel en krukjes.

De broers en de neven kwamen om een familiekwestie te bespreken met hun vader. Het ging om een gunst, of om geld, de details werden niet aan de kinderen onthuld. Overdag, als iedereen naar het werk of naar school ging, installeerden de bezoekers zich op een krukje in de poort van het hof om samen met de portier naar het voorbijstromende verkeer te kijken. Of ze keuvelden met Lentebloesem, die ook van het platteland kwam en geen moeite had met hun zware accent.

Voordat de neef of broer weer vertrok kocht hun vader altijd een zakje dure thee voor hen omdat hij wel wist dat ze thuis veel bezoek zouden krijgen van dorpelingen die kwamen luisteren naar hun verhalen over de grote stad.

De andere familie, de Nederlandse tak, kenden de kinderen slechts van foto's. Greta had een aantal boven haar bed gehangen. Van de drie Hollandse ooms was er één vrijwel net zo oud als zij. Op de foto's waren ze een sneeuwpop aan het maken in de tuin van een groot huis, of ze zaten trots naast een zandkasteel op een strand. Het leek Greta niet geheel ongevaarlijk, Nederland overstroomde immers regelmatig. In het Nederlandse blad dat haar moeder las had ze huizen diep in het water zien staan. Grootvader Max droeg op alle foto's altijd een donkere bril en grootmoeder Corrie was nogal dik. Zij was niet de moeder van Selma, wist Greta, dat was grootmoeder Grietje, naar wie zij was vernoemd. De nazi's hadden haar in de oorlog vermoord. Omdat grootmoeder Grietje Joods was, had haar moeder uitgelegd, waren Selma en Greta dat ook. Fijn vond Greta dat: ze was dus ten minste íéts. Boven haar bed had ze ook een portretje van haar overleden grootmoeder opgehangen.

Nog steeds zat ze te wachten op de trap. Dop was al thuisgekomen en naar binnen gegaan. Hij had er een hekel aan als zijn moeder hem zo noemde, want het sloeg op zijn platte neus. Alle anderen noemde hem Tseng Y, dat was zijn Chinese naam die 'Meer Rechtvaardigheid' betekende. Alleen Greta moest hem eigenlijk 'Oudere Broer' noemen, maar dat vond hun moeder onzin. 'Die jongen heeft een naam,' zei ze altijd. Haar moeder zou vast zo komen. Greta hoopte dat ze naar de parade zouden mogen. Die zien, van dichtbij, in het echt! Ze zouden toch wel gaan? Met de parade werd de oprichting van de Volksrepubliek gevierd, de feestelijkste gebeurtenis van het jaar. Haar moeder had allang thuis moeten zijn. Daar was ze! Selma kwam met snelle passen aangelopen, in elke hand droeg ze een boodschappentas. Greta keek haar verwachtingsvol aan.

'Het is geregeld!' zei haar moeder blij.

DE 1 OKTOBER-PARADE

1957

Op die ochtend kwam een chauffeur van het instituut beleefd melden dat de auto voor de poort stond. Chang vertrok. Hij zou zoals elk jaar vanaf de tribune naast de poort bij het Plein van de Hemelse Vrede de festiviteiten gadeslaan. Voor hem en een aantal collega's was daar een plaats gereserveerd. Zij vertegenwoordigden de wetenschap van het Nieuwe China. Andere vakken waren gereserveerd voor militairen en voor partijleiders uit verschillende provincies. Ook een klein deel van de duizend buitenlanders die dit jaar waren uitgenodigd, mocht daar plaatsnemen.

Greta, Dop en Selma haastten zich daarna de deur uit. Ze stelden zich op bij de halte aan de Grote Westpoortstraat. Het drietal wrong zich in een overvolle bus. Na tien minuten reed de chauffeur niet verder. Alles was afgezet. Het laatste stuk moesten Selma en haar kinderen te voet afleggen. Bij een barricade hield een politieman hen staande. Selma liet op verzoek haar identiteitsbewijs zien en raakte geïrriteerd door het oponthoud.

Als ze nu maar niet uit haar humeur raakte, hoopte Greta. In Peking waren veel poorten en bewaakte slagbomen waar niemand zonder de juiste papieren voorbij werd gelaten. De militair overlegde met een superieur en schoof het hek op een kier. Ze mochten door en kwamen in een gebied waar nog maar weinig mensen waren. Bij een volgende militaire post moest Selma opnieuw haar verhaal doen. Greta wist uit ervaring dat haar moeder boos kon worden als haar iets belet werd door mannen in uniform. Het zou kunnen gebeuren dat ze onverrichter zake terugkeerden naar huis.

Ze bereikten een zijstraat van de Boulevard van de Eeuwige Vrede die naar de achterkant van het Peking Hotel leidde, een van de grootste gebouwen van de stad. De voornaamste buitenlandse bezoekers logeerden hier. Selma moest zich nog een keer identificeren. Het drietal mocht weer een hek voorbij, liep naar de voorkant van het hotel en beklom een imposante trap. Moeder en kinderen betraden een enorme marmeren hal die ondersteund werd door dikke rode pilaren. Opnieuw vroeg iemand naar identiteitspapieren. Daarna werden ze in een lift naar boven gebracht door een jongeman in livrei.

Selma zocht de juiste kamerdeur en klopte. Er werd opengedaan door een kleine man met een bos warrig lang, grijs haar. Het was Joris Ivens, de Nijmeegse cineast, die wereldbekendheid zou krijgen met een zeven uur durende documentaire over China. Hij was een 'belangrijke vriend van China', hadden de kinderen van hun moeder gehoord. Selma had hem via haar werk als talendocent aan het Handelsinstituut verschillende keren ontmoet. Ivens kwam in de jaren dertig voor het eerst naar China en wist toen contact te leggen met het communistische leger dat zich schuilhield voor Japanners en nationalisten in de bergen van de provincie Shaanxi. Ivens kon daar niet heen reizen, maar liet wel een filmcamera bezorgen. Daarmee werden de eerste beelden van het Rode Leger vastgelegd en naar buiten gebracht. Die camera van Ivens zou later in het Museum van de Revolutie tentoongesteld worden. Ivens zelf zou altijd welkom zijn in het Nieuwe China. Hij werd regelmatig persoonlijk door Zhou Enlai uitgenodigd en kreeg dan een eersteklas ontvangst. Op 1 oktober was Ivens vaak een van de eregasten.

Dop en Greta gaven Ivens een hand en zeiden beleefd: 'Welkom in Peking', in het Nederlands. Een man met haar dat alle kanten uitstak hadden ze nog nooit gezien. Ivens opende een lade en stak hun allebei iets toe. Gebiologeerd keek Greta naar het kleinood in haar hand. Boven op een puntenslijper, onder een doorzichtige halve bol, bewogen metalen kogeltjes heen en weer. Ze pasten precies in een paar kuiltjes, ontdekte ze, maar ze kreeg de bolletjes er niet allemaal tegelijkertijd in.

Ivens zou net als Chang de parade vanaf de eretribune gadeslaan en vertrok. Aan Selma had hij aangeboden dat zij en haar kinderen alles vanaf het balkon van zijn kamer zouden volgen. Selma opende de deur naar het balkon en stapte naar buiten, gevolgd door Dop en Greta. Op de Boulevard van de Eeuwige Vrede bewoog vooralsnog niets, stelden ze vast. Ze moesten wachten. Greta ging terug naar binnen en richtte haar ogen op de bolletjes in haar puntenslijper. Haar moeder installeerde zich in een fauteuil en sloeg een Nederlands boek open dat Ivens haar had gegeven. Dop bleef op het balkon de boel in de gaten houden.

'Ik hoor trommels!' riep hij na verloop van tijd. In de verte naderden mannen in militair uniform met mitrailleurs in de hand. 'Ze lopen niet netjes in de pas,' merkte Dop teleurgesteld op. 'Dat doen ze pas als ze dicht bij het Plein van de Hemelse Vrede komen,' legde zijn moeder uit, 'waar papa staat, en meneer Ivens.' Vrachtwagens met militairen volgden, daarna rolden tanks voorbij. Dop had op school gehoord dat die nu in China werden gemaakt. Vroeger moesten ze uit de Sovjet-Unie worden geïmporteerd, maar het communistische Russische broedervolk had China zelf wapens leren maken. De vriendschap tussen de Sovjet-Unie en de Volksrepubliek kwam vaak aan de orde op de school van Dop en Greta.

Met oorverdovend lawaai kwamen bommenwerpers van de luchtmacht overgevlogen. Ze maakten een bocht in de lucht om opnieuw over de boulevard te scheren. Selma vluchtte naar binnen. Zij had een hekel aan militair vertoon en kwam pas weer naar buiten toen pioniertjes in witte blouses met rode vlaggen voorbij marcheerden. Ook zij boden een rommelige aanblik. 'Ze lopen nog niet netjes, maar wij zien alles wel veel eerder dan de mensen op het plein,' stelde Dop tevreden vast. Selma lachte. 'Dat is waar,' zei ze, 'wij hebben de primeur.' De volgende groep jonge mensen hield elk een duif in de hand die ze later zouden loslaten op het Plein van de Hemelse Vrede. Een grote vrachtwagen vervoerde een bouwwerk dat leek op een geweldige bruidstaart van verschillende verdiepingen. Daarop poseerden atletische jongens en meisjes die gejuich ontlokten aan Selma en de kinderen.

Greta zag zichzelf er al tussen staan. Het meisje helemaal bovenop hield een rode vlag in de hand die ze op het plein hoog in de lucht zou steken, verwachtte ze. Motoren met zijspan voerden een zeilboot en een kano met zich mee, bemand door mannen en vrouwen in rode pakken. In hun kielzog stapten jonge mensen in badpak. 'Die zullen het wel koud hebben,' zei Selma. Een praalwagen met Peking-opera-acteurs in kleurrijke kostuums en met dramatisch beschilderde gezichten gleed voorbij. Greta genoot.

De parade werd afgesloten door een eindeloze groep jonge mensen met rode vlaggen die in westelijke richting verdween, naar het Plein van de Hemelse Vrede. In de verte zagen Greta, Dop en hun moeder honderden witte duiven opstijgen. Inmiddels kon Greta alle balletjes met een handomdraai in de gaatjes krijgen, liet ze aan haar broer zien. 'Ik heb honger,' zei Greta.

'We gaan naar huis,' besloot Selma.

ZONDAGMIDDAG: SELMA SCHRIJFT HAAR VADER

NAJAAR 1957

Dop en Greta maakten hun huiswerk aan de rozenhouten, met paarlemoer ingelegde eettafel in de huiskamer. Hun vader las een vaktijdschrift in een fauteuil daar vlak naast en hun moeder had zich tegenover hem op de bank geïnstalleerd met haar schrijfmachine op haar schoot. 'Lieve pap en Corrie' stond boven aan het papier. Selma kon razendsnel tikken met twee vingers. Moumoun, het lawaai van de machine negerend, lag tegen haar aan gevlijd.

Het was zondagmiddag, buiten was het koud en nat. Selma had die ochtend besloten dat ze thuis zouden blijven. Op hun enige vrije dag van de week bedacht zij vaak een uitstapje naar de dierentuin, een paar haltes met de bus, of naar het verderop gelegen Zomerpaleis. Daar maakten ze een wandeling rond het grote meer dat het hart vormde van de Paleistuin. Het was de enige plek in Peking waar ze haar benen kon strekken. Greta had er een hekel aan omdat ze altijd aangegaapt werden door drommen mensen.

Eerst had Selma een pas ontvangen exemplaar van *De Groene Amsterdammer* doorgenomen. Ze had een abonnement op het weekblad en sloeg geen artikel over. Daarna was ze verdergegaan in een boek. De kinderen wisten hoe geconcentreerd hun moeder was als ze las. Ze konden haar rustig twintig keer om een snoepje vragen en altijd zou ze 'ja hoor' zeggen, terwijl ze juist heel streng was met zoet. Selma las, draaide een lok van haar kroezende haar rond een vinger en aaide Moumoun. Haar roman was nu uit. Ze had alle boeken van de bibliotheek voor buitenlanders al gelezen, net als die van haar buitenlandse vrienden. Nu moest ze het doen met wat ze van nieuwe kennissen kon lenen. Selma las alles wat ze in handen kon krijgen. Ze kon genieten van de Romeinse filosoof Cicero, maar onlangs was ze ook dolgelukkig thuisgekomen met twee zware tassen Franstalige detectives.

Selma had haar best gedaan haar woning gezellig in te richten. Kleurige vloerkleden en zelfgemaakte gordijnen zorgden voor een warme sfeer. Aan de muur hing een kalender met Hollandse molens. Wie bij het gezin op bezoek ging stapte China uit en Nederland binnen. Zodra ze in Peking was aangekomen had Selma een piano gekocht. 's Zomers stond die in de woonkamer ingeklemd tussen de eettafel en een muur, in het najaar, als de kolenkachel weer werd geplaatst, moest hij naar de ouderlijke slaapkamer worden verhuisd. Zonder piano kon Selma niet leven. Die ochtend had ze nog iets van Bach gespeeld. Nu de kinderen groter waren namen zij en Chang hen regelmatig mee naar een klassiek zondagmiddagconcert. De musici waren Russen, of Chinezen die in de Sovjet-Unie waren opgeleid, maar er was ook een beroemde Indische familie Lin van violisten en dirigenten die allemaal aan het Amsterdamse conservatorium hadden gestudeerd. Vier gebroeders Lin waren met muzikale vrouwen getrouwd. Hun kinderen traden nu ook al op, onder toeziend oog van oma Lin, altijd op de voorste rij. Greta en Dop vonden het heerlijke uitjes en luisterden muisstil naar de muziek.

Selma probeerde haar kinderen een jeugd te geven zoals ze zelf had gehad. Sinterklaas en zijn pieten kwamen speciaal voor hen naar Peking, had ze hun verteld, en dat verhaal ging erin als koek. Over een paar weken mochten ze hun schoen weer zetten. Met

Kerstmis zorgde Selma voor een opgetuigde boom, net zoals haar moeder dat had gedaan, ook al waren ze Joods. Alle verjaardagen werden uitgebreid gevierd. Dat was geen gebruik in China. Op 4 oktober bakte ze appeltaart voor Dop. Greta wilde liever een groentequiche op haar verjaardag. In China waren geen ovens te koop. Selma had een loodgieter een metalen kist laten lassen die boven op het kolenfornuis paste. Daarin bakte ze haar westerse specialiteiten.

'sZondags was Lentebloesem vrij en kookte Selma de maaltijden. De kinderen hielden van de exotische gerechten die ze hun voorzette. Macaroni met ham en kaas, gebraden vlees, of gehaktballen met aardappelen. Vandaag was ze al uren bezig met een bijzonder toetje, perenkugel, naar een Joods recept van haar overleden moeder. Dat vond Dop zo mogelijk nog lekkerder dan appeltaart, maar Selma kon het alleen maken als er stoofpeertjes te krijgen waren en dat was zelden het geval in Peking. Vanuit de oven verspreidde zich de verrukkelijke geur van gekaramelliseerde peer, kaneel en rozijnen door de hele woning.

Chang stemde de radio af op een klassiekemuziekzender en het hele gezin genoot in stilte van een vioolconcert. Soms stond een van de kinderen op om hun vader iets te vragen over karakters die ze moesten schrijven. Toen ze klaar waren, kregen ze van Selma extra huiswerk op. Ze wilde dat Greta en Dop ook het Latijnse alfabet en Nederlands leerden, zodat ze in de toekomst met hun grootouders konden praten. De confuciaanse opvattingen van Chang en de Joodse van Selma sloten wat betreft het onderwijs van hun kinderen perfect op elkaar aan.

Selma nam een trekje van haar sigaret, aaide Moumoun over haar kop en ratelde verder op haar typmachine. Haar berichten klonken alsof ze op een ongewone vakantiebestemming was terechtgekomen. Niet alles was zoals ze had verwacht, maar ze redde zich uitstekend.

‘We hoorden gisteravond laat op de radio dat er nachtvorst werd voorspeld. Dus haalde ik om halfelf alle potplanten naar binnen. De kachel staat nog niet aangezien de lui “geen tijd hebben” en dus bibberen we lekker. Ik durf hem ook zelf niet te zetten zoals vorig jaar want de pijpen lekten omdat ze verkeerdom aan elkaar vastgeschroefd waren. We kleden ons dus dik.’

Met haar brieven stuurde Selma vaak foto’s mee. Onlangs had ze een familieportret laten maken in een studio. ‘Hoe vinden jullie ’m? Volgens mij is ie niet kwaad. De kinderen kijken verschrikkelijk ernstig, ze vonden het een hele serieuze gebeurtenis, zo’n foto voor opa en oma Corrie, en hebben me heel beledigd gezegd dat mammie wat plechtiger moest kijken; wat was dat voor manier, zo’n lachende snuit! Vandaar dat ik me een ongeluk lach op de foto. De kleuren zijn niet helemaal goed, Chang heeft z’n grijze trui aan, en m’n mantelpakje is ’n rood-groene Schotse ruit, en Greta is rood met grijs, maar enfin. Gelieve speciaal te letten op Greta’s medaille!’

Andere keren sloot Selma zelfgemaakte reportages bij, van uitstapjes naar de Grote Muur, of naar de heuvels buiten Peking, waar het gezin in het voorjaar bloesemende bomen en in het najaar herfstkleuren had bewonderd. Foto’s laten afdrukken was duur, daarom stelde Selma dat vaak uit. Tegen de tijd dat de kiekjes klaar waren, was alweer een ander seizoen aangebroken, maar ze leverden het bewijs dat Selma een prima leven leidde in China.

Ze wilde niet dat haar vader zich zorgen zou maken over haar, want hij had wel wat anders aan zijn hoofd. Hij droeg de verantwoordelijkheid voor een gezin met schoolgaande kinderen terwijl hij binnenkort vijfenzestig werd en met pensioen ging. Na de oorlog was hij hertrouwd met de veel jongere Brabantse Corrie, die al een zoon had, Siert. Samen kregen ze twee jongens, Robert en Max jr.

De moeder van Selma was op 22 mei 1943 door de nazi's opgepakt en een week later in Sobibor vergast. Max en Selma waren ondergedoken. Ze schuilden onder andere in Eindhoven, bij Corrie en haar eerste man, Jan van der Laan, die in het verzet zat. Jan sloot zich in 1944 aan bij de Binnenlandse Strijdkrachten en vocht samen met Britten en Canadezen voor de bevrijding van Nederland. Op 18 december 1944 werd hij door Duitsers te Wamel gedood, een dorp in het Land van Maas en Waal.

Selma verwees in haar brieven nooit naar de verschrikkingen van de oorlog. Haar kinderen vertelde ze er ook niets over. Soms leek elk onverwacht geluid haar pijn te doen. Als de kinderen iets te hard op een deur klopten, een beetje stampten met zware schoenen op de binnenplaats, kon ze in plotselinge woede ontsteken en flinke meppen uitdelen. Ze wilde niet dat er binnen of buiten de woning luid gesproken werd. Daarom speelden Dop en Greta liever op 'de weg van cement', aan de andere kant van het hof.

Het oorlogsverleden was voor Selma taboe en over haar huidige leven moest ze in haar brieven veel verzwijgen. 'De censor leest al mijn brieven twee, zo niet drie keer,' waarschuwde ze haar vader in een brief die door een vriendin buiten China werd gepost. Over haar eigen werk kon ze niet veel vertellen. Selma gaf Engels, Frans en Duits op de Staatshandelsschool van Peking. Haar studenten werden opgeleid voor hoge posities op Chinese ambassades of op het ministerie van Buitenlandse Zaken. Alles wat ze over hen zou kunnen zeggen lag politiek gevoelig. Dat gold ook voor de bezigheden van Chang. Hij was lid van de partij. Veel van wat hij deed was alleen bekend bij zijn superieuren. Daardoor lijkt het in Selma's brieven soms alsof het gezin alleen bestaat uit haarzelf, haar kinderen, Lentebloesem en poes Moumoun.

Max Vos had graag gewild dat Selma medicijnen ging studeren toen ze goede cijfers haalde op de hbs. Haar pianoleraar vond haar zo getalenteerd dat hij het conservatorium voorstelde. Alle mooie toekomstplannen vielen in duigen toen de Duitsers binnenvielen. Na de oorlog – Selma was inmiddels vierentwintig geworden – koos ze voor Engelse taalkunde. Die opleiding was korter, maar het was geen tweede keus. Ze had altijd al een grote liefde voor talen gehad. Voor Frans, Duits en Engels haalde ze op school achten en negens. Tijdens de oorlog had ze zich Latijn, Grieks en Esperanto eigen gemaakt. Korte tijd studeerde ze aan de Universiteit van Amsterdam. In 1946 vestigde ze zich in Cambridge. Max zal ermee hebben ingestemd dat ze haar vleugels uitsloeg. Hij zal begrepen hebben dat zijn dochter net als hij behoefte had aan een nieuw begin.

Max Vos, geboren te Amsterdam in 1894, ging na de lagere school aan de slag als diamantbewerker en stapte zo in de voetsporen van zijn vader, maar het werk beviel hem niet. In de avonduren volgde hij een opleiding voor boekhouder. Dat vak paste beter bij hem. Max was een meester met cijfers. Hij ontmoette de iets jongere Grietje Klatser, dochter van een diamantbewerker. Beiden woonden als kind in de smalle straten van de arme Jodenbuurt van Amsterdam. Vanwege de sanering daarvan waren zowel de familie Vos als de Klatsers naar Amsterdam-Oost verhuisd.

Max Vos groeide joods-orthodox op, maar koos op jonge leeftijd voor het socialisme. Hij was twintig toen hij lid werd van de SDAP, en bleef tot het eind van zijn leven een trouw aanhanger van de Partij van de Arbeid. Grietje's vader was ook socialist. Zij had het met tien broers en zussen niet breed gehad in haar jeugd. Op 1 oktober 1919 trouwden ze.

Twee jaar later werd Max Vos benoemd tot hoofd van de financiële afdeling van het Rotterdamse dagblad *Voorwaarts*. Hij,

Grietje en de inmiddels geboren kleine Selma verhuisden naar Rotterdam. Max moest het socialistische dagblad van een dreigend faillissement zien te redden. Dat lukte hem.

Toen in 1929 De Arbeiderspers werd gesticht en *Voorwaarts* en *Het Volk* bij elkaar werden gevoegd, kwam er een nieuw hoofdkantoor aan het Hekelveld vlak bij het Amsterdamse Centraal Station. Max en zijn gezin verlieten Rotterdam en betrokken een woning in IJmuiden. Ze wilden graag buiten wonen, omringd door groen en frisse lucht. Vanuit IJmuiden pendelde Max per trein naar zijn werk.

'Dop lijkt toch zo op jou, pap,' schreef Selma meerdere malen aan haar vader. 'Hij heeft Vossehanden en Vossevoeten. Als hij geconcentreerd ergens mee bezig is, krijgt hij zweetdruppeltjes op zijn neus, net als jij.' Ze hield haar wereld klein. In haar brieven ging het vooral over haar kinderen. Greta leek op de overleden grootmoeder naar wie ze vernoemd was: 'Speciaal wat kleren en tempo betreft. Net als zij kan ze enorm tutten voor de spiegel. Met kam en borstel probeert ze of 't haar wat meer naar links moet of naar rechts.'

Selma beschreef hoe hard haar zoon en dochter groeiden: Dop werd vast net zo lang als zijn opa. Haar kinderen waren de besten van hun klas. Ze liet niet weten dat ze zich vaak zorgen maakte over het Chinese onderwijs. Vanaf de eerste klas van de lagere school moesten Dop en Greta vaak, net als hun vijftig klasgenootjes, een hele les met de armen achter op hun rug zitten en luisteren naar de juf die vertelde over de vijanden van China: Amerika, Zuid-Korea en Japan. De klas van de zevenjarige Greta had ook een oorlogsfilm te zien gekregen over martelende en moordende Japanners. Huilend en geheel van streek was het kind thuisgekomen.

Dat vond Selma te gek. Ze stond erop dat Chang naar school ging om ervoor te zorgen dat Greta nooit meer zo'n film hoefde te zien. Blij was Chang met deze opdracht niet, maar hij kreeg het voor elkaar. Greta mocht daarna op turnen. Selma wilde dat haar dochter zich na het zware lesrooster ergens kon uitleven en vond een lerares die perfect bij haar dochter paste. Net als zij was ze van gemengd bloed. Vanaf de eerste ontmoeting bestond er een bijzondere band tussen het half-Nederlandse kind en de half-Italiaanse juf, van wie de familienaam ook Tsao was.

Nog steeds zat Selma met haar typmachine op schoot. Ze woog haar woorden. Poes Moumoun was altijd een dankbaar en neutraal onderwerp. In elke brief vermeldde ze wel iets over de lieveling van het gezin. 'Het is zo'n verstandige poes. We hebben een klopper op de slaapkamerdeur en als Moumoun naar bed wil springt ze op de piano, steekt een poot uit en klopt!'

In de winter rapporteerde Selma hoe Moumoun voor de kachel lag, boven op een kistje dat ze zelf getimmerd had. Soms gaf Moumoun miauwend te kennen dat ze ín de kist wilde. Dan tilde een van de huisgenoten de deksel eraf zodat de poes plaats kon nemen. 's Zomers als het heet was lag ze liever languit uitgestrekt op de bank. 'We noemen haar nu één meter poes.'

Over de andere bewoners van het hof zweeg Selma in haar brieven. Haar kinderen kwamen bij alle vijftig families wel eens over de vloer, maar zij werd op afstand gehouden. Contact met een buitenlander moest worden gerapporteerd en daarmee konden problemen worden opgeroepen. Als Selma thuiskwam, werd ze op de verschillende binnenplaatsen beleefd gegroet, maar niemand kwam zomaar langs voor een praatje of vroeg haar op de thee.

Kort na aankomst in China had ze aanspraak gevonden in haar moederstaal bij de Nederlandse vertegenwoordiging in Peking.

Een ambassade mocht dat niet genoemd worden van de Chinezen, ook al had Nederland de Volksrepubliek in 1950 erkend. Nederland bleef namelijk ook contact onderhouden met Taiwan, waar de nationalisten een nieuwe republiek hadden uitgeroepen. Om die reden had de vertegenwoordiging de lagere status van 'chargé d'affaires' gekregen.

Selma raakte bevriend met de echtgenote van de kanselier en met een tolk, totdat ze het gevoel kreeg dat deze mensen aan het spioneren waren. Ze overlegde met Chang, die zich verplicht zag dit aan zijn superieuren te melden, zo zal later blijken uit documenten uit het archief van de Academie van Wetenschappen. Selma verbrak daarop haar contacten met de Nederlanders. Chang gaf ook dat weer door. Tot verdere geruststelling kon hij melden: 'Mijn vrouw wordt nu niet meer uitgenodigd voor de viering van Koninginnedag, de nationale Nederlandse feestdag.' Die deur bleef voor Selma dus voortaan ook gesloten.

Het was geen wonder dat huishoudster Lentebloesem zo'n belangrijke figuur werd in Selma's leven. Lentebloesem verlichtte haar eenzaamheid en was de brug naar het land waar zij een vreemdelinge was. Daarbij hielp ze Selma de woning brandschoon te houden. Lentebloesem stofzuigde elke dag tot in elke hoek, onder elke kast, en nam alle meubels af. Elk voorjaar schreef Selma aan haar vader dat de grote klus – het opbergen van de winterkleding en winterbeddengoed – weer was geklaard. Alles moest motten-, mijt-, luis- en schimmelvrij in een grote kist worden geborgen. Nederlandse vrouwen waren heel proper, hield Selma haar kinderen regelmatig voor: eens in de week schrobden zij zelfs de stoep voor hun huis met water en zeep. Zij gruwde dan ook van het vuil in de straten van Peking, van de gewoonte overal te fluimen. Ze ging nooit de deur uit zonder een schoon paar witte handschoenen aan, winter of zomer, en dan nog probeerde ze in de overvolle bussen niets aan te raken omdat ze overal bacteriën vermoedde. Greta zal later zeggen: 'Mijn moeder was een licht geval van smetvrees.'

'Wie van West naar Oost verhuist, doet er het beste aan "to go native", zoals de Britten dat zo mooi zeggen,' schreef Selma aan haar vader. Maar ze kon het niet. Ze klampte zich vast aan haar kraakheldere huis met Hollandse inrichting, misschien juist omdat ze werd buitengesloten. Kijkend naar haar kinderen observeerde ze: 'Greetje is veel Chineser van inborst dan Dop. Zij past zich makkelijker en luchthartiger aan. Dop is kritisch en tamelijk veeleisend, wat, nietwaar pap? in de Vosse-aard zit.'

Inmiddels was een schemerlamp ontstoken die een cirkel geel licht over Selma wierp. Ze zat nog steeds op de bank met haar schrijfmachine op schoot. Dop had net een belangrijke ontdekking gedaan zonder dat iemand het had gemerkt.

Hij was negen, kende al aardig wat karakters, en keek over de schouder van zijn vader Chang mee in de krant die hij zat te lezen. Twee karakters kwamen veel in een artikel voor. Dop wist hun betekenis niet precies. You Pai, 'rechts element'. Er was op dat moment in China een zuivering aan de gang.

In de zomer van 1956 had Mao Zedong intellectuelen en studenten opgeroepen de Communistische Partij te bekritiseren in een poging hen meer bij het landbestuur te betrekken. 'Laat Honderd Bloemen Bloeien' heette de campagne. Er kwam echter zoveel kritiek los, dat Mao het als een aanval op de partij ging zien. Wie zich had uitgesproken, werd gestraft. In 1957 werd een half miljoen mannen en vrouwen gevangengezet of verbannen naar afgelegen gebieden, soms voor een periode van wel twintig jaar. Op het instituut van Chang waren een promovendus en een secretaresse aangeklaagd. Elk bedrijf, elke instelling of instantie werd geacht ongeveer 5 procent van zijn werknemers als schuldigen te ontmaskeren. Zij konden zich hiertegen niet verweren, verloren hun baan, hun woning, hun verblijfsvergunning voor de stad Peking en werden op het platteland tewerkgesteld. Altijd zou het verschrikkelijke stigma 'rechts element' in hun dossier blijven staan en hun gezinnen werden samen met hen in het ongeluk gestort. Dops vinger wees de onbekende karakters aan in de krant. 'You Pai, wat betekent dat?' vroeg hij.

Chang moedigde dit soort nieuwsgierigheid altijd aan, zo'n vraag gebruikte hij als opstapje voor uitleg over de Chinese taal. Nu deed hij er het zwijgen toe. Dop herhaalde zijn vraag. Chang keek hem even vluchtig aan en zei: 'Daar moet jij je maar niet mee bezighouden.'

Dop was verbaasd, maar durfde niet verder aan te dringen. Die twee karakters stonden voor een wereld waar zijn vader hem buiten wilde houden, zoveel was hem duidelijk. Het had te maken met politiek en met de Communistische Partij, waar zijn vader lid van was. Blijkbaar gebeurden er dingen die niet openlijk besproken mochten worden, zelfs niet tussen vader en zoon. Geheime zaken. Dop werd zich bewust van dreigend gevaar. Later zegt hij over dit moment: 'Het was te vergelijken met de ontdekking van een kind dat zijn vader lid is van de maffia.'

Selma tikte de laatste regels: 'Hoor ik gauw van jullie? En als de volgende brief soms aan de late kant mocht zijn; alvast gefeliciteerd met Maxjes verjaardag, en een serie klapzoenen voor die van jullie. Van je Selma.'

'PEKING ZIT AL EEN WEEK ZONDER GROENTE'

Begin 1960 schreef Selma aan haar vader: 'Vlees, eieren en vis al lange tijd niet meer te krijgen.' Het leek zomaar een verdwaalde opmerking tussen haar gebruikelijke nieuws over de kinderen en Moumoun. In een brief van 20 maart voegde ze daaraan toe. 'Peking zit al een week zonder groente.' Dat was wel heel uitzonderlijk. Andere jaren was 's winters en in het voorjaar altijd volop kool te krijgen. Karrenvrachten daarvan werden aangevoerd door boeren uit de omgeving van de stad.

In een volgend bericht – het was inmiddels voorjaar – was iedereen ingeschakeld om de velden te bewateren; fabrieksarbeiders, leraren, kantoormensen, studenten en scholieren. 'Er is dit jaar geen druppel gevallen,' lichtte Selma toe. Ook Dop en Greta waren met hun lagere school gaan helpen gieten op het platteland. Blijkbaar viel niet veel te redden want die winter schreef Selma: 'Er is nu alleen nog graan.' En zelfs dat was op de bon. 'Vanwege de misoogsten van vorig jaar zitten de grote steden hier lelijk in de penarie,' vatte ze de situatie samen. Officieel was er nog steeds niets aan de hand, honger was iets van vroeger, nu kwam dat niet voor. Het was streng verboden dat woord te gebruiken. Toch werd uit Selma's berichten duidelijk dat er iets helemaal mis was in het land. Ze schreef over 'problemen met de voedselvoorziening' en 'gebrek aan transport'.

Max Vos moest zich geen zorgen maken, drukte zijn dochter hem op het hart, ze had toegang tot speciale winkels. Eerder had ze privileges afgewezen, nu maakte ze er gebruik van. 'De hele huishouding drijft op mijn kracht, want ik sleep alles naar huis, van zeep tot boter en van tandpasta tot mandarijntjes. Om van het dagelijkse brood maar niet te spreken.' Elke dag was ze na haar werk uren onderweg in overvolle bussen om die speciale winkels af te gaan, maar daar was ook al lang niet alles meer te krijgen. In het voorjaar van 1961 was Selma druk in de weer met kuikens en kippen. 'Hoe zie je toch bij een Leghorn wat 'n haan is?' vroeg ze haar vader. 'Ze hebben allemaal kammen op hun kop. Kraaien doen ze pas als ze een maand of vier zijn. Kun je me niet een kippenhandleiding opsturen?' Ook had ze een moestuintje aangelegd op het hof.

De hongersnood, die officieel nog steeds niet bestond, duurde nu al een jaar. Iedereen had gebrek aan calorieën, de werktijden waren ingekort. Van hogerhand werd voor afleiding gezorgd. Tafeltennis werd een rage. 'Je krijgt overal balletjes tegen je hoofd,' schreef Selma. 'De kinderen en ik zijn een keer wezen kijken naar de kampioenschappen. Het is in 't nieuwe stadion, een prachtig gebouw met zitplaatsen voor 15 000 mensen. Ondanks dat is het vrijwel onmogelijk kaartjes te krijgen. De kinderen zitten bijna elke avond bij de buren naar tafeltennis op de tv te kijken.'

Dop en Greta herinneren zich niet ooit echt honger te hebben geleden. Wat andere kinderen aten wisten ze niet. Een keer kwam Greta op bezoek bij een klasgenootje dat nog niet klaar was met haar lunch, een soort vieze pap, zag ze. Toen ze dat thuis vertelde zei Selma: 'Dan zie je eindelijk eens hoe goed jullie het hebben!' Toch zijn Dop en Greta op foto's die hun moeder aan het begin van die zomer in een zwembad maakte, opvallend mager.

Het hele jaar door was Selma bezig geweest een vakantie te regelen. Ze wilde er even tussenuit met haar kinderen. Weg uit de deprimerende stad, waar in stilte werd gehongerd. Het staatspersbureau Nieuw China, waarvoor ze inmiddels als docent werkte, beschikte over een villa in de badplaats Beidaihe, maar het had duizenden mensen in dienst die er allemaal van droomden daar te logeren. Hoewel buitenlanders meer kans maakten, gold dat niet vanzelfsprekend voor Selma want zij was niet als 'buitenlandse expert' naar China gekomen maar als 'echtgenote'. Daardoor kreeg ze minder privileges. Blijkbaar had ze de voorafgaande maanden de juiste mensen aangesproken op haar werk en de juiste argumenten aangevoerd, want ze was toch uitverkoren, en haar kinderen mochten mee. Ze gingen naar zee! Twee weken lang kregen zij en de kinderen een kamer in de villa van Nieuw China. Selma hoefde alleen voor de maaltijden te betalen. De badplaats en de trein waarmee ze zouden reizen kregen speciale voedselrantsoenen toegewezen.

DE TREIN NAAR ZEE

ZOMER 1961

Wolken stoom en rook dreven over het perron. Sissend zette de locomotief de trein in beweging. Greta en Dop leunden uit het raam om het station achter zich te zien verdwijnen. De trein reed parallel aan de stadsmuur die boven hen uittorende en vervolgens in de verte oploste. Ze schommelden door okerkleurig land.

De kinderen waren zo opgetogen over de reis dat ze niet rustig konden zitten. Greta was nu elf, Dop bijna dertien. Selma zal vooral opgelucht geweest zijn. Pas gisteren had ze gehoord dat zij en haar kinderen op vakantie mochten. Gisteravond laat waren de treinkaartjes bezorgd. Over hun haastige vertrek schreef ze aan haar familie in Santpoort: 'Grote opwinding thuis. Koffers pakken! Badpakken passen niet meer! "Mammie, maak m'n badpak groter." (Ik heb uit twee kleine een grote gemaakt.) "Waar zijn de scheppen?" "Zit er film in de camera?" "Mag Moumoun mee in een mandje?" Nee, dat gaat echt niet, moest ik uitleggen.'

Ze hadden de hele coupé voor hen alleen. Na verloop van tijd installeerden Dop en Greta zich net als hun moeder op een van de met lichtblauwe katoen beklede bedbanken. Pas gewassen, helemaal schoon, had Selma tevreden vastgesteld. Over het tafeltje tussen hen in lag een met gehaakt kant afgezet kleedje. Daarop prijkten een vetplantje met roze bloemen en mokken van wit porselein, beschilderd met grillige bergen en kersenbloesem. Voor het raam hingen blauwe gordijnen gedrapeerd, ook al met kant afgezet. Greta en Dop namen het allemaal genietend in zich op.

Geen enkel kind bij hen in de klas had ooit de zee gezien, de onderwijzeressen evenmin. Daarom was afgesproken met Greta en Dop dat ze na de vakantie niets over deze reis zouden vertellen op school, want dat zou maar tot jaloezie en praatjes leiden. Een vakantie in Beidaihe was alleen weggelegd voor de elite.

Een conductrice in een grijs uniform schoof de deur open en bracht een nieuwe thermosfles met heet water en een paar zakjes thee. Als ze meer water wilden, zei ze, moesten ze het maar vragen. De lunch zou na Tianjin worden geserveerd.

Voor elke spoorovergang snerpte de stoomfluit over het vlakke, droge land. De zon blakerde de schrale akkers met mais en graan. Daartussen lagen dorpen van lemen huizen, met ommuurde erven op het zuiden gericht. Grafheuvels lagen als reusachtige molshopen in het land, vlak bij het spoor, midden in de velden en aan de horizon.

De bestemming van de trein was het hoge noorden. De laatste twee luxewagons waren speciaal aangekoppeld voor partijkader en buitenlanders die in Beidaihe zouden uitstappen om daar vakantie te houden en zouden daar afgekoppeld worden. Chang was een dag eerder met collega's in de badplaats aangekomen, maar dat hield geen enkel verband met het feit dat Selma en haar kinderen daar nu ook naartoe onderweg waren. Vakanties werden door het staatsbedrijf waar men voor werkte aan een persoon toegekend, niet aan een gezin. Chang verbleef in een hotel van de Academie van Wetenschappen en wist niet eens dat Selma en de kinderen zouden komen. Toen dat werd beslist, was hij al onderweg.

De trein stopte naast een stationsgebouw van rode baksteen: Tianjin. Selma zal haar kinderen wel verteld hebben dat zij elf jaar geleden híér, in deze havenstad, met het schip Mei Shang Mei, 'Mooier dan Mooist', in China waren aangekomen. Greta was een baby van een half jaar, Dop nog geen twee. Het was in juli geweest, midden in de zomer, net als nu. Op de kade stond een vertegenwoordiger van de Academie van Wetenschappen hen op te wachten. Hij bracht hen onder in een mooi hotel en at met hen in een restaurant. Met alle egards waren ze China binnengehaald.

Chang Tsao was al communist toen Selma hem in Cambridge ontmoette. In oktober 1945 was hij daar aangekomen met een beurs voor King's College. Hij had zich onmiddellijk op zijn promotieonderzoek gestort. Daarnaast werd hij actief binnen de Chinese studentenvereniging. De leden daarvan discussieerden avondenlang over de politieke situatie in hun thuisland. De Japanse bezetter was verslagen, maar hoe moest het nu verder? Een deel van de Chinese studenten steunde de nationalisten, die nog steeds aan de macht waren. De anderen, onder wie Chang, hadden genoeg van het huidige regime. Uit ervaring wisten ze dat de nationalisten corrupt en inefficiënt waren. Ze hoopten op verandering en hadden vertrouwen in het Rode Leger, dat vanuit de binnenlanden van China een guerrillaoorlog aan het voeren was. Op een van de bijeenkomsten die Chang bijwoonde ontmoette hij de drie jaar oudere Chen Tiansheng, alias Samuel Chinque, een geuzennaam. Chink betekent immers spleetoog. De man was geboren in de Britse kolonie Jamaica en op zijn achttiende zeeman geworden. Als lid van de vakbond voor Chinese zeelieden streed hij voor gelijke betaling en een betere behandeling. Chinque vestigde zich in Engeland en sloot zich aan bij de Britse communistische partij. Hij zou elf kinderen verwekken, van wie de oudste en de jongste zestig jaar met elkaar schelen. Toen hij, ver in de zeventig, in een Londense metro werd aangevallen door een skinhead, sloeg hij die met één goed gemikte klap tegen de grond.

In 1947 opende Chinque in Londen de eerste buitenlandse vestiging van persbureau Nieuw China. Dat hield in, zo schreven onderzoekers later, dat hij de 'ogen en de tong' werd van de dan nog ondergrondse Chinese Communistische Partij. Uit archiefstukken blijkt dat Chang door Samuel Chinque werd gerekruteerd. Er was ook nog een meneer Liu die een rol speelde, al trad hij nooit op de voorgrond. Hij was door de CCP vanuit China naar Engeland gestuurd om een geheime onderafdeling van de partij op te richten. Samuel Chinque, die de taal sprak en veel contacten had, werd het gezicht van Nieuw China.

Niet lang nadat dit allemaal zijn beslag had gekregen, ontmoette Chang Selma. Tijdens een klassiek concert, denkt Greta. Bij een tenniswedstrijd, weet Dop zeker. In ieder geval waren ze meteen verliefd. Vrienden vonden dat ze bestemd voor elkaar waren. In september dat jaar reisden ze samen naar Schotland. Er werden foto's gemaakt van het stel voor een monument en voor een smeedijzeren hek. Ze staan dicht bij elkaar en lachen blij. Selma heeft haar hand liefdevol rond de arm van Chang gelegd. Dat hij tien jaar ouder was dan zij en Chinees, zag ze niet als een bezwaar. Ze was zelfstandig en maakte haar eigen keuzes. Dat had ze al bewezen door in het buitenland te gaan studeren in een tijd dat dit voor een jonge vrouw allesbehalve gewoon was.

Eind november stak het tweetal over naar Nederland om op 2 december 1947 in Amsterdam in het huwelijk te treden. Een feest moest het niet worden. Selma's moeder en vrijwel al haar ooms, tantes, neven en nichten waren tijdens de oorlog in concentratiekampen omgebracht. In een Amsterdamse woning aan de Mozartkade, waar Selma kort na de oorlog een kamer had gehuurd toen ze aan de Universiteit van Amsterdam Engelse taalkunde studeerde, konden vrienden en de weinige familieleden die er nog waren het paar feliciteren. Door haar handtekening te zetten raakte Selma haar Nederlandse paspoort kwijt. Zo was de wet in die jaren: een vrouw die een buitenlander huwde, werd geacht diens nationaliteit aan te nemen.

Het paar keerde terug naar Cambridge en betrok een kamer in de woning van de avant-gardistische choreograaf Kurt Jooss. Deze Duitser had zijn land verlaten toen Hitler aan de macht kwam en in Cambridge een dansschool opgericht. In het huis heerste een internationale sfeer. Het was er een komen en gaan van buitenlandse dansers, kunstenaars en studenten. Chang en Selma maakten fietstochtjes in de omgeving van Cambridge en roeiden op de Cam. Ze genoten van voorstellingen en muziek. De eeuwenoude universiteitsgebouwen met de ommuurde binnentuinen vormden een romantisch decor. Het moet een gelukkige tijd voor hen zijn geweest. Chang had zijn jarenlange onderzoek naar de werking van het geheugen afgerond. Zijn dissertatie *Time intervals in learning and memory* was aanvaard. Hij werd doctor in de psychologie en de studiebeurs, die hij van een Britse organisatie kreeg, stopte.

Op voorspraak van professor Frederic Bartlett, die hem had begeleid, kwam hij in aanmerking voor een aantrekkelijke baan als docent aan de universiteit van Hongkong. Voordat hij die accepteerde moest Chang toestemming vragen aan kameraad Samuel Chinque, zo blijkt uit het archief van de Chinese Academie van Wetenschappen. Changs eigenbelang was inmiddels ondergeschikt aan het belang van de Chinese Communistische Partij. Hij mocht de baan aannemen, want de partij had een belangrijke opdracht voor hem in Hongkong.

Selma kon niet met hem mee. Ze was hoogzwanger. In juli 1948 werd de laatste foto van het paar gemaakt voor het huis waar ze woonden in Cambridge. Chang draagt een wit overhemd en een stropdas. Hij lijkt in gedachten al onderweg te zijn. Selma staat gedeeltelijk in zijn schaduw en daardoor is haar dikke buik moeilijk te zien. Ze blijft alleen achter om in Cambridge de geboorte van haar kind af te wachten. Dop is zeven weken oud als ze hem meeneemt naar Nederland voor een bezoek aan haar vader en stiefmoeder. Max Vos maakt een paar foto's van zijn dochter en zijn kleinzoon. Dop is daarop een schattige baby die nieuwsgierig de wereld in kijkt. Selma maakt een terneergeslagen indruk. Ze zal erom getreurd hebben dat haar moeder Grietje er niet meer was om haar kind te bewonderen. Dop zou zijn grootmoeder nooit leren kennen. Met haar stiefmoeder Corrie kon Selma niet goed overweg. In het verre Hongkong zou ze misschien iets makkelijker met haar oorlogsherinneringen kunnen leven. Op 4 februari 1949 gingen Dop en zij in Southampton aan boord van de Corfu.

Selma reisde op een speciaal document, uitgegeven door de Chinese ambassade in Londen. In Hongkong stond Chang op de kade te wachten. Het leven lachte hem en Selma opnieuw toe. Met hun zoontje woonden ze in een appartement met een groot balkon dat een schitterend uitzicht bood over de haven waar jonken en motorschepen af- en aanvoeren. Chang legde vanuit de Britse kroonkolonie in het geheim contact met Chinese wetenschappers in de hele wereld. Uit naam van de Chinese Communistische Partij nodigde hij hen uit terug te keren naar het moederland zodra Mao Zedong de macht had overgenomen. Dat gebeurde op 1 oktober 1949. De Volksrepubliek China werd in Peking uitgeroepen. Chang was daarna druk bezig met het begeleiden van Chinese intellectuelen die zich wilden inzetten voor het Nieuwe China. Hij verwelkomde ze in Hongkong, zorgde voor onderdak, voor introducties bij instituten in Peking en regelde hun verdere reis.

Een paar maanden nadat dochter Greta was geboren besloten Chang en Selma zelf ook naar China te gaan. Selma's vader zag voor zijn dochter nog wel een toekomst in het Britse Hongkong, maar hij vond het maar niets dat ze naar het arme, gesloten China ging. 'Kijk maar uit,' had hij gewaarschuwd, 'straks blijkt Chang daar nóg vier vrouwen te hebben.' Selma had die woorden weggelachen. Chang was een moderne man. Haar vader had nog het oude, feodale China in zijn hoofd. Nu was er een vooruitstrevende regering aan de macht. Chang en zij zagen een gouden toekomst in het door de communisten bevrijde land. De dag na hun aankomst met de Mei Shang Mei in Tianjin reisden ze per stoomtrein naar Peking. De vertegenwoordiger van de Academie van Wetenschappen had de kaartjes al geregeld en hij zorgde ervoor dat een aantal meubels die ze uit Hongkong hadden meegebracht, zoals een mahoniehouten tafel met een ingebouwde wasbak, werd nagestuurd.

Aangekomen in Peking zal Selma onder de indruk zijn geweest van de prachtige stadspoorten en de imposante muur. De hoofdstraten werden op veel plaatsen overspannen door grote houten bogen. Chang nam haar mee naar eeuwenoude tempels en het voormalige keizerlijk paleis, met zijn rode muren en gouden daken. Eerst woonde het gezin in een deel van de vroegere woning van een hooggeplaatste magistraat. Sfeervol, maar zonder verwarming of sanitair. De kinderen gingen – wel heel modern – naar een crèche. Maandagochtend werden ze opgehaald door een dienstauto van de Academie van Wetenschappen waar Chang inmiddels voor werkte. Zaterdagmiddag werden ze door dezelfde chauffeur thuisgebracht. Selma had zo haar handen vrij om les te geven op de handelsschool. Op foto's uit die tijd staat ze steevast te midden van haar studenten. Terwijl de jongens en meisjes eenvoudige broeken en witte blouses dragen, is Selma altijd gekleed in een jurk met een strak lijfje en een wijd uitlopende rok met petticoat, naar de westerse mode van de jaren vijftig.

Selma en Chang maakten veel nieuwe vrienden in die jaren. Er was een grote groep mensen zoals zij: Chinezen die net als Chang in het buitenland hadden gestudeerd en terug waren gekomen om het nieuwe China te helpen opbouwen. Ook hadden zich idealistische Europeanen en Amerikanen aangediend die deel wilden uitmaken van het sociale experiment. Mensen die in Europa of Amerika lid waren geworden van de communistische partij, zich daar door de landelijke politiek steeds meer buitengesloten voelden, en nu China zagen als het land waar hun dromen werkelijkheid zouden worden.

Chang was door premier Zhou Enlai benoemd als onderdirecteur Planning van de Academie van Wetenschappen. Hij ging over de toewijzing van fondsen, was verantwoordelijk voor buitenlandse contacten van de academie en maakte deel uit van delegaties naar de Sovjet-Unie, Polen, de DDR en Hongarije. Daarnaast richtte hij met een collega het Psychologisch Instituut op. Hij hield kantoor in een gebouw net buiten Zhongnanhai, de ommuurde wijk vlak bij het Plein van de Hemelse Vrede, waar de hoogste leiders werkten en woonden. Chang werd regelmatig naar het machtscentrum geroepen voor overleg met ministers en staatssecretarissen.

Door de belangrijke functies die Chang bekleedde kwam de familie Tsao al snel in aanmerking voor een woning met moderne faciliteiten. Toen Dop naar de lagere school moest, hadden Selma en Chang hem naar een internaat kunnen sturen waar de zoons van andere partijleiders heen gingen, maar ze waren geen voorstanders van privileges voor de kinderen van hoog kader. De lagere school in hun eigen buurt, aan de overkant van de straat, naast de gesloten katholieke kerk, was goed genoeg voor hun zoon.

Na de zomervakantie zou Dop naar een middelbare school gaan. Welke stond nog niet vast. Alles hing af van de cijfers die hij had gehaald voor het toelatingsexamen dat kortgeleden was afgenomen, maar de uitslag was nog niet bekend. Het hele gezin zat in spanning. Selma had met de buurvrouw afgesproken dat ze de resultaten door zou bellen naar hun vakantieadres als ze tijdens hun afwezigheid door de post werden gebracht.

De trein was weer gaan rijden. Selma dirigeerde haar kinderen naar de restauratiewagon. Ook hier lagen kleedjes met kant op de tafels. Een ober met een wit schort zette schalen tussen hen in met groenten en vlees en bracht kommen rijst. Greta en Dop hadden nog nooit zoiets heerlijks geproefd. Ze konden er niet over uit: eten in een trein!

In Beidaihe werden Selma en haar kinderen deftig opgewacht door een auto met chauffeur van persbureau Nieuw China. Het station lag een paar kilometer landinwaarts. Alle bagage werd ingeladen, ze reden een heuvel op. 'De zee!' riep Selma ineens opgewonden uit. Dop en Greta keken met verbijstering naar de waterplas waar geen eind aan leek te komen. Hoe kon ergens zoveel water zijn? In de ogen van hun moeder zagen ze tranen van blijdschap. Ze reden nu over de kustweg.

Een heerlijke verkoelende wind woei door de open ramen, hun gezichten en blote armen werden erdoor gestreeld. Rechts strekte de blauwe zee zich uit, links verhieven zich groene beboste heuvels. De tekorten in Peking en de hitte die daar heerste waren een verre herinnering. Ze passeerden westers ogende villa's, met fundamenten van graniet en muren van baksteen, bekroond met puntdaken onderbroken door kapellen en torentjes. Hier waren geen muren zoals in Peking, waardoor alles aan het zicht onttrokken werd. Elke woning had een veranda waarop uitnodigende rieten stoelen klaarstonden. In de tuinen bloeiden bloemen rond een kort gemaaid gazon. Alles was voor iedereen te zien. Het was alsof Beidaihe niet in China maar in Europa lag.

VAKANTIE MET HET HELE GEZIN

1960

De eerste villa's in deze badplaats waren eind negentiende eeuw gebouwd door westerse kooplieden, zendelingen en missionarissen. 's Zomers verkozen zij de kust boven het hete binnenland. Velen verbleven er na hun pensionering het hele jaar door. Tijdens de antiwesterse Bokseropstand van 1900 werd een groot deel van de woningen verwoest. Na de Eerste Wereldoorlog begon de herbouw. Duitse en Oostenrijkse architecten ontwierpen niet alleen comfortabele villa's, maar ook hotels, dansgelegenheden, cafés en kerken. Alle buitenlanders die het zich konden veroorloven, vertoefden de zomer in Beidaihe. Het was een westerse enclave aan zee, maar ook Chinese zakenlieden, krijgsheren en hun concubines begonnen zich er thuis te voelen. Op de stranden wandelden Europese vrouwen in badpak naast Chinese dames in lange zijden gewaden met een parasol. Na de overwinning van de communisten in 1949 waren alle bezittingen onteigend.

Selma en haar kinderen stapten uit voor de villa die aan persbureau Nieuw China was toebedeeld. Hier wachtte opnieuw een verrassing. Er waren bedden neergezet in het mooiste vertrek van het huis, de vroegere salon met serre. 'We hadden een enorme kamer met ramen aan twee kanten, openslaande deuren aan een andere kant,' schreef Selma aan haar familie in Nederland. 'Het strand is hier gereserveerd voor buitenlanders. Het mooiste strand van allemaal. Niet druk en maar twee minuten de heuvel af.'

De avondmaaltijd werd door een bediende naar hun kamer gebracht. ‘Groenten, rijst en een grote, gestoomde vis. We waren nu immers aan zee. Het meisje zei dat de vissers de vis die ochtend hadden gevangen.’ Na het eten probeerde Selma Chang te bellen, maar ze kreeg hem niet te pakken. De volgende ochtend belde hij de villa, hij had een telegram ontvangen van het instituut, maar Selma hield voor haar kinderen geheim dat ze hun vader had gesproken. ‘We gaan even een ommetje maken,’ kondigde ze aan. Het drietal wandelde naar het in Beidaihe beroemde restaurant Kiessling, tevens ijssalon, genoemd naar de eerste Duitse eigenaar. Er heerste nog steeds een westerse sfeer en de patisserieafdeling verkocht Duits gebak. Aan een tafeltje zat een groepje heren, gekleed in donkere katoenen pakken, roomijs te eten. Tot grote verrassing van Greta en Dop was hun vader een van hen.

‘Voor het eerst sedert ons trouwen was de hele familie samen met vakantie!’ schreef Selma enthousiast naar Santpoort, ‘ofschoon Chang niet bij ons verbleef.’ De Tsao’s brachten een paar genoeglijke uren door op het strand. Chang ging daarna mee lunchen met Selma en de kinderen in hun verblijf. Na nog een paar uur strand was Chang teruggekeerd naar zijn collega’s: er stond een vergadering op het programma en het werk ging door. Hij zou nog zes dagen in Beidaihe blijven, maar zijn kinderen herinneren zich niet dat ze hem na die ene ontmoeting nog hebben gezien.

‘Toch was het leuk,’ besloot Selma monter haar verhaal over de ontmoeting met Chang in haar brief. Zij, Dop en Greta trokken daarna op met andere pensiongasten die ook voor Nieuw China werkten maar die ze niet eerder hadden ontmoet. Selma kon goed opschieten met een Franssprekende Russin, de moeder van twee kleine dochtertjes. Greta deed niets liever dan de blonde krulletjes van de meisjes kammen en vlechten. Dop speelde kaart en tafeltennis met een paar Engelssprekende jongens. 'De kinderen horen zoveel talen dat ze het nu gewoon vinden dat mammie en pappie iets anders spreken dan Chinees. En 't ook proberen te imiteren. Greta zegt met grote trots: "Comment allez-vous?" En Dop zegt "Not at all" als je dank je wel tegen hem zegt. Het helpt ook dat er in ons huis een Tsjechisch-Chinees meisje logeert die tegen haar moeder Tsjechisch spreekt, tegen andere gasten Russisch en tegen Dop en Greta Chinees.'

Wat Selma niet schreef – misschien omdat ze vreesde dat het in Nederland wel erg streng zou klinken – was dat haar kinderen elke dag een paar uur 'vakantiehuiswerk' moesten maken. Alle Chinese kinderen waren daartoe verplicht. Aan het eind van het schooljaar werden de taken uitgedeeld. Omdat Dop nu naar het lyceum ging had hij voor het eerst geen werk van de onderwijzer meegekregen, maar daar had Chang nu voor gezorgd. Dop schreef slordige karakters en dat was zijn vader een doorn in het oog. Hij moest meer oefenen. In China was het erg belangrijk een regelmatig handschrift te hebben. Tijdens ouderavonden had de onderwijzer veelvuldig over dat van Dop geklaagd. Na het ontbijt hield Selma toezicht terwijl de kinderen bezig waren. Greta en Dop mochten niet alle opdrachten in de eerste dagen afmaken om de rest van de tijd vrij te zijn. Chang was niet voor niets gepromoveerd op het onderwerp 'geheugen'. Als geen ander wist hij dat stof elke dag moet worden herhaald om beter te beklijven. Pas wanneer het huiswerk gedaan was, trokken Selma en de kinderen eropuit.

Ze gleden in hun plastic teenslippers – vader Vos had voor elk een paar uit Nederland opgestuurd – en volgden het licht dalende pad dat langs een aantal vakantievilla's liep omringd door pijnbomen en kleurige bougainville. Binnen een paar minuten bereikte het drietal de zee, waarin een paar reusachtige, door de golven gladgepolijste rotsblokken lagen.

Op zonnige dagen strekte het water zich blauw uit tot een verre horizon, maar het kon ook mistig zijn, dan heerste er een geheimzinnige sfeer. Ze sloegen links af en kwamen bij een zachtgeel strand in de vorm van een halve maan dat gereserveerd was voor buitenlands ambassadepersoneel. Deze speciale badgasten logeerden in villa's op een streng bewaakte heuvel, pal naast de vakantiewoning van Nieuw China. Nergens stond aangegeven dat het strand alleen voor buitenlanders bestemd was, dat zou een koloniale indruk wekken, maar een bewaker sommeerde alle Chinezen die door wilden lopen rechtsomkeert te maken. Selma en de kinderen werden er zonder probleem langs gelaten.

Ze spreidden hun handdoeken uit. Selma diepte een boek op uit haar tas. Ook op vakantie las zij veel. De kinderen maakten een fort van zand, zwommen en speelden met jongens en meisjes van hun leeftijd. Westerse communisten die in China woonden zullen in hun biografieën schrijven dat vakbonden en fabrieken hun leden en werknemers lieten uitrusten in Beidaihe, en dat zij tussen 'het volk' hun vakantie hadden gevierd. In werkelijkheid kwam alleen een enkele modelarbeider naar het strand. De schaarse accommodatie werd bevolkt door buitenlanders en hoog kader. Mao Zedong en andere leiders hadden een eigen baai, iets ten westen van het strand voor buitenlanders, en een aangrenzend terrein met prachtige villa's tot hun beschikking. 's Zomers werden daar de politieke lijnen uitgezet.

Beidaihe lag ingebed tussen bossen en akkers, in de verte rolden groene heuvels naar zee. Met een kalm ritme spoelden de golven ruisend op het zand. De lucht die aandreef was vochtig en verzadigd met zout. Selma kwam hier tot rust. De hete zomer in

Peking viel haar zwaar. Een week eerder had ze nog aan haar vader geschreven: 'De temperatuur is op het moment bar, die schommelt tussen de 32 en de 38 graden en 't is er vreselijk vochtig bij, zo vochtig dat de beddenkussens helemaal muf ruiken. Af en toe gebeurt het dat de hele familie om drie uur wakker wordt en in arren moede nog maar eens onder de koude douche gaat!' In Peking lag altijd overal stof. Elke familie kookte op een vuurtje van briketten, als er 's winters ook nog met kolen werd gestookt was de lucht zwaar vervuild en dan werd Peking ook nog vaak geteisterd door stormen die zand aanvoerden uit de Gobi. Selma had hier natuur en ruimte om zich heen, twee zaken die ze in haar dagelijks leven verschrikkelijk miste. Haar woning van vijftig vierkante meter in Peking mocht in de ogen van Chinezen groot en luxueus zijn, zij vond het voor vier personen erg krap. Haar buren zaten constant op haar lip. Dolgraag had ze een eigen binnenplaatsje gehad met een poort die ze dicht kon doen om niet altijd te worden geconfronteerd met het bestaan van anderen.

Aan zee zagen de kinderen hun moeder vaak wegdromen. Selma zal regelmatig gedacht hebben aan haar jeugd in IJmuiden. Ze was opgegroeid in een huis dat niet veel verschilde van de villa's in Beidaihe. Het was ook opgetrokken uit baksteen en had een veranda waarop eenzelfde soort rotan meubels stonden als hier gebruikt werden. Vanuit haar voordeur kon Selma een pad volgen dat door de duinen naar zee leidde.

Iets voor twaalf uur 's middags zochten de badgasten hun spullen bij elkaar. In alle vakantieverblijven werd de lunch geserveerd, iedereen haastte zich naar huis. Na het eten hielden Selma en de kinderen een korte siësta zoals gebruikelijk was. In de middag keerde het drietal terug naar het strand voor opnieuw een paar uur zon en zee. Om zes uur werd het avondeten naar hun pensionkamer gebracht. Voor het slapengaan maakten moeder en kinderen nog een avondwandeling en genoten van de zonsondergang. Greta speurde bij de vloedlijn naar schelpen. Op de terugweg naar het pension klonk uit alle tuinen een concert van krekels.

Het bezoek aan 'Het gekke huis' was een hoogtepunt van de vakantie dat Greta en Dop hun hele leven bij zal blijven. Op een bewolkte middag werden ze daar samen met hun moeder heen gereden in de auto van Nieuw China. Aan de buitenkant van het bescheiden gebouw, boven op een heuvel en met uitzicht over zee, was niets bijzonders te zien. Ze kochten kaartjes. Een gids ging hun voor op een wenteltrap met spiegels aan weerszijden die naar een groot vertrek leidde waarvan alle wanden ook bekleed waren met spiegels. Greta, Dop en Selma zagen honderden versies van zichzelf en elkaar. Wie had dit vreemde huis gebouwd, wie wilde in zo'n kamer leven? De gids vertelde over de vroegere eigenaar, dr. Willard Simpson, een Amerikaanse landbouwkundige. Hij was in 1928 als jonge man naar China gekomen en kreeg al snel last van aangezichtspijnen. Traditionele Chinese artsen schreven hem zo veel mogelijk zon voor. Simpson ontwierp een huis voor zichzelf met maar liefst zesenveertig ramen. Ook liet hij overal spiegels aanbrengen om alle licht te reflecteren. Binnen de kortste tijd was de Amerikaan genezen. De gids opende deuren naar verschillende kleine kamers, die vroeger ook spiegelwanden hadden gehad, maar deze waren in het verleden gestolen. Nu was het een museum en werd het goed bewaakt. Greta en Dop keken hun ogen uit. Elk kamertje had een andere vorm, overal stroomde licht binnen, ook al ging de zon die dag verscholen achter de wolken.

De vakantie in Beidaihe was voor Greta en Dop een verblijf in het buitenland. Alle gebouwen ademden een westerse sfeer. De badgasten kwamen uit alle windrichtingen van de wereld, bij Kiessling werden slagroomtaarten in dozen verpakt. In het dorp was zelfs een kaaswinkel gevestigd, met een vloer en wanden van witte tegels. Hun moeder wilde daar elke dag naartoe. De kazen lagen overzichtelijk op planken uitgestald. 'Zo netjes en schoon zijn álle winkels in Nederland,' had ze tegen Dop en Greta gezegd.

Tegen het eind van de vakantie werd het bericht doorgebeld dat Dop was toegelaten tot jongenslyceum Nummer Dertien. Selma schreef haar vader: 'Dop gaat niet naar de allerbeste school, want hij schrijft z'n Chinees niet duidelijk genoeg, hij heeft altijd ruzie met z'n karakters, maar naar de op één na de beste school, wat ook niet gek is.' De vakantie was voorbij. Dezelfde chauffeur die hen had opgehaald, bracht hen nu naar het station. Selma zat naast hem en keerde zich helemaal om. Ze wilde zo lang mogelijk de zee zien, zei ze. Opnieuw zagen Dop en Greta tranen in haar ogen staan.

EEN ACHTERNICHTJE KOMT AANSTERKEN EN LENTEBLOESEM VERDWIJNT

1960

Toen het gezin weer verenigd was in Peking schreef Selma naar Santpoort: 'De kinderen zijn zo bruin als nootjes. Zelfs ik ben bruingebrand. We hebben heerlijk geluierd en gezwommen, gegeten en gezonnebaad. Dop en Greta heb ik gewogen voordat we vertrokken. Greta is 6 pond aangekomen in de vakantie en weegt nu 68 pond. Dop zoekt het in de lengte, hij is nu bijna zo groot als ik en weegt 72 pond. Ik heb 'n record gewicht bereikt met 110 pond.'

Ze hield het gewicht van haar kinderen goed in de gaten. De vakantie in Beidaihe was als een bezoek aan een droomeiland geweest. Veel bewoners van Peking hadden inmiddels oedeem, opgezwollen gezichten of ledematen, als gevolg van langdurige tekorten. Op het platteland waren miljoenen mensen gestorven. Kort na hun thuiskomst werd Selma direct met de honger geconfronteerd.

'We hebben een logee, de kleindochter van de oudste broer van Chang. Een onderwijzeresje van 22 jaar. Ze is plotsklaps haar kind kwijtgeraakt, een jongetje van vier, en kan nu niet op streek komen. Ze is hier onder medische behandeling, maar er mankeert haar eigenlijk niets behalve de schok, arme ziel.' Over ondervoeding mochten ook artsen niet spreken. Onder leiding van Mao was dat immers uitgebannen. Later zullen familieleden uit het dorp waar Chang vandaan kwam vertellen dat ze in die tijd niet meer dan een paar gestoomde broodjes per persoon per dag toebedeeld kregen. Daarnaast aten ze gras, bladeren en boombast. Het leek alsof het vierjarige zoontje om raadselachtige redenen plotseling overleden was, maar in die tijd kwam het vaak voor dat volwassenen en kinderen zomaar ineens van de honger dood neervielen.

Het achternichtje bleef een maand bij de Tsao's logeren en sterkte aan. Chang kon voor haar een baan regelen bij de crèche van de Academie van Wetenschappen, maar haar grootvader vond dat niet goed. Ze was enig kind. Haar moeder was jong weduwe geworden. Die moest ze tot steun zijn, besloot haar grootvader. Ze moest terugkeren naar het dorp.

Op het platteland waren inmiddels miljoenen mensen van de honger gestorven, maar op de voorpagina's van de kranten werd nog steeds triomfantelijk bericht over communes waar de boeren spectaculaire nieuwe landbouwmethoden hadden ontwikkeld. Selma zal beïnvloed zijn door de propaganda. Aan haar vader schreef ze: 'Ik heb grote bewondering voor het uithoudingsvermogen van de Chinese bevolking en de algemene vastberadenheid, waar wij Hollanders van vroeg tot laat zouden mopperen.'

Chang moet op de hoogte geweest zijn van de omvang van de hongersnood, hij had toegang tot geclassificeerde informatie. Het is de vraag hoeveel hij daarover aan zijn vrouw vertelde. Selma kon erg kritisch zijn en Chang zal dat niet hebben willen aanmoedigen.

In 1950, toen Selma en Chang naar China kwamen, was Selma positief geweest over het communisme, weten vrienden zich te herinneren. De eerste jaren voelde ze zich thuis in Peking, tussen mensen die net als zij naar een betere wereld streefden, maar velen van hen bleken vooral de partijlijn te willen volgen. Selma distantieerde zich daar al spoedig van. Greta en Dop herinneren zich dat hun moeder afwijkend reageerde op de dood van Stalin in 1953. Op hun kleuterschool was de hele dag gerouwd over het heengaan van de grootste buitenlandse vriend van voorzitter Mao, maar hun moeder was niet treurig. 'Stalin was een heel slecht mens,' zei ze tot hun verbazing. Die mening zou ze daarna nog vaak herhalen.

Een paar jaar later had Selma door een aantal dramatische gebeurtenissen nog meer afstand genomen van de partijlijn. Het begon ermee dat een familielid van de bovenbuurvrouw werd gearresteerd in de nasleep van de campagne Laat Honderd Bloemen Bloeien. De man had in de Verenigde Staten gestudeerd en was in China rector magnificus van een universiteit geworden. Na zijn arrestatie pleegde hij in de gevangenis zelfmoord. Zijn weduwe en zijn kinderen waren daarna hun huis uit gezet en dakloos geworden.

Dankzij bemiddeling van de bovenbuurvrouw kon het gezin een kleine schuur op het hof betrekken. Ze bleven een stigma dragen en werden door de andere bewoners van het hof gemeden. Selma sprak daar schande van. Zij sloot juist vriendschap met de zwaarbeproefde mensen. Vooral de zoon van de overleden rector mocht ze graag. Hij was een paar jaar ouder dan Dop en sprak met een grappig accent omdat hij het eerste deel van zijn leven in de Verenigde Staten had gewoond, toen zijn vader daar promoveerde. Door de kinderen op het hof werd hij Groot Hoofd genoemd omdat hij zo intelligent was. Selma waardeerde het in hem dat hij zijn moeder steunde en op school zijn best deed. Op zijn verjaardag bakte ze voor hem een Amerikaanse appeltaart.

Toen gebeurde er iets vreselijks met Lentebloesem. Een buurman viel haar 's avonds lastig in de kamer aan de binnenplaats waar ze sliep. Selma wist dat Lentebloesem niet gediend was van de aandacht van de man. Hij kon wellicht tot de orde worden geroepen, maar zijn echtgenote sloeg alarm en haalde het buurtcomité erbij, waarmee de zaak in een stroomversnelling raakte. Chang was op dienstreis, Selma wist niet wat te doen. Tot haar verbijstering werd Lentebloesem tot een aantal jaren werkkamp veroordeeld. Ze zou door 'arbeid worden heropgevoed', hetgeen betekende lange dagen zwoegen op het land. De buurman ging vrijuit. Dit alles kreeg zijn beslag binnen een paar dagen, Chang was nog steeds niet terug. Selma kon de onrechtvaardigheid van die straf niet verkroppen en heeft nooit meer een woord met die buren willen spreken.

Greta en Dop zagen hoe ontredderd hun moeder was toen Lentebloesem was vertrokken. De twee vrouwen waren vriendinnen geworden. Ook zij waren iemand kwijtgeraakt van wie ze veel hielden, het hele gezin was ontwricht. Toen Chang thuiskwam spoorde Selma hem aan Lentebloesem terug te laten halen naar Peking. Aan haar vader schreef ze steeds dat ze de hoop had dat het zou lukken, maar een brief later bleek het toch niet door te gaan. Chang deed wat hij kon, maar hij was in de eerste plaats trouw aan de partij verschuldigd. Persoonlijke problemen waren daaraan ondergeschikt.

Op een gegeven moment zat de straf er voor Lentebloesem op, maar toen werd ze tewerkgesteld in de kantine van het kamp. Daarna kwam ze wel voor een paar zeldzame vrije dagen terug naar de stad en logeerde dan bij de Tsao's. In Peking blijven mocht ze nog steeds niet. Uiteindelijk schreef Selma ontgoocheld over de kwestie: 'Je kunt niet tegen de bierkaai vechten.'

PAKKETTEN UIT SANTPOORT

Het leven op het hof was grijzer geworden. Er kwamen geen verkopers meer langs. Geen boeren met manden groenten aan een juk, geen porseleinreparateur, geen sieradensmid met zijn kistje vol glanzende edelstenen, geen timmerman. Al dat soort vrije beroepen waren verboden. Wie iets te repareren had, zat met de handen in het haar. Selma was naarstig op zoek naar een stoffeerder: 'Ons bed heeft bergen en dalen, dat van Greta moet nieuwe bekleding hebben en Dops matras moet worden bijgevuld.'

De winkels aan de Grote Westpoortstraat waren staatswinkels geworden. Het theehuis was bestempeld als feodaal en had op last van de autoriteiten de deuren gesloten. De grootvader van Hong Fei, het vriendinnetje van Greta, mocht geen patiënten meer behandelen in zijn kliniek. Privéondernemingen moesten dicht. Iedere Chinees werd geacht voor een 'eenheid' te werken. Op het platteland waren dat communes, in de stad bedrijven of instituten. De eenheid hield een dossier van elke werknemer bij en besliste over woonruimte, gezondheidszorg en distributiebonnen. De eenheid organiseerde voortdurend verplichte bijeenkomsten waar de laatste partijlijn uiteen werd gezet.

In 1958 had Mao Zedong een nieuwe campagne afgekondigd: de Grote Sprong Voorwaarts. China zou de industriële productie van Groot-Brittannië gaan overtreffen. Mao wilde de wereld de kracht en de macht van China laten zien. Voor meer industrie was cement en staal nodig. Alle Chinezen moesten metalen voorwerpen verzamelen en in kleine ovens smelten. Selma noemde het een belachelijke actie, maar op de schoolpleinen van Dop en Greta werden ook zulke oventjes geplaatst.

De leerlingen kregen drie dagen vrij om naar metaal te speuren. De eerste dag vond Greta een oude spijker tussen twee straatstenen, daarna niets meer. Steeds botste ze tegen andere kinderen en volwassenen op die ook met hun ogen op de grond gericht liepen te zoeken. Families moesten kookpotten inleveren en sloten van kasten afstaan voor het goede doel. Selma piekerde er niet over. Ze was zeer gesteld op haar linnenkast met traditioneel cirkelvormig sluitwerk. Het buurtcomité kwam zich ermee bemoeien, Chang stond hun te woord. Na veel heen-en-weergepraat werd besloten dat er voor Selma, als buitenlandse, een uitzondering gemaakt kon worden. Haar kast bleef ongeschonden.

Daarna was het niet meer toegestaan thuis maaltijden te bereiden. Op het hof werd een kantine ingericht. In heel China gebeurde dat. De boeren hadden hun wok moeten inleveren zodat die in de staalovens konden worden gesmolten. Hun koeien, varkens, eenden en kippen stonden ze onder druk af aan de grote communes. Het vee werd in veel gevallen geslacht en in de kantines, waar partijbonzen de macht hadden, geserveerd. Wie hen niet gehoorzaamde kreeg niet te eten. Door de Grote Sprong Voorwaarts waren boeren dag en nacht bezig met ovens stoken. Het enige wat ze daarmee produceerden waren onbruikbare klompen metaal. Ook werden veel boeren verplicht te werken aan de bouw van dammen en irrigatiekanalen.

Er werd niet meer op tijd gezaaid en geoogst, de landbouw draaide op halve kracht. Communeleiders noteerden een veel hogere opbrengst dan werkelijk was binnengehaald, om toch aan de planning te voldoen. Vervolgens moest een groot deel van die fictieve oogst worden afgestaan aan de staat. Voor de boeren bleef te weinig voedsel over. Er bestond ook een tekort aan vrachtwagens, treinen en brandstof, waardoor ladingen graan, rijst en groenten verrotten. Het hele systeem liep vast. Dit alles veroorzaakte een hongersnood die minstens 45 miljoen slachtoffers zou eisen, zullen historici vaststellen. Veel mensen stierven naakt. Hun laatste kleren hadden ze geruild tegen wat voedsel. Hoge partijleiders als Liu Shaoqui en Deng Xiaoping sloegen alarm, maar hun werd door Mao de mond gesnoerd. Tijdens de Culturele Revolutie zal hij wreed met hen afrekenen.

Selma zag de situatie om zich heen verslechteren, toch klaagde ze in haar brieven niet. De censor las mee, wist ze, maar het lag ook niet in haar aard. Zij had zelf besloten in China te gaan wonen en ze zou roeien met de riemen die ze had.

Toen de schaarste in China om zich heen begon te grijpen, wilde Selma aanvankelijk haar familie niet bij haar problemen betrekken. Haar vader had genoeg aan zijn hoofd, wist ze. Zijn tweede vrouw, Corrie, was regelmatig overspannen. Onlangs was ze opgenomen geweest in een psychiatrisch ziekenhuis. Volgens de artsen leed ze aan een oorlogstrauma. Max Vos moest tijdens haar afwezigheid in zijn eentje het huishouden bestieren, zijn twee jongste zoons zaten nog op school. Maar nu was Corrie eindelijk weer thuis. In Santpoort leek alles weer goed te gaan. Selma besloot toch hulp te vragen omdat zich een bijzondere gelegenheid voordeed: Armi, een Finse vriendin die ook met een Chinese psycholoog getrouwd was, zou een bezoek aan Finland brengen. Ze had Selma aangeboden alles wat ze maar wilde mee terug te brengen. Armi zou per trein reizen. Ze kon met een vrijwel onbeperkte hoeveelheid bagage terugkomen.

'Zoiets komt maar één keer voor!' schreef Selma naar haar vader in de nazomer van 1961. Of Max Vos een aantal pakketten naar Finland kon sturen. Alles wat Armi meebracht zou als persoonlijke bagage gelden en was uitgezonderd van belasting. In alle andere gevallen moest Selma over de waarde van een zending honderd tot driehonderd procent invoerrechten betalen. Ze stelde een verlanglijst samen die Armi meteen na aankomst in Helsinki op de post zou doen. Selma achtte het te riskant om hem vanuit Peking te versturen. 'Voer met mij geen correspondentie over deze zaak,' maande ze haar vader in deze geheime brief over haar plan waarmee ze de invoerbelasting zou omzeilen. Om te beginnen behoefde de lijst enige toelichting: 'De regenmantel of cape voor mij laat ik aan Corries gosjem over, is plastic stevig? Anders maar liever katoen. In 'n aardige kleur. De grijze wollen plooirok met 'n recht jasje en 'n bloes eronder, komt hopelijk niet te duur. En Corrie, koop me niet al te mesjogge modegrillen hoor, van die rare lage halzen zijn hier niet te dragen in de winter. Wat de schoenen voor mij betreft: geen witte! Zijn niet schoon te houden. Met boodschappentas is 'n stevig groot geval bedoeld, waar je flink wat in kan proppen, als ze niet te duur zijn stuur er dan twee. Nou, sla maar eens om en bekijk de LIJST.

Voor mij: 4 onderjurken, 4 broekjes, 4 hemdjes maat 40. Een step-in

2 paar linnen zomerschoenen met crêpe rubber zool, maat 39

1 paar grijze, bruine of rode gevoerde winterschoenen, maat 39 (indien niet te prijzig, 2 paar)

1 regenmantel of regencape, met capuchon, maat 42

2 paar nylon kniekousen, maat 10.'

Zo ging het een hele dicht getikte pagina door. Selma zat verlegen om de meest uiteenlopende zaken: een warm vest, nette kleding waarin ze les kon geven, een rode portemonnee, een badmuts, een 'Kotex-gordeltje' om maandverband in te dragen en geitenwollen sokken voor de winter. Daarnaast wilde ze gereedschap en materiaal waarmee ze zelf meubels, kleding of schoenen kon repareren: een handboortje, verschillende soorten lijm, stopwol, drukknopen, haken en oogjes, vingerhoeden, allerhande soorten knopen en ritsen van diverse afmetingen, touw, plakband. Voor haar huishouden had Selma plastic zakjes nodig, een zeepklopper, een mes-aanzetter, een appelboortje en een plastic tafellaken. Ze snakte naar een pot Nescafé. Voor Greta vroeg ze een muziekdoosje, een schooletui en een toiletgarnituur. Dop had in *De Groene Amsterdammer* een advertentie gezien voor een Philips Pionier, een kristalontvanger die hij zelf in elkaar kon zetten. Sinds maanden had hij het over niets anders. Voor Chang bestelde ze alleen een wit nylon overhemd, boord 16, en voor Moumoun een zakje kattenbrood. En o ja, ze had een nieuw schrijfmachinelint nodig voor haar kleine Imperial. 'Nou, dat is wel zo ongeveer alles en je bent er vast een week zoet mee in de Bijenkorf. Nou lieden, wij zegenen jullie, Armi en alle anderen die zich ten gevolge van de lijst de benen uit het lijf gaan lopen. Wij zitten hier ondertussen te popelen! Behalve Chang, die blijft er siberisch onder en vindt het overhemd ook flauwekul.'

Hun vader vond de lijst van Selma maar niets, herinneren Dop en Greta zich. Als correcte partijman was hij erop tegen dat zijn vrouw de belasting ontdook. Ook zal het voor hem als schoonzoon gezichtsverlies hebben betekend. Max Vos kreeg hierdoor ongetwijfeld de indruk dat zijn dochter een armoedig leven leidde in China. Selma besloot haar in Helsinki geposte brief met de oproep: 'Stuur verder alle oude rommel die je bij elkaar kunt grabbelen. Alles wat jullie afgedragen hebben aan kleding en schoeisel, stuur het gerust, want er is een enorm tekort aan textiel, wol en leer.' Daaronder was nog in een haastig handschrift, in potlood, 'meprobamaat' gekrabbeld, de naam van een verslavend kalmeringsmiddel dat in de jaren zestig ook veel in Nederland werd geslikt. Selma had het voorgeschreven gekregen door een arts die de maagpijn en netelroos waaraan ze leed toeschreef aan 'de zenuwen', zo had ze haar vader eerder geschreven.

Max Vos antwoordde in zijn eerstvolgende brief niet meteen dat hij alles naar Helsinki zou sturen. Vermoedelijk was hij verontrust geraakt door de lange lijst van eenvoudige spullen die in China niet te krijgen waren. Hij zal zich afgevraagd hebben wat er eigenlijk wel te koop was in dat land en drong er bij Selma op aan dat ze net als de Finse Armi een bezoek zou brengen aan haar familie. Hij wilde zijn dochter na twaalf jaar wel weer eens zien. Dan kon ze zelf alle spullen mee terugnemen.

Dat voorstel moet Selma in haar hart hebben getroffen. Zo werd ze weer eens met haar neus op wat zij de 'de nationaliteitenkwestie' noemde gedrukt. Ze kon niet vrij reizen omdat haar Nederlandse paspoort haar in 1947 was ontnomen na haar huwelijk met Chang. In 1955 had ze de Chinese nationaliteit aangevraagd en gekregen. Ze wilde niet eeuwig stateloos blijven. Toen bleek dat de Chinese autoriteiten haar in veel opzichten begonnen te behandelen als een tweederangs vreemdeling, terwijl haar leven met een Nederlandse pas al niet makkelijk geweest zou zijn.

'Je moet je voorstellen dat zelfs de mensen met buitenlandse paspoorten die hier wonen regelrechte veldslagen moeten leveren met hun organisaties en de diverse instanties om naar huis toe te komen,' schreef ze. 'Een Duitse kennis kreeg zelfs geen uitreispapieren toen haar moeder in Berlijn op sterven lag. Commentaar overbodig.'

Ondertussen mocht Armi met haar Finse nationaliteit, die ze wel had kunnen behouden na haar huwelijk met een Chinese echtgenoot, mooi naar Helsinki. Het onrecht haar aangedaan door zowel Nederland als China moet bijzonder zuur geweest zijn voor Selma. Toch probeerde ze de situatie te vergoelijken: 'Het is een zotte boel, veroorzaakt door de enorme decentralisatie, waardoor alle, of ten minste vrijwel alle beslissingen in handen van het laagste personeel komen te liggen en dat heeft zonderlinge resultaten, ook in een socialistisch land. Ik geef de moed echter niet op. Na enige tijd zwaaien ze weer om, dat gaat hier gewoonlijk van het ene uiterste naar het andere. En dringende haast is er ook niet bij.'

Max Vos kan niet veel anders hebben geconcludeerd dan dat zijn dochter gevangenzat in China.

Terwijl Armi op reis was, bracht Selma regelmatig boodschappen uit speciale winkels naar Armi's man en haar zoontjes van vijf en zeven. De twee vrouwen hadden afgesproken dat Selma in de gaten zou houden of alles wel goed ging met het huishouden. Toen ze weer langsging bij de familie Lin, bleek Armi juist een uur eerder te zijn thuisgekomen en had ze juist de meegebrachte cadeaus aan haar kinderen uitgedeeld.

'Een geweldige bende in huis natuurlijk, overal pakpapier, koffers, kleren en rommel,' schreef Selma haar vader. Zij kon de pakketten die hij trouw naar Helsinki had gestuurd in ontvangst nemen. Het vervoer ervan was nog even een probleem, maar toen was het ook in huize Tsao 'je reinste sinterklaasavond. We zijn helemaal hoteldebotel,' schreef Selma.

De regencape met Schotse ruit was midden in de roos: 'In Peking is er maar één andere cape. Een lichtblauwe, iemand van een ambassade. Maar het mooiste, neem me niet kwalijk, pap, vind ik de doos Maja-poeder en de 4711-eau de cologne die ik in 12 jaar niet gezien of geroken heb, zalig gewoon. Letterlijk alles wat jullie gestuurd hebben past precies, maar dan ook precies. Zelfs de kop van de tuinslang, een mirakel! Het ondergoed is magnifiek, ik heb vandaag het gele stel aan en ik voel me werkelijk een ander mens. Ook zitten de zwarte blouse en de grijze manchester broek Dop als gegoten en hij vindt het vreselijk mooi. En interessant, alles van opa en oma gekregen. Greta heeft een paar nylons aangepast en is in de zevende hemel! Grutjes, er waren ook nog twee badmutsen, prachtstukken! Het is een waar feest om al die mooie dingen te ontvangen, we kennen ze alleen maar van plaatjes in de buitenlandse tijdschriften.'

Greta liet haar muziekdoosje honderd keer afspelen, maar niemand herkende de melodie. Dop had een hele dag met zijn bouwdoos rond gesleept, hem opengemaakt, bewonderd en weer dichtgedaan, en wilde 's avonds niet gaan slapen. 'Gelukkig was het zaterdagavond. Zondagmiddag is 't hem te machtig geworden en werd ik verzocht de handleiding voor te lezen. Dop weet nu meteen ook wat moeren, bouten en gleuven zijn. Het is allemaal vlot gegaan, alle Pekinese stations komen heel duidelijk door, de Philips Pionier doet het prima!'

Het bezoek van Armi aan Finland had Europa dichterbij gebracht en daardoor werden de verschillen benadrukt. 'Toen ze daar aankwam kon ze haar ogen niet geloven bij zulke overweldigende luxe in alles.' Armi had alle details in geuren en kleuren verteld, Selma was er een beetje treurig van geworden: 'Het is natuurlijk een kwestie van tegenstelling, dit land is zo ongelofelijk arm en achterlijk in alles! En dat is zo snel niet in te halen bij zo'n enorme bevolking en bevolkingsaanwas. China is net begonnen te industrialiseren en de scholing is primitief. Gelukkig weten de mensen niet beter, ze hebben het nooit gezien – inclusief Dop en Greta – en ze zijn dus heel tevreden met alle kleine beetjes.'

Selma zelf wist natuurlijk wel dat er behalve de Chinese werkelijkheid nog andere waren. Ze zal zich hebben afgevraagd hoe haar leven eruitgezien zou hebben als ze hadden besloten in Cambridge te blijven, of in Hongkong. Door Chang naar China te volgen had ze niet de makkelijkste weg gekozen.

Ondertussen was Selma bezocht door een wandluizenplaag. In de plooien van een tweedehands divan die ze pas voor Greta had gekocht vond ze, nadat haar dochter onder de rode beten kwam te zitten, een hele kolonie. 'In drie seconden had ik al het beddengoed eraf, uit het raam gegooid en in 'n grote teil Lysol. De volgende twee minuten heb ik de divan het huis uit gewerkt. En de kast ernaast ook. Chang en ik alle twee op DDT uit. Hij kwam terug met twee grote flessen en ik vier. Ik heb ze alle zes op bed, kast en matras leeggegoten. De vloer heb ik met sterke Lysol geboend en al het verdere meubilair, kasten etc. met de DDT-spuit onder handen genomen. Voor zover we nu, na twee weken, kunnen nagaan, heeft geen enkele wandluis het overleefd. Greta slaapt weer op haar bed, dat een uur in de wind naar DDT stinkt.'

De zomervakantie aan zee leek eeuwen geleden. De honger hield aan. 'Deze winter zal een winter worden zoals '44-'45,' voorspelde Selma somber. Vanaf 1 december had ze geen toegang meer tot de speciale winkels voor buitenlanders. De familie was nu aangewezen op dezelfde rantsoenen als alle Chinezen in de steden. 'Een beetje rijst en meel, een onzichtbaar bodempje olie en 7 ons groente per dag per persoon en verder NIKS.'

Selma was haar voorkeursbehandeling kwijtgeraakt. Ook hier was 'de nationaliteitenkwestie' weer de oorzaak van. Selma gold ineens als Chinees. 'Terwijl ik buitenlanders ken die sinds jaren in China wonen en geweigerd hebben Chinees staatsburger te worden, alleen een verlopen buitenlands paspoort hebben en toch winkelprivileges krijgen.' Ze was 'de boel op stelten aan 't zetten' bij persbureau Nieuw China, die haar rechten had ontnomen, maar ze vreesde het ergste. Chang zou nog misschien een paar extra distributiebonnen bij zijn instituut kunnen krijgen. Toch wilde ze niet somber afsluiten. 'Ze kunnen allemaal de Jiddische weitek krijgen! Met een serie stevige zoenen van jullie belegerde, maar niet verslagen Selma.'

KERST IN DE STRENGE WINTER VAN 1961-'62

Het was hard gaan vriezen. Op de meren van Peking lag ijs, maar het was nog niet dik genoeg om op te schaatsen. In de ochtend van 20 december stopte een zwarte dienstauto voor de compound. Chang, Selma, Dop en Greta stapten in. De chauffeur doorkruiste de stad en reed, tot grote verbazing van Greta en Dop, via een achteringang het stationsgebouw binnen, tot óp het perron waar de trein zou komen die de kaderleden van de Academie van Wetenschappen naar het zuiden zou brengen.

Het gezin ging eerst naar de 'zachte zetel'-wachtkamer, pal naast spoor 1, waar Chang werd begroet door collega's die samen met hem op reis zouden gaan. Selma en de kinderen waren alleen meegekomen om hem uit te zwaaien. Hij zou een maand wegblijven. Langs de wanden brandden lampen in de vorm van toortsen. Dop en Greta bewonderden de kroonluchters aan het plafond. Het middelpunt van de wachtruimte werd gevormd door een metershoge schildering van kraanvogels in een grillig Chinees landschap. Tussen vergulde pilaren namen ze plaats in comfortabele sofa's, beschermd door grijs katoenen hoezen, tot een stoomtrein met een lange snerpende kreet voorreed.

Selma en de kinderen volgden Chang naar de coupé waar een plaats voor hem was gereserveerd. Met bewondering zagen ze dat deze trein nog luxueuzer was dan die waarmee zij die zomer naar het strand waren gereisd. Deze coupés waren ingericht voor slechts twee personen. Er was een brede bank, overtrokken met gele stof, die 's avonds werd uitgeklapt tot twee bedden boven elkaar. Ook de gordijnen en het tafelkleed waren geel, de kleur die vroeger alleen gebruikt mocht worden door de keizer. De maaltijden werden genuttigd in een eveneens geel ingerichte restauratiewagon. Dop was reuzetrots dat zijn vader tijdens zijn reis de nieuwe Wuhanbrug zou passeren. In alle kranten hadden foto's gestaan toen de meer dan anderhalve kilometer lange brug over de Jangtse enkele jaren geleden was voltooid. Duizenden arbeiders hadden aan deze nieuwe verbinding tussen Noord- en Zuid-China gewerkt. Het mooiste ervan was, vonden Dop en zijn vrienden, dat de brug twee verdiepingen had. Boven reden auto's in twee richtingen en daaronder bevond zich een verdieping met een dubbel treinspoor. Daarvoor werden alle treinwagons losgekoppeld en stuk voor stuk met een veerpont naar de overkant gebracht. China moderniseerde!

Selma schreef aan haar vader: 'Jammer dat Chang er nu niet is voor kerst en Nieuwjaar.' Ze troostte zichzelf met het plan de kerstboom te laten staan tot haar verjaardag op 10 januari. Chang mopperde namelijk elk jaar over de 'bende' die de boom gaf. 'Heel zachtaardig, hoor,' voegde Selma er meteen aan toe.

Die bende zal een voorwendsel zijn geweest. Het is onbestaanbaar dat Selma haar woning niet brandschoon hield. Chang moet politieke bezwaren hebben gehad tegen een kerstboom. Die hoort immers bij het christelijk kerstfeest en de Communistische Partij was tegen elke vorm van geloof gekant. Toch kon Chang het blijkbaar niet over zijn hart verkrijgen een boom in huis te verbieden. Hij wist natuurlijk hoezeer zijn vrouw gehecht was aan deze traditie, ook al was ze Joods.

Selma had jaren geleden een plastic kerstboom op de kop getikt. De discussie over wanneer en waar de boom gekocht moest worden, hoefde dus niet meer te worden gevoerd. Ze had haar 'namaakgeval' tevoorschijn gehaald en opgetuigd. ''t Staat op het buffet en glinstert heel echt,' schreef ze aan haar vader. 'De buurkinderen komen elk jaar kijken als de kaarsjes branden. Ik vind het altijd een onlogisch gezicht: al die Chinese snuitjes om een kerstboom.'

Selma kon steeds minder krijgen in de winkels, de honger in het land duurde voort, maar ze probeerde er het beste van te maken. Voor eerste kerstdag had ze een feestelijke afspraak gemaakt met haar goede vrienden Bonnie en Rick Smith. Het Amerikaanse echtpaar gaf les op het taleninstituut van persbureau Nieuw China waar zij sinds enige tijd ook doceerde. De Smiths bewoonden een appartement in het Vriendschapshotel, een groot complex aan de rand van Peking, een paar kilometer ten noordwesten van de woning van de Tsao's. Selma en de kinderen gingen er met een bus naartoe. Het was erg koud. Selma hield voorzichtig een zelfgebakken appeltaart op schoot.

Bij de poort werden de identiteitspapieren van het drietal gecontroleerd. De portier telefoneerde met de Smiths om te informeren of de Tsao's inderdaad werden verwacht. Ze mochten verder en liepen de parkachtige tuin in waar een voor Peking ongekende rust heerste. In de kale bomen krijste een enkele ekster. Alle perken en paden waren keurig onderhouden. De verschillende gebouwen herbergden bijna duizend kamers en appartementen.

Gebouw nummer 1, pal tegenover de hoofdingang, was het meest luxueus. Een marmeren trap leidde naar een eveneens marmeren hal, waar kroonluchters schitterden. Van hieruit leidden verwarmde glazen gangen naar alle andere gebouwen. Selma en de kinderen gingen liever buitenom.

De daken van alle gebouwen waren bedekt met glanzend groen

geglazuurde pannen en hadden opwippende punten, net zoals die van de voormalige Verboden Stad. Op de hoeken rustten duiven, eveneens van groen geglazuurd keramiek. Daklijsten, beschilderd met symmetrische dessins in rood, groen en goud, staken daar fel tegen af. Dit alles combineerde prachtig met de grijze bakstenen muren.

Selma en haar kinderen gingen het eenvoudiger gebouw nummer 3 binnen, waar een paar winkels waren. Selma wilde even kijken wat daar te krijgen was voordat ze zouden sluiten. Op het terrein van het Vriendschapshotel kon je zonder distributiebonnen kopen. De winkels hier waren, vergeleken met die buiten de poort, goed bevoorraad met vlees, groenten, kruidenierswaren, stoffen, drank en sigaretten. Ook was er een kleermaker en een kapper, maar als niet-bewoner mocht Selma van hun diensten geen gebruik maken. Buiten het Vriendschapshotel waren kappers schaars geworden, bovendien wisten die niets aan te vangen met Selma's kroezige haar. Ze droeg het daarom onder een strakke band. Zo zag het er netjes uit en was het niet belangrijk hoe het geknipt werd. Selma liet een kilo zeldzame sinaasappels afwegen, borg de vruchten in de boodschappentas die ze altijd bij zich had en overhandigde die aan Dop. Zij ontfermde zich weer over de appeltaart.

Het drietal wandelde naar een hoek van het terrein, waar zich een van de vier appartementencomplexen bevond. Het Vriendschapshotel was midden jaren vijftig gebouwd voor technici uit de Sovjet-Unie met hun gezinnen. Zij kwamen hun communistische broeders helpen met de constructie van fabrieken, energiecentrales en havens. Het hotel werd Droezjba, 'Vriendschap' in het Russisch, genoemd.

Er was alles aan gedaan om het de Russen naar de zin te maken. Verschillende restaurants stonden tot hun beschikking, een openluchtzwembad van vijftig meter lang, een activiteitencentrum met biljart- en pingpongtafel. 's Winters was er een ijsbaan en 's zomers werden boven op Gebouw 1 twee grote terrassen ingericht voor partijen. Feestende Russen keken vanaf de zevende verdieping over het land, waar boeren aan het werk waren of met paardenkarren vrachten vervoerden. Voor de kinderen was er een school met verschillende verdiepingen, waar ze les kregen van Russische docenten. Russische dames konden, wanneer ze maar wilden, in een van de altijd gereedstaande taxi's stappen en zich naar de bont- en zijdewinkels in de stad laten rijden.

In 1956 begon de verwijdering tussen China en de Sovjet-Unie. De twee landen betwistten elkaar het leiderschap over de communistische wereld. Jarenlang broeide er rivaliteit tussen de leiders. Mao Zedong had overweg gekund met Stalin. Chroesjtjsov verachtte hij omdat hij kritiek had geuit op Stalin. De Russen vonden de Grote Sprong Voorwaarts veel te hoog gegrepen, Mao wilde dat niet horen. In augustus 1960 riep Moskou ruim duizend experts terug. Het Vriendschapshotel was leeggestroomd.

Anderhalf jaar was sindsdien verstreken. De 'Russische broeders', eerst alomtegenwoordig in kranten en bladen, werden niet meer genoemd. Nieuwe bewoners waren naar het Vriendschapshotel gekomen, uit de hele wereld. Zij steunden het maoïstische communisme wel. Greta en Dop haastten zich voor hun moeder uit. Ze kenden de weg van eerdere bezoeken, draafden een trap op en belden aan. Een deur zwaaide open.

Rick Smith begroette hen uitbundig. Bonnie kwam uit de keuken, begeleid door verrukkelijke etensgeuren. Het was alsof Selma en de kinderen in een ander seizoen waren beland. Ze pelden hun gewatteerde kleding af. Het appartement van de Smiths werd centraal verwarmd. In elk vertrek stond een gloeiende radiator.

'Merry Christmas Uncle Rick, Merry Christmas Auntie Bonnie,' zeiden Greta en Dop braaf. Ze wisten dat er nu westers gedrag van hen werd verwacht. Chinese vrienden van hun vader spraken ze aan met louter 'oom' of 'tante', het was niet gepast de eigen naam te gebruiken van iemand die ouder was. Bonnie bood limonade aan. Dat aanvaardden ze, zonder verdere Chinese plichtplegingen, zoals hun moeder het had geleerd. Selma kreeg koffie, waar ze genietend kleine slokjes van nam.

In de woonkamer stond een boekenkast die voor een groot deel in beslag werd genomen door de complete werken van Marx en Lenin in Engelse vertaling. Rick Smith was een toegewijd communist. Met Selma sprak hij nooit over politiek, maar eerder dat jaar was Chang een keer meegekomen naar het Vriendschapshotel en hadden de twee mannen urenlang gediscussieerd over het marxisme. Rick had vanwege zijn overtuiging problemen gekregen in de Verenigde Staten. Daar was de McCarthy-periode aangebroken, genoemd naar de gelijknamige senator die vanaf begin jaren vijftig een heksenjacht op Amerikanen met communistische sympathieën was begonnen. Het schokkendste gevolg daarvan was dat het echtpaar Ethel en Julius Rosenberg, veroordeeld wegens spionage voor de Sovjet-Unie op het gebied van atoomwapens, in 1953 op de elektrische stoel ter dood was gebracht. Rick Smith kon geen werk vinden. Hij vermoedde dat hij op een zwarte lijst stond en was met zijn gezin naar China vertrokken.

Voor hun drie zoons was het terrein van het hotel één grote speeltuin. Die middag waren ze buiten aan het ravotten. Toen ze thuiskwamen was het met de rust gedaan. Alle drie waren de jongens ongekend luidruchtig en beweeglijk. Hun vader Rick probeerde hen tot kalmte te manen, maar zoals gewoonlijk had dat nauwelijks effect. Hij werd kwaad en moeder Bonnie suste hem.

Zo ging het altijd in die familie. Bonnie was een lieve, zachte vrouw die het gezin tijdens dit buitenlandse avontuur bij elkaar hield. 'Laat ze toch,' zei ze. 'Het is Kerstmis.'

Die zomer waren Greta en Dop een paar keer met de jongens gaan zwemmen in het zwembad pal naast het appartementencomplex. Hun moeders konden hen vanaf het balkon roepen als het eten klaar was. Bij een andere gelegenheid maakte Rick een Amerikaanse bbq boven een vuur in de binnentuin. Ze kregen hamburgers die ze uit de hand aten. Deze kerstdag serveerde Bonnie een heerlijke kalkoen uit de oven.

Bonnie en Rick waren niet alleen gastvrij, ze hielpen Selma waar ze maar konden. Als er iets bijzonders te koop was in de winkels van het hotel, sloeg Bonnie ook voor Selma in. De Smiths ontvingen nu de postpakketten voor Selma uit Nederland van Max Vos. De Smiths haalden Selma thuis af met de auto waarmee zij elke ochtend naar het taleninstituut van persbureau Nieuw China werden gebracht. Haar woning lag op de route en het scheelde Selma uren reistijd. Deze autoritten werden later bij Selma in rekening gebracht voor een bedrag dat neerkwam op bijna haar halve salaris. De Smiths betaalden dat.

Na het eten dronken de volwassenen koffie, Selma rookte een sigaret en de vijf kinderen besloten te gaan tafeltennissen in het activiteitencentrum. Iets ondernemen met de gebroeders Smith verliep zelden zonder rampspoed, wisten Greta en Dop. Deze keer sloegen ze ballen woest door de ruimte en een Chinees personeelslid dat hen berispend toesprak, kreeg een stortvloed aan scheldwoorden naar zijn hoofd geslingerd. Dop en Greta schaamden zich dood. 's Zomers was het in het zwembad net zo gegaan. De jongens trokken zich van niemand iets aan. Greta en Dop probeerden zich afzijdig te houden van het gekrakeel. Zij waren geen bewoners van het Vriendschapshotel, de toegang kon hun makkelijk ontzegd worden.

Na het incident met de tafeltennisballen voegden de vijf kinderen zich weer bij hun ouders. Selma sneed haar appeltaart aan. Daarna was het tijd om terug te gaan naar huis. De Tsao's trokken hun gewatteerde winterjassen weer aan. Buiten het terrein van het Vriendschapshotel wurmden ze zich in een drukke bus. Thuis gloeide het kolenkacheltje nog, Moumoun lag daar op zijn kussen vlak voor. Greta gaf haar een kalkoenbotje, ze had een hele zak meegekregen van Bonnie. Moumoun werd extra vertroeteld omdat ze kort daarvoor een hele nacht zoek was geweest. Selma en de kinderen hadden in paniek de hele compound uitgekamd, maar geen spoor van Moumoun kunnen vinden. 'Ik vreesde het ergste,' schreef Selma aan haar vader. 'Poezen gaan hier gewoon in de pot. De meeste zijn al opgepeuzeld. Het lijkt het beleg van Leiden wel.' Heel vroeg in de ochtend werd er gekrabbeld aan een raam. Moumoun! Selma wekte de kinderen zodat ze het dier in hun armen konden sluiten. Sindsdien mocht de poes alleen onder begeleiding en aan een riem naar buiten.

DE BUITENLANDSE VRIENDEN VAN SELMA

Chang was ondertussen nog steeds op dienstreis. Vanaf het tropische eiland Hainan liet hij weten dat hij drie keer per dag kokosnotenmelk in de koffie dronk, berichtte Selma aan haar vader. 'Hij zal daar wel elke dag in een zwembroek lopen,' veronderstelde ze. Later schreef ze ook nog dat hij was teruggekomen met een buikje. 'Vanwege alle banketten.'

Wat moet haar vader in Santpoort hiervan hebben gedacht? Zijn Nederlandse dochter was alleen met de kinderen in Peking, waar het niet alleen hartje winter was, maar waar ook een hongersnood heerste, en zijn Chinese schoonzoon zat een paar duizend kilometer zuidelijker prinsheerlijk op het strand of aan een banket! Selma lijkt zich er in haar brieven helemaal niet bewust van te zijn dat dit een merkwaardige indruk kon maken. Ze was eraan gewend geraakt dat Chang veel weg was. Dat hoorde bij zijn werk, bij zijn partijlidmaatschap. Het betekende dat hij nog steeds in hoog aanzien stond, terwijl een aantal van zijn collega's bij de verschillende zuiveringen was gedegradeerd. Het was normaal dat partijoverleg 's zomers in Beidaihe werd gevoerd, en 's winters op het eiland Hainan. Selma klaagde er niet over, ook niet dat ze alle problemen in huis alleen moest oplossen. Een aantal meubels dreigde uit elkaar te vallen en iets nieuws was onbetaalbaar. Na lang aanhouden had ze de onderhoudsman van Changs instituut bereid gevonden te komen. Zonder lijm kon hij echter niets doen, stelde hij vast. Lijm was niet te krijgen. Selma bedacht de gelatine te koken die vader Vos via de Finse Armi had opgestuurd. Daarmee was het gelukt. De meeste reparaties verrichtte Selma zelf. Het kippenhok achter het huis had ze zelf getimmerd. Het had twee verdiepingen, en er huisden nu negen kippen. 's Avonds beklommen ze een laddertje om boven op stok te gaan. Om de dieren te voeden was ook nog een klus. In tijden dat bladgroenten goedkoop waren, kocht Selma soms wel vijfentwintig kilo tegelijk en droogde die op de binnenplaats. Ze had er geen moeite mee dat ze de handen uit de mouwen moest steken. Wat haar wel hinderde was haar eenzaamheid. Chinezen hielden haar op afstand. Niet alleen op het hof waar ze woonde, ook haar Chinese collega's op het instituut deden dat. Nooit had ze in haar vrije tijd contact met hen. Buitenlanders kon ze beter niet thuis ontvangen, had Chang haar gezegd. Hij moest daarover rapporteren op zijn werk en dat vond hij vervelend. Daarom ging Selma één of twee keer per week naar het Vriendschapshotel om haar vrienden Rick en Bonnie te ontmoeten.

In het theater van het Vriendschapshotel werden regelmatig Engelstalige lezingen of westerse muziekvoorstellingen gegeven. Selma kreeg daar kaartjes voor via haar werkgever. Bij die gelegenheden ontmoette ze buitenlanders die zich vanaf het eerste uur hadden ingezet voor de Chinese communisten en nu de eretitel 'Friend of China' droegen. Zij vormden een aparte klasse met veel privileges. Selma kende hen allemaal en maakte altijd een praatje. Sidney Rittenberg, een Amerikaan, was een van de bekendste.

Tijdens de Tweede Wereldoorlog was hij als dienstplichtige soldaat van het Amerikaanse leger in China gestationeerd. Amerika steunde de Chinese nationalisten in hun strijd tegen de Japanners en de communisten. Rittenberg was overgelopen naar het Rode Leger van Mao en in China gebleven. Anna Louise

Strong, ook Amerikaans, had Mao Zedong geïnterviewd in de jaren veertig, toen hij zich met zijn leger in de grotten van Yan'an in Shaanxi schuilhield voor de vijand. Mao had bij die gelegenheid de westerse mogendheden 'papieren tijgers' genoemd. Deze uitspraak was over de hele wereld in kranten geciteerd en legendarisch geworden. Selma had Anna Louise Strong wel eens thuis bezocht, samen met haar kinderen. De Amerikaanse woonde midden in een park, in een prachtig appartement op de eerste verdieping van wat vroeger de Italiaanse ambassade was geweest. Selma mocht deze buitenlanders niet. Ze vond hen te extreem in hun politieke overtuigingen. Onder buitenlandse vrienden die ze vertrouwde noemden ze hen de '200 percenters'. Daarmee werd bedoeld dat deze mensen twee keer zo fanatiek waren in hun steun aan de partij als het trouwste Chinese partijlid.

Buiten het Vriendschapshotel had Selma contact met een aantal westerse vrouwen, die net als zij een Chinese echtgenoot hadden en in een Chinese omgeving woonden, zoals de Finse Armi en de Franse Germaine. Haar vader vroeg in zijn brieven steevast naar Pauli, een Nederlandse die getrouwd was met een Indisch-Chinese epidemioloog. Het echtpaar kwam uit Zandvoort en het instituut waar Pauli's man voor werkte bevond zich, wegens besmettingsgevaar, een eind buiten de stad, waar het echtpaar ook woonde. Het zal Max Vos gerustgesteld hebben dat er een Nederlandse in de buurt van zijn dochter woonde, maar het contact tussen de twee vrouwen verliep niet zo soepel. 'We plachten elkaar op zaterdagmiddag in de broodwinkel te treffen maar tegenwoordig ben ik zaterdagmiddag bezet. Haar telefoon doet het niet. Aangezien ze elke week naar Peking komt zou ze me wel eens op kunnen bellen,' antwoordde Selma haar vader. 'Ik heb het te druk om overal achteraan te lopen, dus hou ik het maar bij de kennissen die wél geregeld iets van zich laten horen.'

De broodwinkel was een vast en belangrijk punt in Selma's leven. Ze kon daar, net als bij de winkels van het Vriendschapshotel, zonder distributiebonnen kopen. Om toegelaten te worden tot deze zaak moest je door iemand van het Chinese ministerie van Buitenlandse Zaken voorgesteld worden aan de bewaker in burger bij de ingang. Selma had dat weten te regelen, hoewel ze een Chinese identiteitskaart had. Ze kon nu zonder problemen door naar wat de eerste verdieping van een gewone woning leek. De zitkamer was ingericht als winkel, bedoeld voor de medewerkers van de buitenlandse ambassades in de buurt. Een paar bedienden stonden gereed achter glazen vitrines met brood, gebak en kaas. Er waren een paar tafeltjes om aan te zitten. Voor Selma was dit de enige plek in Peking waar zij rustig een kopje thee kon drinken en een taartje kon eten met een vriendin. Elders was het razend druk, óf er was niets te krijgen. Tijdens hun laatste ontmoeting had Pauli Selma toevertrouwd dat ze terug wilde naar Nederland. 'Voor een paar jaar,' schreef Selma aan haar vader. 'Ze kan er niet meer tegen. Het is haar hier nooit bevallen. Ze heeft ook zo'n idioot van een man. Enfin, ze zal het thuis ongetwijfeld veel comfortabeler hebben dan hier.'

Voor Selma kan het geen prettig nieuws geweest zijn dat Pauli zou vertrekken. Er waren immers goede redenen om China te willen verlaten, de hongersnood duurde maar voort. Pauli en haar man hadden allebei een Nederlands paspoort en kónden weg.

Selma had een nieuwe vriendin ontmoet tijdens een korte periode waarin ze vertalingen maakte voor de uitgeverij van Nieuw China, Eleanor. Deze Amerikaanse werkte daar al een aantal jaren op de redactie. Aan haar vader schreef ze enthousiast: "t Is iemand die ook van poezen houdt, ook muzikaal is, ook bij boeken zweert, ook prima herinneringen heeft aan boterkoek-met-gember, matses, gremzelisj en zelfs even oud is als ik. Alleen is ze gescheiden, heeft ze geen kinderen en is ze even gezet als ik slank ben.'

De Joodse achtergrond van de vrouwen, ook al waren ze beiden niet religieus, zorgde voor een extra sterke band. Greta en Dop konden moeilijk bevatten wat het precies inhield Joods te zijn, maar het viel hun op dat hun moeder altijd opleefde in het gezelschap van iemand die dat ook was.

Eleanor had begin jaren vijftig in Polen een Chinese man ontmoet en was met hem naar China gekomen. Hun huwelijk hield geen stand. Toen ze uit elkaar gingen kreeg ze een piepkleine woning toegewezen op het terrein van Nieuw China. 'We doen samen inkopen en hebben ontdekt dat we dezelfde smaak hebben,' schreef Selma. 'Soms lastig, we hadden, onafhankelijk van elkaar, dezelfde schoenen gekocht zodat Eleanor ze zwart heeft laten verven. Meestal handig, want als de een wat ziet onderweg belt ze de ander op om te gaan kijken en 't is altijd goed!'

Toen Nieuw China afgelopen zomer een zondags uitstapje voor de medewerkers naar de Minggraven had georganiseerd, hadden beide vrouwen zich opgegeven. Dop en Greta mochten ook mee. Het viertal maakte foto's bij de grote stenen dieren die de toegangsweg naar het mausoleum bewaakten. De afbeeldingen waren later naar vader Vos in Nederland gestuurd. Greta en Dop zitten boven op een stenen paard, vergezeld door een Chinees meisje dat ook tot de groep behoorde. Selma en Eleanor poseren naast de vervaarlijke kop van een tijger. Ze lachen vrolijk en zijn duidelijk goede vriendinnen. Vader Vos moet de indruk hebben gekregen dat Selma met haar gezin toch een min of meer gewoon leven leidde. Zo slecht kon de situatie in het land dan toch niet zijn, zal hij hebben gedacht. Het zal hem wel zijn opgevallen dat Chang weer ontbrak. Die maakte die dag een excursie met zijn eigen instituut, schreef Selma.

Zij draagt op de foto's een zomerse jurk met streepjes, de jurk van Eleanor is bedrukt met bloemetjes. 'Eleanor volgt de Amerikaanse modetijdschriften,' schreef Selma tevreden. De twee vrouwen deelden de behoefte zich elegant te kleden.

Inderdaad was Eleanor nogal fors, zoals Selma al aan haar vader schreef. Op een aantal foto's lijkt de Amerikaanse zich niet goed raad te weten met zichzelf. Ze zat dan ook in een lastig parket. Net als Selma had ze de Chinese nationaliteit aangenomen. Terugkeren naar de Verenigde Staten, waar anticommunistische campagnes werden gevoerd, was vrijwel onmogelijk. In een aantal brieven vroeg Selma aan haar vader ondergoed en kleding maat 48 op te sturen voor haar vriendin, die zelf blijkbaar met niemand meer in het Westen contact onderhield. Selma had een man en twee kinderen. Eleanor was moederziel alleen gestrand in China.

OP BEZOEK BIJ RUTH WEISS

1962

In het begin van het nieuwe jaar – Chang zou half januari thuiskomen – besloot Selma met haar kinderen een bezoek te brengen aan haar vriendin Ruth Weiss. Deze Joods-Oostenrijkse, twaalf jaar ouder dan Selma, was in 1951 in Peking neergestreken. Net als Eleanor was ze gescheiden van een Chinese echtgenoot. Ze had twee tienerzoons.

Selma's kinderen kwamen graag bij Ruth. Ze kregen van haar altijd veel snoep toegestopt. In die tijd had vrijwel niemand zoetigheid in huis, ook aan suiker bestond een groot tekort. Ruth woonde in een ruim appartement op het terrein van de Foreign Language Press, de staatsuitgeverij waar ze voor werkte, een paar bushaltes van de Tsao's vandaan. Ruth ontving hen zoals altijd gekleed in een vormeloze blauwe katoenen broek met dito jasje. Een paar fauteuils, onverschillig neergezet, vulden de woonkamer. Ruth had weinig aandacht voor haar interieur, uiterlijkheden waren voor haar niet van belang. Zij en Selma spraken Duits met elkaar, met niemand anders deed Selma dat. Ruths ouders waren net als de moeder van Selma door de nazi's vergast, maar de oorlog noemden ze niet. Althans, niet als Greta erbij was. Het kind kon volgen waar het over ging: in welke winkel je nog iets kon krijgen en waar je schoenen kon laten repareren. Praktische zaken waren een onuitputtelijk onderwerp.

Vanzelfsprekend hadden de vrouwen het ook over hun werk. Ruth was een 'polijster', zoals veel buitenlanders in Peking. Teksten die door Chinezen in het Duits of Engels waren vertaald, werden door haar gecorrigeerd. Selma vertelde over het taleninstituut. In haar lessen mocht ze alleen exacte Engelse vertalingen van Chinese politieke teksten gebruiken. Straks spraken haar studenten een onbegrijpelijk soort Engels, voorspelde ze, maar als ze iets in die richting zei, werd haar de mond gesnoerd door Chinese collega's of haar eigen studenten. Volgens hen moest een buitenlandse taal een 'bruikbaar gereedschap in de klassenstrijd' zijn. Allemaal goed en wel, vond Selma, maar het belangrijkste was toch wel dat mensen begrepen waar je het over had.

Dop was doorgelopen naar de kamer van de twee zoons. De jongens waren niet tevoorschijn gekomen om het bezoek te groeten. Na enig aandringen waren ze bereid een spelletje kaart met hem te spelen. Greta meed de zoons van Ruth. Ze mocht hen niet. Later kreeg ze begrip voor hun ontoeschietelijke gedrag. Ongetwijfeld waren de jongens jarenlang gepest. Niet alleen waren ze van gemengd bloed, ze hadden ook geen vader. Dat moet, in het China van toen, tot veel gespot en geschimp hebben geleid. Aan hun moeder hadden ze niet veel. Ruth leidde haar eigen leven.

Ze was veel op reis voor haar werk. Haar zoons bleven achter onder de hoede van een huishoudster. De maaltijden at het gezin in de kantine van de Foreign Language Press. De zoons konden er zelf heen gaan en iets bestellen. Met een aantal andere buitenlanders die ook voor de uitgeverij werkten en op het terrein woonden, leefde Ruth in onmin. In de kantine zat ze altijd met haar rug naar hen toe.

In 1933, toen Hitler aan de macht kwam, was Ruth uit Wenen weggevlucht. Als Joodse voelde ze zich niet meer veilig in Europa. Via vrienden kwam ze in China terecht, een land waar ze altijd al belangstelling voor had gehad. In Shanghai sloot ze zich aan bij een revolutionaire groep waartoe ook Soong Qing-ling behoorde, weduwe van Sun Yat-sen, de eerste president en stichter van de republiek China in 1911. In het communistische China had Soong Qing-ling een opvallende rol toebedeeld gekregen. Voor het oog van de camera ontving zij belangrijke buitenlandse gasten, zoals Jean-Paul Sartre en Simone de Beauvoir. Ruth Weiss bleef altijd contact houden met Soong Qing-ling.

De Tweede Wereldoorlog bracht Ruth door in het binnenland van China. Ze trouwde met een Chinese ingenieur, die in 1945 voor een vervolgstudie naar de Verenigde Staten ging. Ruth vergezelde hem. Toen Mao Zedong de macht overnam in China wilde hij niet naar zijn land terugkeren, Ruth ging zonder hem en nam hun twee zoons mee. Dankzij haar contacten met revolutionairen uit het verleden kreeg ze de titel 'foreign expert'. Hierdoor verdiende Ruth ongeveer twee keer zoveel als Selma en had ze privileges. Ze mocht binnenlandse reizen maken en werd ook regelmatig uitgenodigd voor diners in de Grote Hal van het Volk. Altijd was er op 1 oktober voor haar een plaats gereserveerd op de eretribune aan het Plein van de Hemelse Vrede. Ruth steunde de partijlijn, maar zij en Selma spraken nooit over politiek. Selma vond dat oninteressant, maar eigenlijk was elk onderwerp politiek. Iedere uitspraak kon gevaarlijk zijn.

Ruth Weiss zou haar hele leven in Peking blijven wonen. In haar autobiografie *Am Rande der Geschichte. Mein Leben in China* schreef ze: 'Selma had altijd aanvaringen met haar collega's en haar studenten. Ze was door en door een individualist en kon de dingen niet van verschillende kanten bekijken.' Wat er later met Selma gebeurde 'zie ik dan ook voor een groot deel als haar eigen schuld'.

EEN ZWAAR AFSCHEID EN NIEUWE VRIENDEN

WINTER 1962-'63

Selma had al een paar maanden niets van zich laten horen. 'Wegens slecht humeur,' verklaarde ze, toen ze haar schrijfmachine uiteindelijk toch weer tevoorschijn haalde en haar vader schreef. Haar goede Amerikaanse vrienden Bonnie en Rick hadden China verlaten. Hun vertrek had Selma volledig uit het lood geslagen, al probeerde ze er nu luchthartig over te doen: 'Ik heb Bonnie naar het vliegveld gebracht, waarbij we allebei lekker gesnotterd hebben.' Er zouden geen vrolijke bijeenkomsten meer zijn in het appartement van de Smiths. Wat precies de reden van hun vertrek was, liet Selma onvermeld.

Het gezin was naar Hongarije verhuisd. Later zouden de Smiths zich op Cuba vestigen. Daaruit valt op te maken dat Bonnie en Rick bij nader inzien toch voor Moskou kozen in het conflict tussen China en Rusland. Hongarije en Cuba vielen onder Sovjetinvloed. Greta en Dop hadden de koffers gezien waarin Rick zijn volledige werken van Marx en Lenin had gepakt. Er was geen sprake van dat hij die zou achterlaten. Selma vroeg haar vader om Bonnie in Boedapest een verjaardagskaartje te sturen en haar te bedanken voor alle hulp die ze aan zijn dochter had gegeven. 'Ze hebben zoveel voor me gedaan,' schreef ze, 'het was heus niet alleen een kwestie van jullie pakketten ontvangen. Ik kan 't haar nooit vergoeden.'

In januari daalde de temperatuur in Peking tot twintig graden onder nul. 'En er staat een orkaan waar haast niet tegen op te tornen valt. We krijgen het huis niet warmer dan 58 graden, dat is 13 graden Celsius, en hebben alle mogelijke truien over elkaar aangetrokken.' Toch gloorde er hoop in de brief die Selma rillend op de sofa tikte. Over voedseltekorten had ze het niet meer. De Chinese leiders hadden de Grote Sprong Voorwaarts beëindigd. De boeren konden zich weer voor honderd procent aan de landbouw wijden en de winkels waren beter voorzien. Afgelopen jaar hadden Greta en Dop lange tijd alleen 's ochtends les gekregen, omdat leerlingen en docenten later op de dag flauw van honger werden. Nu gingen de kinderen weer hele dagen naar school. De kranten berichtten dat de tekorten waren veroorzaakt door droogte in het noorden en overstromingen in het zuiden. En door de Russen, die op stel en sprong een grote schuld hadden teruggeëist. Maar dat de ellende in de eerste plaats te wijten was aan het beleid van Mao kon niet worden geschreven.

Selma wilde de droevige tijd het liefst vergeten. Ze had eindelijk weer iets vrolijks te vertellen. Het taleninstituut had alle buitenlandse docenten, met partner, uitgenodigd voor een westers nieuwjaarsdiner. 'Een knetterend succes,' schreef ze opgetogen. Chang was ook mee geweest. 'Wij hebben natuurlijk alleen wijn gedronken en dat met mate, maar de meeste anderen zijn zich aan wodka te buiten gegaan. Ik heb me slap gelachen.' Buitenlandse collega's waren naar de wc gewankeld, Chinese directieleden legden zich op sofa's te rusten omdat ze níét naar huis wilden, maar werden door chauffeurs toch 'in respectievelijke auto's gedeponeerd'. Over de details was op het instituut nog een hele week smakelijk nagepraat.

Daarop volgde iets later het Chinese nieuwjaarsfeest van Nieuw China, nog steeds de officiële werkgever van Selma. Voor het eerst sinds de magere jaren pakte het bedrijf weer groots uit. De hele familie was welkom geweest en de Tsao's kwamen pas om één uur 's nachts thuis.

'Ik heb gedanst, Chang gebiljart en de kinderen waren overal. Greta heeft een leuk poppentoiletstel gewonnen.' Vervolgens hadden Selma en Chang zich opgemaakt voor 'de invasie van mensen die gelukkig nieuwjaar komen wensen'.

Een oude traditie. Dit was het enige moment van het jaar waarop zonder probleem bezoek ontvangen kon worden. Dagenlang was het een komen en gaan van onderzoekers en andere personeelsleden van het Psychologisch Instituut die vers fruit, snoep of koek meebrachten en onthaald werden op thee en zoetigheid. Er kwamen zoveel mensen dat Selma er onmogelijk op kon toezien dat iedereen bij binnenkomst zijn schoenen uittrok, waar ze gewoonlijk wel op stond. Haar gasten klosten met modderige winterlaarzen over haar tapijt. Alle mannen rookten en het was de gewoonte de as van een sigaret onbekommerd op de vloer te laten vallen. Selma kon daar niet aan wennen. Zodra het even rustig was, maakte ze een ronde met haar stofzuiger.

Haar vader vroeg of hij nog wat op kon sturen. Selma antwoordde opgewekt dat ze wat kleding betreft wel even waren voorzien. Spullen uit vorige zendingen waren nog in gebruik en er was weer het een en ander te koop. Corrie hoefde familie en vrienden niet meer om afdankertjes te vragen, al zouden een paar lange broeken voor de almaar groeiende Dop nog wel een uitkomst zijn. Nu de situatie in China verbeterd was, kon Selma Max om de delicatessen vragen waar ze altijd naar verlangde: koffie, Droste-cacao, blikjes haring, paté en schelvislever. Haar kinderen wilde ze graag kennis laten maken met Nederlandse drop.

Na het vertrek van Rick en Bonnie had Selma andere vrienden die op het terrein van het Vriendschapshotel woonden bereid gevonden haar pakketten uit Nederland te ontvangen zodat ze geen invoerbelasting hoefde te betalen: de Australiërs Bernice en

David Morris. Het echtpaar had twee zoons. David gaf les op een technische hogeschool, Bernice werkte als polijster voor het tijdschrift *China Reconstructs*. Zij zal later in haar autobiografie *Between the Lines* schrijven dat ze Australië hadden moeten ontvluchten vanwege de Petrov-affaire.

Begin jaren vijftig kwam het Russische spionnenechtpaar Vladimir en Jevdokia Petrov naar Canberra om vanuit de Sovjetambassade hun geheime opdrachten uit te voeren. Toen Stalin stierf, vreesde Vladimir teruggeroepen te worden naar de Sovjet-Unie om 'gezuiverd' en dus geëxecuteerd te worden. Zonder medeweten van zijn vrouw besloot hij over te lopen naar de Australische inlichtingendienst en dook onder. Vervolgens kwam een speciaal vliegtuig uit Moskou met Russische agenten om zijn echtgenote op te halen. Op de luchthaven van Sydney legde een nieuwsfotograaf vast hoe Jevdokia Petrov door twee Sovjetreuzen naar het Russische vliegtuig werd gesleept. Ze verloor een hooggehakte rode schoen, haar ontvoerders lieten haar die niet oppakken. Die schoen werd het symbool van de affaire. Hinkend op één kousenvoet werd Jevdokia verder gesleurd, kregen de Australiërs op het nieuws te zien. Uren later maakte het Russische vliegtuig een tussenstop om te tanken in Darwin.

De Australische premier had inmiddels bevel gegeven mevrouw Petrov uit het vliegtuig te halen. Daarna verenigde het echtpaar zich weer en bleek bereid een Sovjetspionagenetwerk in Australië te onthullen, in ruil voor een verblijfsvergunning. Zij noemden onder anderen de naam David Morris, ingenieur, sinds de jaren dertig lid van de Australische communistische partij en gespecialiseerd in militaire tankvoertuigen. David Morris werd ondervraagd maar nooit veroordeeld. Volgens zijn vrouw Bernice kwam hij wel op een zwarte lijst te staan waardoor hij in de jaren daarna óf ontslagen werd óf niet aangenomen en het gezin

Greta Klatser-Vos en Max Vos, eind jaren dertig

Selma en Chang in
Edinburgh, 1947

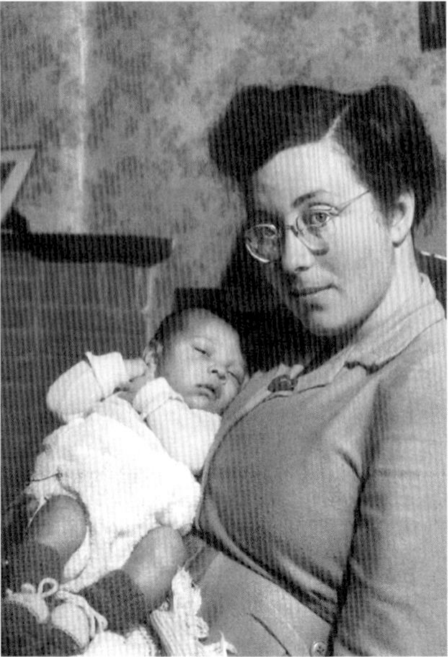

Selma en Dop op bezoek
bij Max Vos, 1948

Chang als jonge student
in Peking, eerste helft
jaren dertig

Het gezin Tsao kort na aankomst in China, 1950

Dop en Greta in 1958/’59

Familie Vos rond 1950. Van links naar rechts: Max Vos, Siert, Max jr., Corrie en Robert

Robert en Max jr met twee vriendjes in de sneeuw, ca. 1954

Selma in 1958

De Westpoort in Peking, 1953. Op de poort staat ‘Lang leve de grote en onverbreekbare vriendschap tussen het Chinese en het Russische volk!’

De 1 oktober-parade in 1957. Foto Robert Carl Cohen

Greta met Lentebloesem, 1955/'56

Met buurmeisjes in het hof. Voorop Lieverdje Tang, achteraan Greta, 1957/'58

Kerstmis 1955/'56. Selma en Greta met Chinese collega's van Selma

De poort naar het hof

Het huis van de Tsao's in het hof

Interieur met kalligrafie van dichtregels van Mao, ca. 1966

De poes Moumoun

Chang in de DDR. Rechts delegatieleider Xia Yan, 1951

Chang in de DDR

Selma met Eleanor bij de Minggraven

Dop en Greta op de kameel bij Minggraven

Greta bij de Minggraven

Greta als turnster, 1959/'60

In het zwembad van het Vriendschapshotel, zomer 1961

Dop met zijn Philips Pionier, 1961

Greta met haar muziekdoos, 1961

De familie met Max Vos in de tuinen van het Zomerpaleis, 1963

Max Vos met zijn kleinkinderen, 1963

Max en Selma in Beidaihe, 1963

Met Diana Lary, zomer 1965

Met Endymion Wilkinson in het Zomerpaleis, winter 1964/'65

financieel aan de grond raakte. Uiteindelijk wist een vriend uit de communistische partij te regelen dat de hele familie naar China kon gaan.

Selma was zeer op Bernice en David gesteld, maar de vriendschap met hen was niet zo innig als die met de Amerikaanse Smiths. David en Bernice hadden hun handen vol aan hun eigen problemen. Ze konden niet aarden in China, vooral Bernice werd verscheurd door heimwee naar Australië. De twee zoons verwilderden op het terrein van het Vriendschapshotel. Er werd zoveel over hun gedrag geklaagd dat er een Chinese gouvernante in dienst genomen moest worden om de jongens in toom te houden. David ging gebukt onder de politieke ontwikkelingen. Hij geloofde in een internationaal socialistisch paradijs en kon niet verkroppen dat er een verwijdering was ontstaan tussen de Sovjet-Unie en China. 'Die breuk was het ergste wat hem in zijn hele leven zou overkomen,' schreef Bernice.

Selma had na de hongerjaren geen behoefte aan zware discussies. Ze begon vrije tijd door te brengen met een nieuwe collega, Lena, een Costa Ricaanse. De taalgevoelige Selma leerde van haar binnen een paar weken Spaans spreken. Lena was ooit kapster geweest. Ze knipte Selma's haar behendig in een modieus, kort model. Om Selma's krullen beter uit te laten komen goot ze er een fles bier overheen. Op aanraden van Lena kocht Selma een nieuwe bril, ze ging een moderne hoed dragen en de Costa Ricaanse spoorde haar aan behalve lipstick ook oogschaduw te gaan gebruiken.

De restyling zette Selma thuis door. Lentebloesems kamer aan de binnenplaats richtte Selma in voor Dop. De kinderen moesten nu zoveel huiswerk maken, ze hadden elk een eigen kamer nodig. In het schuurtje werd een extra raam gezet. Selma naaide gele gordijnen en een bijpassende beddensprei. Dop kreeg een bureautje. Ook de kamer van Greta werd opgeknapt. Naast haar divanbed kwam een zitje met roze kussentjes. Daarbij kreeg ze roze gordijnen en een kaptafel waarop ze alle cadeaus uit Nederland kon uitstallen.

Selma was na de zware hongerjaren vol nieuwe energie. Ze besloot haar kinderen zelf Engels te gaan doceren. Dop kreeg als enige vreemde taal Russisch op school, dat was haar een doorn in het oog. Dop was nota bene in Cambridge geboren. Ze vroeg haar vader Max leerboekjes op te sturen: 'Hier is ook wel materiaal maar dat begint met: "I love Chairman Mao". En gaat verder met: "I want to build the revolution." Terwijl ik het daar wel mee eens ben, wil ik toch liever dat mijn kinderen in Engeland een kopje thee kunnen bestellen.'

SELMA NODIGT HAAR VADER UIT

1963

Nu de spanning in het land wat was geweken en Selma niet meer dag in, dag uit bezig was met overleven, begon ze te dromen over een vakantiereis naar Nederland, maar dat bleek er niet in te zitten. Ze kreeg geen toestemming. Het meest miste ze haar vader. Het deed haar ook verdriet dat haar kinderen opgroeiden zonder hun Nederlandse grootvader te kennen. Ze bedacht een plan.

'Lieve pap en Corrie. Ga eerst maar eens zitten voordat je de volgende schokkende ideeën te verwerken krijgt!' schreef Selma op een winteravond in 1963, om vervolgens los te branden: 'Chang stelt voor dat pap deze zomer naar ons toe komt. Per boot: Southampton-Hongkong. Chang zou pap dan op grensstation Shenzhen komen afhalen. En dan verder per trein: Kanton-Shanghai-Peking. Duurt drie dagen.'

Max Vos moet zich wezenloos zijn geschrokken. Hij naar China? Hij sprak geen enkele vreemde taal. Corrie en hij waren een paar keer naar Zwitserland geweest, gebracht en gehaald met de auto van De Arbeiderspers, via Frankrijk omdat Max onder geen beding over Duitsland wilde reizen. Verder was hij nooit geweest. Nu werd van hem verwacht dat hij in zijn eentje, via Groot-Brittannië, naar Hongkong zou reizen om daar de Chinese grens over te steken. En dan moest hij maar hopen dat aan de andere kant inderdaad zijn schoonzoon stond te wachten.

Na zijn bezwaren kwam Selma meteen met een alternatief: 'Hollandse vrachtboot naar Tianjin. Nadeel: duurt vermoedelijk langer, maar een kleinere boot is ook gezelliger en op een Hollandse boot heb je geen last met de taal. In dit geval komt de hele familie naar Tianjin om je af te halen! Chinees visum levert geen enkel probleem op, je krijgt 'n officiële invitatie. Je moet erop rekenen dat je een halfjaar van huis bent.'

Een halfjaar! Het was alsof Selma ervan uitging dat haar vader vrijgezel was, die de deur dicht kon doen en vertrekken. Max was inmiddels weliswaar gepensioneerd, maar hij woonde met zijn vrouw en drie schoolgaande zoons.

'Natuurlijk hebben we liever opa én oma,' roerde Selma dit onderwerp eindelijk aan, 'maar ik vrees dat Corrie net zomin de jongens alleen zou laten als ik dat zou doen. Daarom leek het mij verstandiger om eerst alleen over pap te spreken.' Realistisch was het wel. Afgezien van de zorg voor de drie jongens was het de vraag of Corrie een reis naar China aan zou kunnen. Ze was weer opgenomen geweest en had juist een wankel evenwicht hervonden.

'Is het mogelijk dat jullie de heenreis betalen?' vroeg Selma. Zij en Chang hadden spaargeld, maar dat stond in Chinese yuan op de bank en kon niet zomaar omgewisseld worden in westerse valuta. 'De terugreis en het verblijf zijn voor onze rekening.' Om haar plannen kracht bij te zetten liet ze Dop ook een paar regels aan haar vader schrijven, in Chinese karakters. Daaronder tikte ze haar Nederlandse vertaling: 'Opa, ik word dit jaar 15 jaar. Greta is vandaag 13 jaar. Maar ik heb opa alleen maar één keer gezien toen ik klein was en Greta heeft opa nooit gezien. Opa moet naar ons toe komen en een prettige tijd bij ons doorbrengen. En ook een bezoek brengen aan alle bezienswaardigheden zoals het Zomerpaleis, de Grote Muur. Ik kan met opa daarheen. Opa moet er eens over denken of dat gaat en ons gauw schrijven.'

Max had ermee ingestemd dat Selma in Engeland ging studeren, dat ze met een Chinees trouwde. Hij had haar niet tegengehouden toen ze met de drie maanden oude Dop naar Hongkong afreisde. De afgelopen jaren was hij vele malen naar de Bijenkorf getogen om spullen voor haar te kopen. Nooit had hij zijn dochter iets geweigerd. Maar nu kwam hij met bezwaren.

Hij was met negenenzestig te oud voor zo'n verre, lange reis. Bovendien kon hij Corrie niet zomaar alleen laten. En er was meer, veel meer. 'Hier zijn de antwoorden,' tikte Selma meteen terug. 'Alle vaders en moeders die hier komen zijn van jouw leeftijd. En het hoeft geen halfjaar te zijn, pap, we zullen je per vliegtuig terugsturen. 3 dagen per Toepolev, dat gaat best.' Van het argument dat Max niet weg kon omdat Corrie zenuwachtig zou worden van belastingbrieven die in de tussentijd zouden komen, was Selma ook niet onder de indruk. 'Als je data van vertrek en terugkeer vaststelt, kun je dan niet 'n lijstje maken van te verwachten belastingbrieven en instructies neerpennen?'

Wat lastiger te pareren was, waren de politieke problemen die Max Vos voorzag. De Koude Oorlog was in volle gang. Toen de Hongaarse Opstand in 1956 met hulp van de Russen werd neergeslagen, ging er een anticommunistische golf door Nederland. Het hoofdkantoor van dagblad *De Waarheid* werd bestormd. De ruiten van Boekhandel Pegasus in de Leidsestraat, waar Chinese propagandatijdschriften te koop waren, gingen eraan. De Stalinlaan heette voortaan Vrijheidslaan. In het Westen vreesden velen dat het ene Aziatische land na het andere, als omvallende dominostenen, communistisch zou worden. China werd steeds meer gezien als agitator. Een jaar eerder was er een grensconflict uitgevochten tussen China en India, op de grens tussen de Sovjet-Unie en China vonden eveneens schermutselingen plaats. En ook in Vietnam, waar de Amerikanen de rol van de Fransen hadden overgenomen, waren Chinezen betrokken en kon de boel ontvlammen. Max schreef dat hij geen zin had alsnog in een kamp te belanden. Selma schreef terug: 'Dit is een socialistisch land, geen fascistisch. In China bestaan geen interneringskampen,' besloot ze onwetend.

Max kon er niet onderuit, zijn dochter miste hem. Hij móést naar China en dit was het juiste moment, hield Selma hem voor. De honger in China was voorbij, Max was gezond en Corrie was voorlopig genezen verklaard. Dat alles kon zomaar veranderen.

Nu bleek echter dat de officiële uitnodiging van Changs instituut, die Selma zo stellig aan Max had beloofd, niet zou komen. 'Omdat 't privézaken zijn, en dat telt niet mee, weet je,' berichtte ze teleurgesteld. En ineens was het ook niet zeker of Max wel bij zijn dochter kon logeren. 'Omdat we immers geen logeerkamer hebben is Chang van plan pap en zichzelf in 'n hotel in te kwartieren, maar ik wil liever Dop uitbesteden bij de buren en pap op Dops bed laten slapen. Afijn, dat zoeken we nog wel uit.' Een rol zal gespeeld hebben dat wie een buitenlander thuis wilde ontvangen, daarvoor toestemming moest hebben van hogerhand. Gasten van over de grens moesten een goede indruk krijgen van China.

Om de stemming erin te houden stuurde Selma alvast een Engelstalige gids van Peking naar Max. Op de plattegrond in het boek gaf ze aan waar ze woonden en waar de scholen van Greta en Dop, het instituut van Chang en haar taleninstituut zich bevonden. Ook onderstreepte ze de bezienswaardigheden die Max te zien zou krijgen. Na ontvangst kaftte Max het boekje in plastic, zodat het er keurig uit zou blijven zien. Ook al was zijn vertrek nog niet in zicht.

Zonder voorspraak van Changs instituut moest hij nu een visum zien los te weken bij het Chinese consulaat in Den Haag. 'Ga gewapend met je paspoort en 'N ENORME DOSIS GEDULD,' adviseerde Selma in kapitalen, 'ik weet uit ervaring dat je dat nodig hebt. Leg uit dat je je dochter en je schoonzoon wilt bezoeken. Vermoedelijk vragen ze eerst inlichtingen in Peking voordat ze een visum geven. Maak je niet nijdig. De Chinees die onmiddellijk iets begrijpt of meteen wat doet, moet nog geboren worden.'

Max klaagde dat hij door de Chinese consul van het kastje naar de muur werd gestuurd. Selma antwoordde: 'Ik heb je gewaarschuwd. De Chinezen zijn alleen maar vlug als ze daarmee een goeie indruk kunnen maken. Voor de rest ho maar. Overblijfselen van het feodalisme.' Ze was erachter gekomen dat het vrachtschip de Neder Eems binnenkort uit Rotterdam zou vertrekken met bestemming Shanghai. Haar vader zou van een zeereis genieten, wist ze, maar Max was bang dat het zo allemaal veel te lang zou gaan duren. Liever ging hij per vliegtuig. Een reisagent had hem verteld dat de maatschappij Aeroflot twee keer per week van Moskou naar Peking vloog.

'Die dienst bestaat wel op papier, maar het hangt geheel van de weersomstandigheden af of 't in werkelijkheid ook klopt,' temperde Selma het optimisme van haar vader. 'Het is zeer waarschijnlijk dat je vertraging hebt in Moskou – zorg dat je 't adres hebt van het Hollandse gezantschap – en dat je tussen Moskou en Peking ook nog eens moet wachten. Chang heeft eens drie dagen vastgezeten in Oelan Bator met slecht weer.' Max besloot het er toch op te wagen. 'Hij komt! Hij komt!' juichte Selma toen de brief met dat nieuws arriveerde.

MAX VOS KOMT LOGEREN

VOORJAAR 1963

Dop kon geen vrij krijgen van school op die achtste juli van 1963. Selma, Chang en Greta gingen met z'n drieën naar de luchthaven en zagen de Toepolev landen. Precies op tijd. Een grote groep jonge Chinese vrouwen stroomde het vliegtuig uit. In Moskou hadden ze een internationaal congres bijgewoond en ze werden verwelkomd door een erehaag van klappende leden van de vrouwenbond. Als een van de laatsten daalde Max van de vliegtuigtrap af. Hij droeg een bril met een zwart montuur en dikke glazen die hem de uitdrukking gaf van een wijze uil. Woody Allen, de Amerikaanse filmregisseur, zou sterk op hem lijken. Alleen was Max met zijn één meter negentig veel langer.

Selma kon zich niet langer beheersen en holde op haar vader af. Ze viel hem om de hals, omhelsde hem innig en liet strepen lippenstift achter op zijn wangen. Chang schudde rustig de hand van zijn schoonvader. Greta, die de emoties van haar moeder met verbazing observeerde, kreeg een aai over haar hoofd. Selma en Max spraken druk met elkaar terwijl Chang het gezelschap naar de zwarte limousine van zijn instituut leidde, die voor de luchthaven stond geparkeerd. De chauffeur reed hen tot voor het hof. Dop stond in de poort te wachten. Na de begroeting van zijn kleinzoon werd Max meegetroond over de binnenplaatsen, door de donkere gang, de trap op naar de voordeur. Selma bleef maar doorpraten tegen haar vader.

Ze had elke hoek van haar huis vele malen geboend en geschrobd. Zelfs de plafonds had ze met een natte doek afgenomen. Max keek om zich heen en zag de wereld waarover Selma geschreven had in haar brieven. Daar was Moumoun, de lieveling van het gezin. Pas gewassen en stralend wit.

Max logeerde hier, was uiteindelijk besloten. Greta had haar kamertje voor hem ontruimd. Het instituut had een extra lang bed bezorgd, waar Max maar net in bleek te passen. Greta sliep zolang bij haar moeder en voor Chang was een veldbed bijgezet in de kamer van Dop. Max mocht eerst een paar dagen uitrusten van de lange reis, al was die rust betrekkelijk want Selma en hij waren voortdurend met elkaar in gesprek. Selma had zoveel te vertellen, ze wilde zoveel weten. De rest van de familie had geen idee waar de twee het over hadden.

Chang hield zich op de achtergrond, hij had er begrip voor dat zijn vrouw veel had in te halen. Toen er een eerste stilte viel liet Dop zijn Philips Pionier aan opa zien en demonstreerde hoe goed het apparaat muziek ontving. Max zal zichzelf wel hebben herkend in zijn lange kleinzoon met zijn grote voeten en bedachtzame aard. Greta vond het moeilijk iets te bedenken waarvoor opa zich zou kunnen interesseren. Hij zag er zo ongewoon uit en haar moeder had alleen maar oog voor hém. Ze sloeg het tweetal van een afstandje gade. Mevrouw Sun, de nieuwe huishoudster, deed haar uiterste best voor de logé en zette Max haar lekkerste hapjes voor: noedels met groenten en vlees en gestoomde pasteitjes. Max had gevreesd dat het eten bij zijn dochter heet zou zijn, zoals in Indonesië, maar tot zijn opluchting was de Pekinese keuken niet sterk gekruid. Zijn kleinkinderen leerden hem eetstokjes te hanteren. Het dochtertje van buurman Hsiung kwam daar nieuwsgierig naar kijken. Max had schik in het kleine, schriele meisje en noemde haar 'Sprinkhaantje'.

Het werd tijd voor uitstapjes. Selma liet haar vader de Verboden Stad zien, met zijn gouden daken en prachtige binnenplaatsen. Ze wandelden over het pas uitgebreide Plein van de Hemelse Vrede en bezochten de Tempel van de Hemel. Tijdens een bezoek aan het Beihaipark leidde Chang het gezin naar het sprookjesachtige restaurant Fangshan, gelegen aan een groot meer. Het Psychologisch Instituut had hem een geldbedrag aangeboden waarmee hij zijn schoonvader kon trakteren, maar dat had hij afgeslagen. Als idealistisch partijlid vond Chang dat hij het budget van het instituut niet mocht belasten met privé-uitjes. Hij betaalde uit eigen zak. Wel had hij via het Instituut een tafel besproken. Alleen hoog kader kon hier via de juiste kanalen reserveren. Verder werd niemand toegelaten.

Tussen gouden pilaren en bogen van verguld houtsnijwerk nam de familie plaats aan een ronde tafel. In Fangshan werden gerechten geserveerd die bereid waren volgens eeuwenoude recepten, overgedragen door de koks die nog in de keizerlijke keukens hadden gewerkt. IJverige obers brachten een schaal gebakken paling, daarop volgde varkensvlees met zeeoor, een exquise schelpdiersoort. Tot slot kwam een hele zoetwaterbaars, krokant gebakken, in een saus van geheime ingrediënten.

Chang wilde zijn schoonvader laten zien dat in Peking ook goed westers gegeten kon worden. Daarom kwam een lunch in restaurant Moskou op het programma, dat stamde uit de tijd toen de vriendschap tussen China en Rusland nog innig was. Bij de entree werden de gasten verwelkomd door marmeren nimfen. Ze torsten stralende lampen op het hoofd. De enorme eetzaal had een parketvloer. Rijk bewerkte pilaren ondersteunden het plafond. De familie at borsjtsj en kip Kiev met lepel, mes en vork. Onder de fonkelende kristallen kroonluchters leek het alsof ze op bezoek waren bij de tsaar.

Op een hete ochtend in juli werd de hele familie door de auto van het instituut afgezet voor de poort van het buiten de stad gelegen Zomerpaleis. Max, Chang en Dop droegen shorts, Selma een blauw-wit gestreepte jurk met daarbij een opvallend, met een bloem versierd hoedje. Zoals altijd had ze witte handschoenen aan. Greta had die ochtend tot haar grote ergernis een rok aan moeten trekken van haar moeder. Veel liever liep ze, zoals alle meisjes op school, in een lange broek, maar Selma wilde dat ze charmant op de foto's zou staan.

De familie wandelde langs de ontvangsthal van de vroegere keizers. Terwijl enkele tientallen andere bezoekers nieuwsgierig toekeken gaf Chang uitleg, die Selma voor haar vader in het Nederlands vertaalde. In de zomer, als de keizer hier resideerde, werd hoog bezoek in deze hal ontvangen. Via een pad bereikten ze de oever van het Kunmingmeer. Selma, Chang en de kinderen kwamen hier regelmatig op zondagen. Vaak hing er mist boven het water, maar vandaag was het helder. De blauwe bergen in de verte, waar het water van het Kunmingmeer ontsprong, waren duidelijk te zien. In het zuidoosten tekenden de glanzend groene daken van het Vriendschapshotel zich af.

Selma vertelde haar vader over Cixi, de keizerin-moeder die graag in het Zomerpaleis verpoosde. Ze werd altijd door vele bedienden omringd. Chang benadrukte dat het goed was dat die tijd voorbij was. De kinderen konden aan het verhaal toevoegen dat de laatste keizer, Puyi, nu als gewone Chinese burger vlak bij hen woonde, naast de school van Greta. Ze zagen hem vaak voorbijfietsen. De kinderen begonnen zich ongemakkelijk te voelen onder de blikken van de vele toeschouwers. Op andere dagen werden ze ook bekeken, maar nu met opa erbij leek het wel alsof ze een kermisattractie waren.

Chang leidde de familie naar een aanlegsteiger om een tochtje over het meer te maken. Een tanige, gebruinde vrouw in een katoenen pak wrikte het schuitje over het water. Nu werden ze tenminste niet meer aangegaapt en opa Vos kon rustig de beroemde hoogtepunten van het Zomerpaleis bekijken: de Brug met de Zeventien Bogen, de ronde Jade Ceintuur-brug en tot slot de Marmeren Boot. Cixi had daarbovenop genoten van de koele bries over het water.

De zon stond nu hoog. Het was warm en iedereen had honger. Chang had opnieuw een verrassing in petto. Hij had gereserveerd in een restaurant gevestigd in het vroegere operatheater van keizerin Cixi. Het lag verscholen achter een aantal poorten. Op een binnenplaats, omringd door vervallen muren, was een tafel voor hen gedekt. Hier was het koel en rustig en kon niemand hen aangapen. Chang bestelde een groot aantal gerechten. Max Vos kon al aardig overweg met de stokjes. Tot slot werd de hele familie geportretteerd. Aan het Kunmingmeer was een kleine staatsfotostudio ingericht. Als achtergrond werd het meer gekozen, zo bleven alle nieuwsgierigen uit beeld. De enige van de familie die op zijn gemak lijkt, is Chang. In zijn shorts ziet hij eruit alsof hij zojuist is weggelopen bij een spelletje tennis. Hij houdt zijn pet in zijn hand, waardoor zijn ontspannen glimlach goed te zien is. Hij heeft een mooi programma kunnen aanbieden aan zijn schoonvader. Dop en Greta staan stram rechtop en doen hun best een goede indruk te maken, maar Greta kan niet verbergen dat ze zich ongelukkig voelt in haar rok. Selma, met haar bloemhoed en haar witte handschoenen, zou op weg kunnen zijn naar een high tea in Cambridge. Max Vos, als gast het middelpunt van het gezelschap, draagt een pet die als een pannenkoek op zijn hoofd ligt. Hij kijkt ernstig, zoals op alle foto's die van hem in Peking genomen zijn. Hij zal al snel hebben begrepen in welke omstandigheden zijn dochter in China verkeerde. Ze kon Peking niet zomaar verlaten, moest overal toestemming voor vragen en met wie ze omging werd gerapporteerd. Max ervoer zijn verblijf in China als benauwend, zal hij Corrie en zijn zoons na thuiskomst toevertrouwen.

Het hoogtepunt van zijn bezoek moest de vakantie aan zee worden. Selma had voor de hele familie in Beidaihe kunnen reserveren. Ook Chang ging mee. In de villa van Nieuw China kregen ze behalve de mooie serrekamer ook nog een klein vertrek waar Chang en Dop zouden slapen. Max liet zich ontspannen fotograferen in de tuin van het pension, gekleed in een visnethemd en met een sigaret nonchalant in een mondhoek geklemd. Op zijn beurt kiekte hij Chang en Selma, achterovergeleund in grote rieten stoelen op het terras van het pension. Ze ontmoetten buitenlandse vrienden van Selma die ook in Beidaihe op vakantie waren. De hele familie genoot van strand, zon en zee.

Toch vertelde Max aan zijn gezin dat Beidaihe het niet haalde bij Katwijk, waar hij en zijn gezin vaak in een pension logeerden. Daar was hij met een vissersschip de zee op geweest. In China hoefde je dat niet in je hoofd te halen. Je mocht de zee niet op, dat was verboden. Max had zijn zoons in Nederland een zeilbootje gegeven. Daarmee voeren ze tijdens hun vakanties over de Friese meren. De vrijheid om zoiets te doen bestond in China niet. Alles was gereguleerd. Je mocht zelfs alleen maar op één bepaalde plek zwemmen.

Chang probeerde zijn schoonvader over te halen de goede kanten van het maoïstische China te zien. Hij herhaalde zijn argumenten later in een brief aan Max: ‘In China is de levensstandaard nog laag, maar er bestaat geen uitbuiting of dreiging van werkloosheid. Iedereen leeft voor een ideaal. Een oud Chinees spreekwoord zegt: Het is niet de rijkdom, maar het doel dat telt.’ Max was er niet van onder de indruk.

In Beidaihe merkte hij dat hij, net zoals in Peking, voortdurend in de gaten werd gehouden. Overal zag hij mannen die zich onopvallend probeerden op te houden. Max voelde in China steeds ogen in zijn rug. Dat deed hem aan de Tweede Wereldoorlog denken. Om die reden, zo vertelde hij zijn vrouw en zoons in Nederland, was hij geen drie maanden gebleven zoals eerder was gepland. Op 28 augustus, na zeven weken, stapte hij opnieuw in een toestel van Aeroflot.

'Ik was de eerste die ontdekte achter welk raampje pap zat: boven de vleugel. Weet je hoe?' schreef Selma de volgende dag. 'Door dat helwitte nylon overhemd! Heb je gezien waarom jullie een kwartier te laat gestart zijn, pap? D'r had iemand een tas vergeten, en die werd in looppas ten slotte achterna gebracht! Wij hebben gewacht tot we je vliegtuig zagen opstijgen en zijn toen afgedropen. Tussen vliegveld en huis heb ik een hele zakdoek, een van paps grote, vol gesnotterd. Greta heeft zodra we thuis waren, zonder wat te zeggen de badtas gepakt en me aan de arm meegenomen om te gaan zwemmen. Weer thuis heeft mevrouw Sun, aangezien 't helemaal mis is met m'n eetlust, aardappelpuree met 'n zacht eitje voor me gemaakt, ook al zonder wat te zeggen.' De dag dat Max vertrok zagen Dop en Greta hun moeder voor het eerst van hun leven tranen met tuiten huilen. Ontroostbaar was ze.

Max vertelde thuis dat hij nooit meer naar China ging en nooit meer met een vliegtuig van Aeroflot zou vliegen. Op de terugweg wilde het landingsgestel van het toestel niet uitklappen toen er een tussenstop gemaakt moest worden in Omsk. Eerst hadden ze eindeloos rondgecirkeld. Toen had de piloot de Toepolev met een geweldige klap in een berg schuim neergezet terwijl ambulances en brandweerwagens met gillende sirenes kwamen aanrijden.

Een paar dagen na de terugkeer van Max stond er in de Willem de Zwijgerlaan een onbekende donkere auto geparkeerd voor het huis van de buren, een hele ochtend. Tegen de middag stapten twee mannen uit. Ze belden aan bij de familie Vos en wilden Max spreken. De andere familieleden werden weggestuurd. Het waren agenten van de Nederlandse geheime dienst. Ze wilden horen over de reis naar China. Max had hun vragen beantwoord en gezegd dat hij van plan was een boek te schrijven over zijn ervaringen. De mannen hadden hem dat sterk afgeraden. Een boek zou de veiligheid van zijn dochter in China kunnen schaden.

DE LUNCHES VAN SELMA

1964

Een politieman nam Selma's identiteitskaart van haar over en bestudeerde het document aandachtig. 'Voor wie kom je?' vroeg hij kortaf. Alsof ze hier niet vele malen eerder was geweest. Selma noemde de naam van de Nederlandse ambassadesecretaresse: Yvonne in 't Hof, en het nummer van haar woning. De politieman liep met haar identiteitskaart in de hand naar zijn kantoortje en informeerde per telefoon of Selma verwacht werd. Toen dat het geval bleek, noteerde hij haar gegevens. Daarna kwam hij weer naar buiten om haar tas te inspecteren. Hij opende een lippenstift en bladerde door een notitieblokje. Selma's handen trilden, ze had het warm gekregen. Eindelijk gaf hij haar kaart terug en knikte. Ze liep voorbij de slagboom het terrein op. Hier woonden uitsluitend buitenlanders die voor ambassades werkten en buitenlandse journalisten. De huishoudster stond haar in een open deur al op te wachten.

Toen Max Vos in Peking was had hij erop gestaan zich te melden bij de Nederlandse chargé d'affaires. Hij vond het een veilig idee dat de vertegenwoordiger van zijn land wist dat hij in China was. Selma had hem vergezeld. Jarenlang had ze contact met de zaakgelastigde en zijn medewerkers vermeden omdat ze een paar van hen van spionage verdacht, maar deze mensen waren inmiddels vervangen. Selma en haar vader gingen naar de oude ambassadewijk, vlak bij de Verboden stad en het Plein van de Hemelse Vrede. Ze meldden zich bij de poort van de Nederlandse vertegenwoordiging die versierd was met twee witte Nederlandse leeuwen.

Architect P.J.H. Cuypers, ook verantwoordelijk voor onder andere het Amsterdamse Centraal Station en het Rijksmuseum, had de gebouwen op het binnenterrein in neoclassicistische stijl ontworpen. Ze waren opgetrokken uit rode baksteen, versierd met een trapgevel of een imposant bordes. Klimop groeide langs ramen die in ruitjes waren onderverdeeld, zoals vroeger in Nederland gedaan werd. Het complex omvatte ook een grote tuin met een zwembad en een tennisbaan.

Er kwam zeer zelden onverwacht bezoek bij de Nederlandse vertegenwoordiging. Sinds het begin van de hongersnood in 1960 was het vrijwel geen enkele Nederlander gelukt een visum voor China te krijgen.

Max en Selma werden vriendelijk ontvangen door secretaresse Tonny Schröder. Max greep de gelegenheid aan om de 'nationaliteitenkwestie' van zijn dochter aan de orde te stellen. In het Nederlandse parlement werd nu gesproken over een wijziging van de wet. Vrouwen, getrouwd met een buitenlander, zouden niet langer hun paspoort hoeven in te leveren. Tonny Schröder reageerde welwillend. Na het vertrek van Max bleven Selma en zij contact houden. Selma bezocht haar soms thuis en vroeg wel eens een boek te leen. Tonny kon via de ambassade Engelstalige boeken in Hongkong bestellen en die met de diplomatieke post naar Peking laten komen. 'Die boeken waren in de ogen van de Chinese autoriteiten kapitalistische lectuur. Ik vond het dapper dat Selma ze toch durfde mee te nemen, want ze werd bij de poort gecontroleerd,' zal ze later zeggen.

Eind 1963 zat Tonny Schröders termijn erop. Ze ging terug naar Nederland. Selma sloot vriendschap met haar opvolgster, Yvonne in 't Hof. Op 10 april 1964 tekende Selma in de Nederlandse vertegenwoordiging een aantal documenten waarmee ze 'herkrijging van het Nederlanderschap' aanvroeg. De door haar vervloekte wet was kort daarvoor gewijzigd. Het antwoord moest ze nu afwachten. Eerder had Selma afstand willen houden tot de medewerkers van de ambassade, nu had ze hun hulp nodig om haar paspoort terug te krijgen. Het was misschien niet toevallig dat juist in deze periode een poging werd gedaan de banden met haar aan te halen. Secretaresse Yvonne in 't Hof zal later vertellen: 'Mij werd van hogerhand te kennen gegeven dat het geweldig gewaardeerd zou worden als ik Selma regelmatig bij mij thuis zou ontvangen voor de lunch. Dat heb ik gedaan, één keer per maand, twee jaar lang. Vierentwintig keer dus.'

De huishoudster nam Selma's jas aan. 'Kom binnen, kom binnen,' zei ze beleefd en begeleidde het bezoek naar de woonkamer. 'Selma was altijd op van de zenuwen als ze aankwam,' zal Yvonne in 't Hof zich herinneren. 'Ze was helemaal bezweet, je kon haar gewoon uitwringen.' Blijkbaar was Selma bang dat ze gevaar liep door deze bezoeken. Haar naam werd iedere keer genoteerd. Het was algemeen bekend dat de woningen van ambassademedewerkers werden afgeluisterd. 'Daar gingen we tenminste wel van uit,' zal Yvonne in 't Hof later zeggen. Toch begreep zij goed waarom Selma zo aan de lunches hechtte: 'Het was haar úítje. Ze wilde even Nederlands spreken. Bij mij thuis werd ze verwend. De Ayi, de huishoudster, was aardig tegen haar. Meneer Wu, mijn kok, was de beste kok van Peking. Hij maakte gerechten waar ze van hield. Westers vlees met aardappelen en appeltaart toe, of Indische rijst en saté, want met de Indische keuken was hij ook bekend. Meneer Wu onthield wat Selma lekker vond en als hij de ingrediënten kon krijgen, zette hij haar de volgende keer hetzelfde voor.'

Elke maand werd hetzelfde surrealistische toneelstuk opgevoerd: Selma kwam geheel verzenuwd aan. De huishoudster ontving haar voorkomend, bood iets te drinken aan. Yvonne noodde haar aan tafel. Tegen de tijd dat Selma tot rust gekomen was, verscheen meneer Wu om de dames te bedienen. Tijdens het eten voerden de twee vrouwen een geanimeerd gesprek. 'Je verveelde je met Selma nooit,' zal Yvonne in 't Hof later zeggen. 'Ze was erg intelligent.' Selma vertelde over haar kinderen en hun schoolprestaties. Chang noemde ze vrijwel nooit. Wel sprak ze over haar werk. 'Het ging er vaak over dat ze zo moest oppassen met wat ze zei,' herinnerde Yvonne zich. 'Niet alleen op het instituut waar ze lesgaf, ook waar ze woonde. Ze hoefde maar een kleedje uit te kloppen, bij wijze van spreken, of de hele buurt wist het.'

Tijdens deze lunches was Selma even aan haar dagelijkse zorgen ontsnapt. Ze kon zich baden in relatieve luxe. Ook had ze haar vader beloofd in contact te blijven met de Nederlandse vertegenwoordiging, ze wilde hem niet teleurstellen. Yvonne in 't Hof had er ook belang bij Selma te ontmoeten. Via Selma kreeg zij, en daarmee de ambassade, een zeldzame glimp te zien van het gewone leven in China. Aan Buitenlandse Zaken in Nederland moest verslag worden gedaan van wat er gebeurde in dit gesloten land. Het was niet makkelijk daarachter te komen. Van het Chinese ambassadepersoneel, zoals meneer Wu en de huishoudster, werden ze niets wijzer. Die werkten tevens voor de Chinese geheime dienst. Buitenlandse ambassademedewerkers gingen vrijwel uitsluitend om met collega's van andere ambassades. 'We speelden bridge met elkaar, we bezochten elkaars recepties. Altijd kwamen dezelfde mensen,' herinnerde Yvonne in 't Hof zich. Kleding, voedsel en drank lieten ze overkomen uit Hongkong. Het was alsof ze op een eiland leefden.

Eén keer ging Yvonne bij Selma op bezoek, een schokkende

ervaring voor haar omdat ze zo weinig buiten haar eigen kring kwam: 'Het was verschríkkelijk hoe Selma woonde. Aan zo'n groezelige binnenplaats waar allemaal Chinese families zaten. Ontzéttend treurig. En dan te bedenken dat ze uit Hongkong kwamen. Daar had haar man een goede baan gehad!'

Selma sprak nooit met haar kinderen over de lunches met Yvonne. Ze zal er zo min mogelijk ruchtbaarheid aan hebben willen geven. Chang moet er wel van hebben geweten. Selma kon dit soort contacten niet voor hem verzwijgen. Chang moest erover rapporteren en de lunches konden voor hem ook een gevaar betekenen. Hij zal zijn toestemming hebben gegeven, anders had Selma het contact met Yvonne in 't Hof verbroken. Chang wist hoe graag zijn vrouw haar Nederlandse nationaliteit terug wilde hebben. Hij zal begrepen hebben dat Selma de lunchuitnodigingen daarom wel móést aanvaarden.

EEN NEEF DUIKT OP

1964

Selma bezocht een balletvoorstelling waarin een Britse ballerina meedanste, Beryl Grey. Voor het eerst sinds de communistische machtsovername had het Peking-ballet een westerse artiest in het programma. China leek zich iets te openen. Niet alleen daarom werd het een gedenkwaardige voorstelling. Selma schreef haar vader: 'Dop had te veel huiswerk maar Greta is meegegaan en ze fluisterde me tijdens de eerste dans toe: "Mam, die meneer voor me praat Hollands." Ze had nog gelijk ook, de Nederlandse scheepswerven zaten voor ons, drie directeuren! Ze vielen haast van hun stoel toen ze Nederlands hoorden. Er was een Amsterdammer bij, Van Marle. De andere twee kwamen uit Dordrecht en Schiedam.'

Selma en Greta hadden zich uitgebreid met de heren onderhouden. Selma had verteld over haar vader in Santpoort die binnenkort zeventig zou worden. De scheepsbouwers vroegen of ze iets voor hem mee wilde geven. De volgende dag bracht Selma een felicitatiekaart voor Max naar hun hotel. De heren beloofden dat ze die in Nederland meteen op de post zouden doen.

Daarna liet Max weten dat op zijn verjaardag, tot zijn grote verbazing, een scheepsbouwer had aangebeld. Met een felicitatiekaart van zijn dochter en een bos van zeventig tulpen. Selma was diep geroerd door dit gebaar. 'Ik wist van niets! Dat het zó zou uitpakken had ik niet durven dromen!' schreef ze terug.

Alsof China ineens een duiventil was geworden waar Nederlanders in en uit vlogen, meldde zich weer een scheepsbouwer, dit keer van de Vlissingse werf De Schelde, die deel bleek uit te maken van een Nederlandse handelsdelegatie. De heer Teng – hij was van Chinees-Indische afkomst – belde Selma om te zeggen dat hij via een collega een pakketje van Max Vos voor Selma had gekregen. Kon hij dat even langs komen brengen? Selma rapporteerde aan haar vader: 'Ik dus in alle haast koffiegezet en jullie blikje ananas geopend en toen ie even later kwam begon ie me te vertellen over 'n Hollandse journalist bij hem in 't hotel. Toevallig had Dop me 's morgens al uit de krant voorgelezen dat er zo eentje net 'n interview met de minister van Buitenlandse Zaken Chen Yi had gehad, maar die Nederlandse namen, op z'n Chinees gespeld, zijn niet te herkennen. Enfin, ik zeg om wat te zeggen: Wie is het eigenlijk? Waarop de heer Teng een kaartje uit zijn zak haalt en me naam en adres voorleest: Leo Klatser! Ik stond paf, dat snap je. Er konden er niet twee met die naam in Holland rondlopen. Teng gaat dus terug naar z'n hotel, treft die man in de eetzaal en zegt: "Hé joh, je hebt een nicht in Peking!" 'n Halfuur later word ik gebeld door een Klatser-stem die zegt: "Jij moet de dochter zijn van mijn tante Greta!"'

Leo had ooit wel gehoord dat zijn nicht met een Chinees was getrouwd, maar dacht dat ze nog steeds in Hongkong woonde. Leo en Selma hadden elkaar in 1934 voor het laatst gezien. De Klatsers hadden weinig contact met elkaar.

Leo Klatser was de eerste Nederlandse journalist die na de hongerjaren, gevolgd op de grote Sprong Voorwaarts, een visum voor China had weten te krijgen. Drie jaar lang had hij de Chinese zaakgelastigde in Den Haag bestookt met aanvragen. *Vrij Nederland*-journalist Igor Cornelissen zal later over hem zeggen: 'Leo had een vooroorlogse, Amsterdamse, warme Joodse charme. Hij was een van de mensen die altijd een verhaal hadden. Als je het waarheidsgehalte niet zo belangrijk vond, leende je hem je oor, want het was wél een interessante gozer.'

'Na 't eten valt hier dus 'n vreemde snoeshaan door de deur, schudt m'n hand en zegt hallo,' vervolgde Selma de brief aan haar vader. 'We hebben een hele tijd zitten praten, met Dop en Greta netjes present en ogen en oren wijd open. Leo is 47, getrouwd, maar geen kinderen. Z'n vrouw werkt, is biochemiste, of zoiets. Hij reist de wereld rond als freelance journalist, op 't ogenblik door China – verslag in 't *Handelsblad*.'

Bij aankomst had Leo bijna een doodsmak gemaakt over een van de vele afstapjes op het vrijwel onverlichte hof. Selma had haar bijzonderste hapjes tevoorschijn gehaald en algauw kwamen Leo's verhalen los. Hij was fotograaf geweest aan het front tijdens de Spaanse Burgeroorlog. In de Tweede Wereldoorlog zat hij in het Franse verzet. Op een gegeven moment was hij opgepakt door de Duitsers en belandde hij in kamp Buchenwald. Selma vatte voor haar neef samen wat zij allemaal had meegemaakt. Eén avond was te kort om elkaar bij te praten.

Met zijn vrouw Gien woonde Leo in de Amsterdamse binnenstad, op een zolderetage. Dagelijks kwamen dichters, schrijvers en kunstenaars over de vloer. Selma kende hun namen uit *De Groene Amsterdammer*: Simon Vinkenoog, Rudy Kousbroek, Corneille, Lucebert en Remco Campert. Met een aantal van deze mensen had Leo Klatser voor een opstootje gezorgd bij de opening van een tentoonstelling in het Stedelijk Museum. De politie was eraan te pas gekomen. Greta en Dop begrepen er nu niets meer van. De politie? En hun oom lachte daarom? Het bizarste verhaal vonden de kinderen dat hij van plan was een auto te kopen. Ze begonnen te twijfelen aan de betrouwbaarheid van hun oom. 'Van die auto wilden ze gewoon niet geloven,' vertelde Leo later aan zijn vrouw. 'Een privépersoon kan in China geen auto hebben. Het ging er niet in. Die kinderen leken wel gehersenspoeld.'

De onverwachte ontmoeting met Selma en haar gezin was de meest bijzondere ervaring van zijn bezoek aan China geweest, vertelde hij zijn vrouw. Toch schreef hij er met geen woord over in zijn verslag *China Nu, een reus ontwaakt*. Dat ging over bezoeken aan bedrijven en instellingen in het hele land en over hoe hij de politieke lijnen zag.

'Leo heeft Dop z'n trui achtergelaten,' schreef Selma aan haar vader. 'Zodat Dop bijzonder goed in de truien zit op 't ogenblik. Ik heb Leo maar niet gevraagd jullie te bellen of te bezoeken, aangezien ik me meen te herinneren dat pap nooit op hem gesteld was. Klopt wel, hè?'

Max Vos, overtuigd sociaaldemocraat, had weinig begrip voor Leo's marxistische opvattingen en vond de man een praatjesmaker. Selma bekende maar niet dat zíj juist zeer van haar avontuurlijke neef gecharmeerd was geraakt.

DOP ROERT ZICH EN DIANA KOMT

NAJAAR 1964

'Chang is zondag naar de ouderavond geweest,' schreef Selma. 'De leraar heeft 'm meegedeeld dat zoonlief weliswaar prima leert, maar 'n onsociaal geval is – d.w.z. hij houdt zich 'n beetje op 'n afstand.' Selma weet dit aan het feit dat Dop half-buitenlands was. Daardoor werd hij door Chinezen altijd een beetje gewantrouwd, dat leidde ertoe dat hij zich afzijdig hield. Misschien leek hij gewoon op haar, want zij was er vroeger op school ook niet op uit om populair te zijn. Dop was net als zij iemand die het liefst met zijn neus in de boeken zat. 'Chang meent dat Dop niet genoeg verantwoordelijkheden thuis heeft – 'n huishoudster, geen directe financiële zorgen, maar Dop groeit nu eenmaal anders op dan Chang, en onvermijdelijk ook anders dan de meeste schoolkameraadjes, vanwege die buitenlandse moeder met andere gewoonten.'

Ze schreef niet dat de leraar meer te klagen had. Chang was erop gewezen dat zijn zoon het lidmaatschap van de communistische jeugdorganisatie nog steeds niet had aangevraagd, terwijl dat van middelbareschoolleerlingen wel werd verwacht en de andere jongens van zijn klas dat al gedaan hadden. Chang sprak er bij thuiskomst met Dop over, maar eiste niet dat zijn zoon de aanvraag zou doen. Zolang hij goede cijfers haalde en zijn handschrift verbeterde, mocht hij daarover zelf beslissen. Voor Dop was het een uitgemaakte zaak. Hij hield van techniek, niet van politiek. In de ogen van zijn oom Leo Klatser mocht hij een gehersenspoelde scholier lijken, vanuit Chinees perspectief was hij juist eigengereid. Dop was steeds meer te weten gekomen over de partij en die kennis had hem gesterkt in zijn besluit er niet bij te willen horen.

Op een dag had Dop zijn vader op het instituut bezocht. Er was juist een Cubaanse psycholoog op bezoek. Hij wachtte stilletjes in een hoekje terwijl zijn vader en de Cubaan, bijgestaan door een tolk, over hun vakgebied spraken, maar de conversatie verliep niet soepel. De tolk was onbekend met psychologisch vakjargon. Chang en zijn Cubaanse collega stapten over op het Engels, dat beiden uitstekend beheersten. Na afloop moest Dop lange tijd wachten terwijl zijn vader met de tolk een verslag samenstelde. Het deel van het gesprek dat de tolk niet had kunnen volgen, moest minutieus door Chang worden gedicteerd. Het werd Dop steeds duidelijker hoe onvrij zijn vader was.

Kort daarna hoorde Dop dat in Londen een belangrijk psychologisch congres zou worden gehouden. Zijn vader was daarvoor uitgenodigd. Het hele gezin Tsao was in alle staten, Chang zou ook naar Cambridge gaan, waar Dop geboren was en waar veel oude vrienden woonden. Wellicht kon hun vader een bezoek inlassen aan opa Vos, maar de reis ging niet door.

Dop vroeg waarom. 'Er is geen geschikte tweede kandidaat,' was het raadselachtige antwoord van zijn vader. Dop wist dat hij niet verder moest vragen, hij loste het vraagstuk zelf wel op. Niemand mocht alleen naar het buitenland. Er moest altijd minstens één collega zijn, zodat over elkaar kon worden gerapporteerd. In Londen zou zijn vader vermoedelijk Britse oud-studiegenoten ontmoeten, misschien wel thuis bij hen worden uitgenodigd, extra controle was gewenst. Zijn reisgezel moest een psycholoog zijn die goed Engels sprak en geen nauwe banden onderhield met Chang, want in dat geval was de rapportage onbetrouwbaar. Op het kleine instituut was geen mens te vinden die aan al deze criteria voldeed. Daarom mocht zijn vader niet naar de conferentie.

'Wij hebben in de bioscoop hier de serie gezien over de reizen van Zhou Enlai,' schreef Selma aan haar vader. 'Elke aflevering begon met de landing van het KLM-vliegtuig. Voor de gelegenheid overal met KLM beschilderd en met 'n rood-wit-blauwe staart. Steeds als Zhou in de vliegtuigdeur poseerde met KLM boven zijn hoofd stompte Dop me in de ribben.'

De Chinese premier en zijn delegatie hadden van december 1963 tot en met januari 1964 een wereldreis gemaakt met twee gecharterde DC-7-toestellen. Aan boord bevonden zich Nederlandse gezagvoerders en Nederlandse stewardessen. China bezat een aantal Russische propellervliegtuigen, maar de Chinese piloten hadden nauwelijks ervaring buiten de eigen grenzen. KLM had een Aziatisch vervoersknooppunt in Rangoon. Omdat Chinese leiders Moskou wilden mijden, vlogen ze nu vaak via Birma, van waaruit de Nederlandse maatschappij verbindingen in allerlei richtingen aanbood. Zo was de KLM voor deze opdracht in beeld gekomen.

Zhou Enlai en zijn gezelschap deden een ongekend groot aantal steden aan: Karachi, Cairo, Tunis, Algiers, Rabat en Tirana. Daarna volgde een tournee door Afrika langs Ghana, Mali, Sudan en Somalië. In al deze landen sprak Zhou met politieke leiders. Hij bood hun ontwikkelingshulp aan en probeerde hen ervan te overtuigen dat China de juiste communistische weg bewandelde, niet de Sovjet-Unie. Hij kwam terug met de conclusie dat de Chinezen, om meer invloed te kunnen hebben in de wereld, meer buitenlandse talen moesten leren.

Zhou gaf een grote impuls aan het talenonderwijs. De school waar Selma lesgaf werd een aparte werkeenheid als het Tweede

Taleninstituut en kreeg een nieuwe campus aan de rand van Peking.

'Het gebouw is officieel geopend met toespraken van 'n aantal hoge pieten en 'n diner bij het nieuwe Pekingeendrestaurant. Het was 'n prima diner en de meeste collega's waren prima bezopen,' berichtte Selma aan haar vader.

'Er is 'n groep Engelsen gekomen,' jubelde Selma in een volgende brief aan Max. Zhou Enlai had ook opdracht gegeven extra taaldocenten uit het buitenland aan te trekken. 'Een ervan werkt bij mij op de Engelse afdeling, 'n meiske dat nota bene in Cambridge is opgegroeid! Ze heet Diana en kent de mensen bij wie Chang en ik destijds in huis woonden! We zijn elkaar dus om de hals gevallen.'

Diana Lary was 22 en had juist haar studie Chinees afgerond aan de London School of Oriental and African Studies. Vier jaar had ze gestudeerd in Swinging London en ze had The Beatles en The Rolling Stones groot zien worden. De Engelse hoofdstad was het wereldcentrum geworden van nieuwe mode en alles wat modern was. De baan als docent in Peking was haar aangeboden onder voorwaarde dat ze binnen twee weken op de trein naar China zou stappen.

In het Vriendschapshotel kreeg ze een tweekamerappartement op de zesde verdieping van gebouw 3, tegenover het zwembad. Al snel had ze geregeld dat de grote zwarte taxi, waarmee zij en een aantal andere docenten naar het Tweede Taleninstituut werden gereden, onderweg stopte om Selma op te pikken. Selma stond elke dag stipt op tijd te wachten onder de acaciabomen voor de poort van haar hof. In de auto had ze haar vaste plaats naast Diana, op de achterbank. De andere passagiers waren een Cubaans echtpaar – zij heel dik, hij heel mager – een Australische en een Brit, Bill Brugger. Hij zat naast de chauffeur en rookte steevast pijp. Net als Diana was hij opgegroeid in Cambridge, maar de twee mochten elkaar niet.

Bill noemde Diana een 'bourgeois', omdat haar vader een geslaagde ondernemer was en verweet haar te zijn geboren met een gouden lepel in haar mond. Zij vond hem een humorloze 'leftoid', linkse rakker, zal ze later zeggen. 'Bill droeg altijd een blauw katoenen pak met een bijpassende pet, zoals Mao. Zogenaamd om zich aan te passen aan de "Chinese massa", maar je zag natuurlijk van een kilometer afstand dat hij een buitenlander was.' Diana en Bill Brugger verkeerden in het Vriendschapshotel in totaal verschillende kringen. 'Kort nadat ik was aangekomen kwam iemand van de Britse ambassade mij bezoeken in een knalrode sportwagen die hij uit Engeland had geïmporteerd. Vanaf dat moment had ik het verbruid bij de linkse buitenlandse goegemeente in het hotel. Ik werd niet uitgenodigd voor de marxistisch-leninistische studiebijeenkomsten die Bill Brugger en zijn kameraden belegden.'

Selma en Diana, op de achterbank van de grote zwarte auto, waren naar de westerse mode van begin jaren zestig gekleed in zelfgemaakte mantelpakjes, met rokken boven de knie. Ook droegen ze beiden een brede band in het haar. Gedurende de autotocht staken de dames graag een slanke sigaret op van een Albanees merk.

Na ongeveer een uur rijden kwam het gezelschap aan op het instituut. Diana en Selma zochten ieder hun eigen lokaal op. Diana zal later een artikel schrijven over haar onderwijservaringen voor *China Quarterly*, een uitgave van de London School of Oriental Studies. Ze schetst daarin een beeld van de studenten van het Tweede Taleninstituut, zoals Selma ook in haar klas had. 'Het was een prachtige mix van toegewijde, zeer politieke Komsomols tot charmante, naïeve, giechelende meisjes.' De jongens en meisjes, rond de twintig, waren voornamelijk op hun afkomst geselecteerd. 'Tachtig procent kwam uit een boeren- of arbeidersgezin.' Op de campus deelden zeven studenten een kleine kamer met stapelbedden. Ze aten hun maaltijden in de kantine en kwamen vrijwel nooit in het centrum van Peking.

Aan het einde van de middag kwam de taxi weer voorgereden en werd de reis in omgekeerde richting gemaakt. Soms stapte Diana samen met Selma uit om bij haar thuis een kopje koffie te drinken. Met Dop en Greta oefende ze haar Chinees. De kinderen vermaakten zich met de Britse, die het had over 'haar afzagen' in plaats van 'haar afknippen'. Diana verbaasde zich erover hoe keurig het altijd was bij Selma. 'Ze was een voorbeeldige Nederlandse huisvrouw, terwijl nergens schoonmaakmiddelen te koop waren,' zal Diana later zeggen. 'Thee schonk ze in Engelse porseleinen kopjes en ze serveerde er altijd koekjes of een taartje bij. Met grote moeite had ze dat ergens ingekocht. Alles bij Selma was tot in de puntjes verzorgd.'

Dop maakte foto's van Diana en zijn moeder, op de binnenplaats. Diana steekt een eind boven Selma uit. Als Selma de camera overneemt, blijkt de zestienjarige Dop nog langer te zijn. Opvallend is hoe losjes, vrolijk en open Diana is, naast de stijf poserende Dop en Greta en de zeer ernstige Selma. Toch heeft Dop op één foto een moment weten vast te leggen waarop ook Selma een zorgeloze indruk maakt en samen met Diana pret maakt. 'We lachten veel samen,' zal Diana later zeggen. Zij bracht de nieuwe, westerse tijd met zich mee. Voor Selma moet dat gevoeld hebben als een warme, blije wind.

Diana bleef nooit lang. Na de thee, nog voordat Chang van zijn werk thuiskwam, stapte ze op een bus om terug te keren naar het Vriendschapshotel. Zo was het niet echt een bezoek. Selma en Diana waren twee collega's die nog even iets te bespreken hadden. Niemand kon daar aanstoot aan nemen. Op sommige dagen reed Selma met Diana mee naar het Vriendschapshotel in de taxi, dan kon ze even kijken of er nog iets bijzonders te krijgen was in de winkels daar. De twee vriendinnen aten ook wel eens in het restaurant van het hotel.

'We werden daar regelmatig aangesproken door Sidney Rittenburg,' herinnerde Diana zich. 'Hij vroeg ons hoe het met het Tweede Taleninstituut ging. Waar we mee bezig waren.' De Amerikaanse Sidney Rittenberg behoorde tot de 'Friends of China' die Diana en Selma achter hun rug de '200 percenters' noemden. Hij werkte voor de Chinese radio-omroep. 'Maar het was algemeen bekend dat hij daarnaast onder de buitenlanders van Peking spioneerde voor de Chinese autoriteiten,' herinnert Diana zich. Rittenberg bevestigde dit in zijn autobiografie *The Man Who Stayed Behind*. Hij vermeldt ook hoe trots hij was dat hij voor deze taak gevraagd was.

Diana vertelt later: 'Hij liet merken dat hij je in de gaten hield. Het was een afschuwelijke man. Een opportunist die op de meest slaafse wijze de Chinese Communistische Partijlijn verdedigde. Een slang. Voor Selma moet het vreselijk geweest zijn dat er altijd en overal oren en ogen waren. Dat zo'n achterbaks type haar het leven zuur kon maken. Zij was zo kwetsbaar zonder buitenlands paspoort. Ik kon alleen maar het land worden uitgezet. Selma was doodsbang voor hem.'

SCHAATSEN

Inmiddels was het Tweede Taleninstituut de officiële werkgever geworden van Selma. Met persbureau Nieuw China had ze niets meer te maken. De verzelfstandiging was meer dan een formaliteit. Het Tweede Taleninstituut was een nieuwe eenheid die nog opgebouwd moest worden. De instelling had nog aan van alles tekort, zoals woningen voor de docenten. Vakantieaccommodatie was iets voor de verre toekomst. Er was geen sprake van een vakantie aan zee. Het Tweede Taleninstituut zorgde ook niet voor tochtjes naar de Chinese Muur of de Minggraven, of kaartjes voor muziek- of theatervoorstellingen. Om daar zelf aan te komen was vrijwel onmogelijk. Selma kon geen kant meer op.

Chang zag dat zijn vrouw daaronder leed en kocht een televisie, in een speciale winkel, voor een astronomisch bedrag. Het apparaat kwam op het buffet te staan, naast de radio, en werd eerst een dag lang bewonderd. Die avond zou er voor het eerst gekeken worden, naar een optreden van het Cubaanse ballet. De hele familie wachtte in spanning af. 'Toen Dop de televisie aandraaide, gingen alle lichten uit,' schreef Selma aan haar vader. 'Het zonderlinge is dat er niets doorgeslagen is, de meter was intact. Drie keer geprobeerd, drie keer de lichten uitgefloept. Chang zal de televisiezaak opbellen.' In een volgende brief bleek dat niet nodig te zijn geweest. Dop had het probleem opgelost.

'Hij ontdekte dat de stop in de meterkast niet bestand was tegen zoveel elektriciteitsgebruik en heeft die vervangen door een dikke draad.' Voor de zekerheid werd nu het grote licht naast de divan uitgedraaid voordat de televisie aanging. Op die manier ging het goed en de familie genoot. 'Het is wel makkelijk zoiets. Je hoeft alleen maar in 'n stoel te gaan zitten!'

Uitstapjes naar het Zomerpaleis kon Selma nog wel steeds maken, daar had ze haar 'eenheid' niet voor nodig. Bus 32 stopte bij de Grote Westpoort en reed er in een minuut of veertig naartoe. Het was weer winter geworden. Het Kunmingmeer midden in de Paleistuin werd gebruikt als ijsbaan. De hele familie Tsao ging erheen. Dop en Greta hadden hun schaatsen meegenomen. Dop had een prachtig paar noren opgestuurd gekregen door opa Max. Hij had inmiddels maat 44 en zulke grote schaatsen waren in heel China niet te krijgen. De jonge Diana zou ook komen, was afgesproken. Ze werd vergezeld door Endymion Wilkinson, met wie ze de treinreis naar Peking had gemaakt. Endymion had net als zij in Groot-Brittannië Chinese taalkunde gestudeerd en zal later een naslagwerk schrijven van meer dan duizend pagina's over uiteenlopende Chinese zaken als 'de geschiedenis van eetstokjes' tot 'de omvang van de keizerlijke harem'. Diana was in het Vriendschapshotel al een keer terechtgewezen over haar vriendschap met Endymion door een van de 200 percenters. Ze werd te vaak in zijn gezelschap gesignaleerd terwijl ze verloofd was met een jongeman in Engeland. Diana probeerde zich zo min mogelijk aan te trekken van deze bemoeizucht.

Dop, Greta en de jonge Britten waagden zich op het ijs. Chang en Selma sloegen hen vanaf de oever gade. Selma maakte na afloop een foto van het hele gezelschap voor een van de paleisgebouwen. Endymion draagt zijn schaatsen rond zijn nek, de veters aan elkaar vastgeknoopt. Greta noemde hem 'het plaatje' omdat hij leek op de knappe westerse mannen uit de advertenties in westerse bladen. Selma kende hem van eerdere bezoeken aan het

Vriendschapshotel, Chang ontmoette hij vandaag voor het eerst. Ze hadden allebei aan King's College in Cambridge gestudeerd, dat schiep onmiddellijk een band.

Endymion Wilkinson zal zich Chang herinneren als 'gedistingeerd, maar ook erg aardig'. Hij vroeg Chang waar hij op dat moment mee bezig was op zijn instituut. Chang antwoordde dat de partij hem gevraagd had zich vooral bezig te houden met het werk van Frederick Taylor. 'Ik wist niet zo gauw wat ik daarop moest zeggen,' zal Endymion zich herinneren. Taylor, een Amerikaanse ingenieur, had eind negentiende eeuw onderzoek gedaan hoe je arbeidskrachten zo efficiënt mogelijk kunt inzetten om de productie te verhogen. 'Maar in mijn hart vond ik het een geweldige verspilling dat de heer Tsao, China's meest vooraanstaande specialist op het gebied van het geheugen, een wetenschapper van wereldniveau, zijn energie moest verspillen aan iets wat zo prozaïsch en achterhaald was als die tayloriaanse tijd- en bewegingsstudies.'

Selma voelde zich de laatste tijd vaak vreselijk moe. Diana had al een keer een klas van haar over moeten nemen omdat ze ineens niet op haar benen kon staan. Selma schreef aan haar vader: 'Gisteren voelde ik me niet al te lekker op school, waarop mijn studenten me op een sofa hebben neergelegd met 'n prachtstuk van 'n nieuwe roze deken, 'n beker met melk en suiker en 'n hele hoop onnodige bezorgdheid. Vervolgens heeft Diana me meegenomen naar haar appartement, in 'r bed gestopt met 'n hete kruik en twee zachte eieren gevoerd, waarna ze me mee heeft genomen naar m'n dokter en de hele middag met me door 't ziekenhuis heeft rondgezeuld.'

Selma had hepatitis. Tijdens de hongerjaren was die ziekte wijdverspreid geweest, maar ze greep blijkbaar nog steeds om zich heen. Selma's huid kleurde niet geel, maar ze voelde zich zwak en had veel pijn in haar rug. De arts schreef een dagelijkse vitamine B-injectie voor en totale rust, maar dat laatste wilde Selma niet, want wat moest ze hele dagen alleen thuis?

'Wat 'n leuke meid is die Diana, hè?' schreef ze haar vader. 'En flink is ze ook. Zo twee jaar weg te gaan van haar familie en van haar verloofde. Aanstaande vrijdag wordt ze 23 en geeft ze 'n party 's avonds, waarvoor ze alle Tsao's uitgenodigd heeft. Helaas zijn drie daarvan bezet, maar ik ga natuurlijk, met 'n appeltaart. In jullie witte nylon bloes-met-kantjes.'

In het Vriendschapshotel waren een paar Nederlanders neergestreken, net als Diana in het kader van de nieuwe buitenlandse talenpolitiek van Zhou Enlai naar China gehaald. Ze gaven les op verschillende instituten. Paul Minderhout was de zoon van een Middelburgse aannemer. Hij had tien jaar gevaren en daarna een MOA-opleiding Engels gevolgd. Omdat het avontuur hem nog steeds lokte had hij gereageerd op een advertentie in het onderwijsblad *De Vacature* waarin een docent voor China gevraagd werd. Paul was muzikaal. Selma en hij konden al snel goed met elkaar opschieten.

Kuuk Jongmans, behalve docent ook kunstenares, was met haar zesjarige dochtertje Albertien naar Peking gekomen. Ze was een ongehuwde moeder. In Nederland werd daar in die tijd zeer afkeurend over geoordeeld. De baan in Peking betekende voor haar een nieuw begin. Ze kreeg een goed inkomen, een woning en aanzien. Net als Diana werd ze in een grote taxi naar haar werk gereden. Ze kreeg regelmatig uitnodigingen voor officiële diners en feesten. Selma vierde Sinterklaas met moeder en dochter. 'Albertientje is een donderstraaltje en ik vraag me af of Kuuk ze wel allemaal op een rijtje heeft,' schreef ze aan haar vader. 'Ze kan ontzettend hartelijk zijn – en het volgende ogenblik ziet ze niemand of valt tegen iedereen uit. In ieder geval is ze heel artistiek en maakt ze prachtig handwerk.'

Aan het eind van de zomer van 1965 arriveerde het echtpaar Jutten, pasgetrouwd en beiden vijfentwintig jaar oud. Ook zij woonden in het Vriendschapshotel. Voor hun vertrek hadden ze de reportage van Leo Klatser in het *Handelsblad* gelezen en ze waren ter voorbereiding bij hem op bezoek geweest. Selma nodigde de Juttens een avond bij haar thuis uit. Aan haar neef Leo schreef ze daarna: 'Aardige lui. Wel erg jong, maar dat trekt wel bij. Hij geeft les, maar zij nog niet en verveelt zich 'n beetje tot dusver, maar zal zich 'n fiets aanschaffen en de omgeving gaan verkennen.'

Johan Jutten herinnert zich: 'Het was voor ons heel bijzonder in zo'n Chinese omgeving te komen. Selma en haar man leidden een eenvoudig bestaan, zonder enige verspilling. Dat was ook het ideaal in China in die tijd. Zij pasten dat toe in de praktijk. Elk stukje papier bewaarden ze om nog iets op te schrijven. Mandarijnschillen droogden ze en daarvan deden ze stukjes in de thee. Ik was erg onder de indruk van Selma: dat ze die grote stap had durven maken. Alles wat haar vertrouwd was, had ze achtergelaten in Nederland. Zij en haar man waren echte idealisten.' Ria Jutten-Kraai zal later over Selma zeggen: 'Ze was écht. Ik mocht haar meteen. Wel vroeg ik me af of Selma gelukkig was in China.'

SELMA NAAR NEDERLAND

NAJAAR 1965

'Tot troost in de eenzaamheid een brief van Grote Zus,' schreef Selma haar drie broers die alleen thuis waren in Santpoort. Corrie en Max hielden in het najaar van 1965 twee weken vakantie in Zwitserland.

Selma had opnieuw een Chinees uitreisvisum aangevraagd. Ze wilde heel graag naar Nederland en kon aan bijna niets anders denken. Chang sprak nu al zijn connecties aan en Selma's gezondheid kon als argument worden gebruikt. Haar hepatitis was inmiddels genezen, maar leverziekten wezen volgens de Chinese geneeskunde op een gebrek aan qi, spirituele levenskracht. Selma was uit balans. Om werkelijk beter te worden zou ze een bezoek moeten brengen aan haar vaderland. Het antwoord werd nu al maanden afgewacht.

''k Heb me maar vast 'n bontjas aangeschaft voor als 't soms een winterreis mocht worden. Anders bevries ik in Moskou,' schreef Selma aan haar broers. 'En een bontjas stáát ook beter daar bij jullie. Dop heeft vol verachting z'n neus opgehaald over deze redenatie, maar Greta vond de mantel mooi, ofschoon ze liever dood zou vallen dan zoiets aantrekken, dat is alleen maar voor buitenlandse mama's. Het zou vermakelijk zijn als jullie elkaar es zouden kunnen ontmoeten; de jongens en meisjes hier zijn zo heel anders dan jullie gewend zijn.'

In februari 1966 kreeg Selma haar reisdocument in handen. Aan haar neef Leo Klatser schreef ze: 'Ik verheug me nog 't meest op de Hollandse regen, lach niet. Wij hebben sedert vorig voorjaar geen druppel gehad.' Ze boekte een ticket bij Aeroflot, eind maart was alles rond. Kort voor vertrek sleepte ze man en kinderen mee naar een fotostudio voor een familieportret. Selma bestelde een flinke stapel afdrukken om uit te delen in Nederland. Dop en Greta zijn op de foto jonge volwassenen. Greta was net zestien geworden, Dop was zeventien. Chang lijkt veel jonger dan hij in werkelijkheid is. Zoals gebruikelijk in China had de fotograaf iedereen geretoucheerd. Chang en de kinderen dragen donkere kleding. Ze vormen een drie-eenheid. Selma, in haar lichtgekleurde westerse jack, springt eruit. Het is het laatste portret dat van het complete gezin Tsao gemaakt is.

Na tussenlandingen in Ulaanbaatar, Irkoetsk en Omsk maakte Selma een overstap in Moskou. Daar was het nog steeds ijskoud. Op 4 april 1966 arriveerde Selma op Schiphol in haar nieuwe bontjas met bijpassende muts. Haar vader Max en Corrie drukten haar een bos rode tulpen in de armen. Broer Max jr., die ook was meegekomen, maakte een foto met een Kodak-boxcamera. Selma lijkt daarop een Russische, alsof ze in Moskou in een Sovjet-saus was gedoopt. De bontjas, de muts, gecombineerd met de felrode bloemen in haar armen, geven haar de uitstraling van een Russische diva. Alleen lacht ze een beetje weifelend, niet als iemand die verzekerd is van haar succes. Haar vader, in winterjas, staat achter haar. Hij ziet er nog precies zo uit als tijdens zijn bezoek aan Peking drie jaar eerder. Corrie is, ondanks alle berichten in de brieven over diëten en afslanken, nog steeds aan de forse kant.

Een taxi reed de familie naar Santpoort, naar het huis aan de Willem de Zwijgerlaan dat Selma alleen kende van foto's en verhalen. Max had het gekocht in 1954, toen Selma al lang en breed in Peking woonde. Ze moet overrompeld zijn geweest door de ruimte waarover haar vaders gezin beschikte. De woonkamer had grote, hoge ramen aan de straatkant. In de eetkamer vielen gekleurde vlekken op de lange tafel door glas in lood. Op alle vloeren lag parket, ook in de hal. Een trap met gebeeldhouwde armleuning krulde zich naar een royale bovenverdieping met drie slaapkamers en een douche. Daarboven bevond zich nog een uitgestrekte zolder.

Max jr. stond zijn kamer aan Selma af. Hij sliep zolang bij broer Robert. Max jr. was achttien, bijna een jaar ouder dan Dop, en werkte op de administratie van de Droste-fabriek in Haarlem. Broer Robert, negentien, had zijn machinistenopleiding voltooid en ging nu stage lopen op een schip. Siert, met zevenentwintig de oudste, werkte op de inkoopafdeling van Vroom & Dreesmann. Hij was weliswaar geen zoon van Max, maar maakte net als de twee andere jongens deel uit van het gezin.

Kort nadat Selma was aangekomen, werden er foto's gemaakt in de tuin. Ze draagt een gewatteerd Chinees jasje en staat naast de enige voorbode van het voorjaar, een bloeiende vogelkers. Verder zijn alle bomen en struiken nog kaal. Ze staat er stijfjes bij, de rok die ze draagt is ouderwets en ze lijkt zich niet thuis te voelen. Twintig jaar geleden had ze Nederland verlaten om in Cambridge te gaan wonen, alles moet vreemd voor haar zijn geweest. Selma poseerde ook naast de knalrode Fiat 500 Giardiniera van broer Siert. Ze heeft een uitdrukking op haar gezicht alsof ze de auto maar onzin vond.

Vroeger, toen Siert een jaar of zes, zeven was, had Selma hem regelmatig in het weekend opgehaald en meegenomen naar Amsterdam, waar zij toen op kamers woonde en studeerde. Eerst moest Siert altijd Engelse woordjes oefenen van Selma. 'Dat viel mij niet mee, want ik had geen talenknobbel zoals zij.' Daarna bezochten ze het Rijksmuseum of Artis. Ze aten ergens een broodje. Siert zal zich de uitstapjes met zijn grote stiefzus met veel plezier herinneren. 'We voelden ons aan elkaar verwant: zij had haar moeder in de oorlog verloren, ik mijn vader.'

HET LEVEN VAN VÓÓR DE OORLOG

VOORJAAR 1966

Een week verstreek in Santpoort. Het was midden april, de zon scheen en er werden opnieuw foto's gemaakt in de tuin aan de Willem de Zwijgerlaan. Selma droeg nu een witte plooirok met een strak topje. Aan niets was meer te zien dat ze uit China kwam. Siert heeft haar in zijn armen genomen en opgetild.

Max jr. en Robert waren destijds te jong geweest om zich nog iets van Selma te herinneren. Voor hen was zij de afwezige zus waar pakketten naartoe werden gestuurd. Vader Max besteedde veel tijd aan het samenstellen en verzendklaar maken daarvan. Hij kocht zorgvuldig alles in waarom zij gevraagd had en ging daarvoor speciaal naar de Bijenkorf in Amsterdam. Voordat de doos dichtging, werd Max jr. eropuit gestuurd om maandverband te halen. Dat moest er altijd bij. Corrie belde vooruit naar de drogist en vroeg of het ingepakt klaar kon liggen, want Max jr. durfde daar in een volle winkel niet zelf om te vragen. Tot slot wikkelde vader Max de doos in bruin pakpapier, knoopte er netjes sisaltouw omheen en bracht het pakket naar het postkantoor.

Eens in de twee, drie maanden kwam er een brief van Selma. Hun vader keek daarnaar uit, merkten zijn zoons. Altijd als de postbode langs was geweest, liep hij naar de brievenbus. Een brief uit China opende en las hij meteen. Daarna was hij altijd een paar dagen erg stil. Hij maakte zich zorgen over zijn dochter, vermoedden zijn zoons. Daarbij zal haar stem, die opklonk uit haar brieven, veel herinneringen bij hem hebben opgeroepen. 'Selma was de enige die hij nog overhad uit de tijd van vóór de oorlog,' zal Max jr. later zeggen. 'Verder was hij iedereen en alles kwijtgeraakt.'

Die zonnige middag, midden april 1966, werden ook Corrie en Selma samen in de tuin gefotografeerd. De twee vrouwen staan genoeglijk te praten. Selma heeft een vertrouwelijke hand op de arm van haar stiefmoeder gelegd. Ze lijken de beste vriendinnen, maar dat was niet het geval. Corrie had vooraf haar zorgen uitgesproken over de komst van Selma. Ze zag er als een berg tegen op. Vanaf het eerste moment was er sprake van spanning tussen de twee vrouwen.

Selma kon nog steeds niet verkroppen dat haar vader na de oorlog zo snel een nieuw gezin had gesticht. Een officiële bevestiging van het overlijden van haar eigen moeder was er toen nog niet eens. Max senior vroeg in 1946 een advocaat om daarvoor te zorgen. Pas toen dit geregeld was, kon hij met Corrie trouwen. Voor Selma moet dat een bittere ervaring zijn geweest, maar Max had weinig keus. Corrie was zwanger geraakt. Hij móést haar trouwen volgens de normen van die tijd. 'Mijn moeder en Selma negeerden elkaar,' herinnert Max jr. zich. 'Ze spraken geen woord met elkaar. Die maanden dat Selma er was heerste er geen fijne sfeer in huis.'

Twee vrouwen konden niet meer van elkaar verschillen dan zij. Selma was werelds, intellectueel en verbaal ingesteld. De Brabantse Corrie had voor weinig zaken buiten haar eigen gezin belangstelling. Met Max senior had Corrie ook niets gemeen. Toch had het lot deze twee mensen bij elkaar gebracht.

Wellicht vond Max dat hij voor Corrie en haar zoontje Siert moest zorgen omdat hij een schuld had te vereffenen. Corrie en haar eerste man, Jan, hadden hem en Selma immers tijdens de oorlog, met gevaar voor eigen leven, onderdak verleend. In de tuin van hun Eindhovense woning had Jan een geheime schuilkelder ingericht. Kort voor de bevrijding van Nederland was hij gedood. Max was zijn vrouw Greta al in 1943 verloren. De jongste zoon van Max en Corrie zal later zeggen: 'Mijn ouders hadden elkaar in hun verdriet gevonden.'

's Nachts, alleen in het kamertje dat uitkeek over de tuinen van de buren, zal Selma veel aan haar eigen moeder hebben gedacht. Het IJmuidense huis waar zij, voor de oorlog, de scepter zwaaide over hun vredige huishouden, stond nog geen vijf kilometer verderop. Hun vroegere woning aan de Leeuweriklaan vlak bij de hoek van de Zeeweg had ook grote ramen aan de straatkant, maar het was iets kleiner. Ze woonden er ook maar met z'n drieën. Selma was tien toen ze er in 1931 introkken.

Voor een inboedelverzekering stelde Max Vos een lijst samen van de huisraad die ze toen bezaten. Die lijst roept het beeld op van een oer-Hollandse familie. Bij binnenkomst trof de bezoeker in de hal een 'eikenhouten kapstok waarachter kleed' en een 'spiegel met borstelgarnituur'.

In de woonkamer stonden een dames- en een herenfauteuil, bekleed met gobelin, en een bank, die Max senior aanduidde als 'couch'. 's Avonds, na het eten, werkte hij nog wat voor de zaak aan een 'groot bureau-ministre' in de voorkamer, bijgelicht door een bureaulamp van marmer en brons. Moeder Greta deed verstelwerk op haar Singer-naaimachine. Ook had ze een Excelsiorstofzuiger, waarmee ze haar tijd ver vooruit was. Ze kookte op een Dordrecht-gasfornuis, met een glazen deur en thermometer. Achter die deur bakte Greta Vos-Klatser de perenkoegel en de boterkoek met gember waar haar dochter haar hele leven naar terug zou verlangen.

Vanaf haar twaalfde fietste Selma elke dag naar de rijks-hbs van IJmuiden, op een Gazelle-damesrijwiel, die ook onder de verzekeringspolis viel. Het was een vrijzinnige school waar veel mocht. Zo werd elk jaar door de leerlingen een groot feest georganiseerd in Hotel de Kroon dat tot vroeg in de ochtend duurde.

Haar huiswerk maakte Selma in de achterkamer van het huis aan de Leeuweriklaan, aan een grenen damesbureau vanwaar ze uitkeek op het terras en de tuin. In dit vertrek stonden ook een oud-Hollandse eettafel met zes stoelen, en een kast waarin het Gero-bestek voor twaalf personen lag opgeborgen. Aan de wand hing een portret van een mijnwerker en een schilderij van twee paarden. Selma had boven een eigen zit-slaapkamer, met een opklapbed en een oud-Hollands fauteuiltje. Het belangrijkste voor haar zal de boekenkast in het aangrenzend vertrek zijn geweest. Daarin bevonden zich 'plm. 600 studieboeken en romans'. Hier stond ook de schildersezel van Max, waaraan hij in zijn vrije tijd werkte. Ook al was hij boekhouder, hij hield ervan iets met zijn handen te doen. In de tuinschuur bewaarde hij zijn verzameling gereedschap, waarmee hij reparaties in huis verrichtte.

Een paar weken na de Duitse bezetting zag Max Vos zich gedwongen het huis, prachtig gelegen aan de rand van duingebied Kennemerland, voor een spotprijs te verkopen. De Duitsers waren in de havenplaats IJmuiden meteen begonnen met de bouw van uitkijkposten en versterkingen om de scheepvaart op zee te kunnen controleren en een aanval op Groot-Brittannië voor te bereiden. Veel bewoners moesten elders hun heil zoeken. In juni 1940, net een maand nadat de Duitsers waren binnengevallen, waren alle bezittingen van de familie Vos naar een woning in Amstelveen overgebracht.

Dagblad *Het Volk* was na de bezetting in handen gekomen van NSB'ers. Directeur Van der Veen, met wie Max jarenlang zeer nauw had samengewerkt, pleegde zelfmoord. Max werd ontslagen omdat hij Joods was, maar had vanzelfsprekend ook niet willen blijven werken onder de nieuw benoemde nazigetrouwe leiding van de krant. Selma mocht als Joodse niet studeren. Vanaf mei 1942 waren alle leden van de familie Vos gedwongen een Jodenster te dragen. Iets later dat jaar rapporteerde Max aan de verzekeringsmaatschappij dat zijn volledige inboedel was 'gevorderd' en dat hij zijn verzekering wilde beëindigen.

De verzekeringsmaatschappij ging akkoord onder de voorwaarde dat hij vijf jaar extra premie zou betalen. Max liet machteloos weten 'de zaak voorlopig te laten rusten'. Inmiddels had de familie Vos opnieuw moeten verhuizen, ze deelden nu een woning met anderen in de Amsterdamse Rivierenbuurt. 'U hebt genoteerd dat de inboedel verloren is,' schreef Max Vos vanuit dit nieuwe adres. 'Op afwikkeling hoop ik binnenkort te kunnen terugkomen of zal namens mij worden teruggekomen.'

De spullen van de familie Vos waren door de Duitsers geroofd en zouden nooit meer opduiken, maar de woning in IJmuiden stond er nog. Op een afstand van maar een paar kilometer. Is Selma, onder het mom van 'even naar het dorp', terug naar het huis van haar jeugd gegaan? Haar vader was er met zijn zoons vaak naartoe gefietst. Aangekomen bij Leeuweriklaan 52, keek hij een tijdje zwijgend naar de gevel, de ramen, de tuin, tot er tranen in zijn ogen kwamen te staan. Een keer had hij gezegd: 'Greta, mijn eerste vrouw, was een hele lieve vrouw.' Max jr. zal zich dat herinneren als een van de zeer zeldzame momenten waarop zijn vader iets over zijn verleden had onthuld.

ACHTER OP DE MOBYLETTE MET BROER MAX DOOR NEDERLAND

VOORJAAR 1966

Amper drie dagen nadat Selma in Nederland was geland, werden zij en haar vader vastgelegd door de beroepsfotograaf van Madurodam. Op de achtergrond is een miniatuurversie van de Rotterdamse haven te zien. Het is nog steeds koud, Selma draagt nu een minder opvallende wollen winterjas en heeft daarbij donkergekleurde handschoenen aan. Madurodam was bij uitstek de plek om opnieuw kennis te maken met Nederland.

In een haventje lag een minikopie van het luxueuze passagiersschip ss Rotterdam, de trots van de Holland-Amerika Lijn, dat op New York voer. Ook was er een snelweg te zien waarop autotjes de grote drukte verbeeldden. Nederland was immers op weg een land te worden waar ook de arbeiders zich gemotoriseerd verplaatsten. Max had jaren geleden zijn dochter in Peking krantenknipsels toegezonden over de nieuwe Velsertunnel, binnenkort zou ook de Coentunnel feestelijk geopend worden. Selma had haar vader meerdere keren gewaarschuwd dat autorijden gevaarlijk was. *De Groene Amsterdammer* berichtte regelmatig over het grote aantal dodelijke ongelukken op de Nederlandse wegen. In Madurodam was een kleine aanrijding nagebootst. Twee auto's waren tegen elkaar geklapt, van de weg geslipt en stonden nu schuin tegen een dijk. Een ambulance was al ter plaatse om assistentie te verlenen.

Vermoedelijk had het bezoek van vader en dochter aan Den Haag echter een andere reden: Selma was verplicht zich meteen na aankomst te registreren bij de Chinese zaakgelastigde in die stad. Het bezoek aan Madurodam was niet het doel maar een extraatje geweest. Selma bewaarde een visitekaartje van de heer Lu Chang-hsiu, derde secretaris, die haar en Max ontving. Max wilde dat Selma een Nederlands paspoort zou aanvragen en daarop terugreisde naar Peking. Op die manier zou ze in China over de veel gunstiger status van buitenlandse beschikken. Wel moesten de Chinese ambtenaren in Den Haag in dat geval bereid zijn in dat nieuwe Nederlandse paspoort een Chinees visum te stempelen. Het lag voor de hand dat Max had aangeboden zijn dochter bij te staan tijdens het gesprek hierover. Selma vertelde later aan haar kinderen dat ze in de villa aan de Adriaan Goekooplaan, waar de Chinese vertegenwoordiging was gevestigd, beleefd te woord was gestaan.

Broer Max jr. was sinds zijn laatste verjaardag de trotse bezitter van een splinternieuwe brommer, een Kaptein Mobylette. Hij had een hersenvliesontsteking gehad en was met ziekteverlof om daarvan te herstellen, maar begon zich zo onderhand te vervelen. Achter op de bagagedrager van zijn Mobylette legde hij een kussentje en bood aan Selma te rijden waarheen ze maar wilde. Daar ging ze graag op in. Thuisblijven bij stiefmoeder Corrie deed ze liefst zo min mogelijk. Eerst bromde het duo naar Haarlem, bij wijze van test. Max reed zijn zus langs de Sint-Bavo en andere monumenten van de stad. Selma was klein en licht, hij kon er flink de vaart in houden. Een volgende bestemming was Amsterdam. Eerst dwars door Haarlem, voorbij de Amsterdamse poort en daarna langs de vaart. Selma had een afspraak gemaakt met Leo Klatser, de neef die in Peking onverwachts op haar stoep had gestaan.

Selma had ook de trein kunnen nemen, toch koos ze de vast niet zo comfortabele bagagedrager van haar broer. Het moet haar een vrij, avontuurlijk gevoel hebben gegeven om met de wind in haar haren door het land te rijden. Zij en Max werden onderweg niet zoals in China om de haverklap tot stoppen gedwongen door een slagboom om gecontroleerd te worden. De polders waren groen. Overal schitterde water. Steeds verder gingen ze.

In Hilversum woonde een oude schoolvriendin van Selma. Max bracht haar op zijn Kaptein Mobylette. Een andere dag bromde het duo in oostelijke richting, met als bestemming Zaandam, waar Oom Dick en Tante Iem woonden. Selma had hen in het laatste jaar van de oorlog leren kennen. Zij en haar vader waren toen in bezit gekomen van valse identiteitspapieren. Onder de naam De Jong hadden ze een woning betrokken aan de Notenkade van Zaandam. Hun buren, Dick en Iem Jacobs, namen ze na verloop van tijd in vertrouwen. Er was tussen hen een sterke vriendschap gegroeid.

Spaarndam waren ze al voorbij. Max stuurde de Mobylette langs het Zijkanaal c, waarover een straffe wind blies. Selma greep hem stevig vast. Aangekomen bij het Noordzeekanaal wachtte ze bij het veer. De pont voer hen tussen zeeschepen door naar de overkant. Daar ging het verder over een polderweg. In Nauerna stopte Max bij het cafeetje aan de sluis. Bij een kopje koffie vertelde Selma Max over de oorlog. Hoe Oom Dick en Tante Iem haar en haar vader hadden geholpen. Hoe anderen hun leven op het spel hadden gezet om dat van hun tweeën te redden. 'En je moeder?' vroeg Max. 'Waarom was die er niet bij?' Nooit zal hij vergeten wat Selma antwoordde.

Zij en haar ouders waren opgepakt tijdens een razzia, in mei 1943. Ze waren een trein in gedreven. Toen die ging rijden, stond er een deur open. Selma en haar vader besloten te springen. Haar moeder durfde niet. Greta Vos-Klatser was zevenenveertig en geen sportieve vrouw. 'Angst!' zal Max jr. later zeggen. 'Daarom is zij wel in Westerbork beland.'

In Zaandam werden Max jr. en Selma door Oom Dick en Tante Iem onthaald op koffie en taart. Toen Max jr. klein was hadden zij op hem en zijn broers gepast als hun ouders op vakantie gingen naar Zwitserland. Dick en Iem Jacobs hadden de rollen vervuld van de ooms en tantes die er na de oorlog niet meer waren. 'Echte Zaankanters waren het,' zal Max jr. zich herinneren. 'Oom Dick was een overtuigd communist.'

Van de familie Jacobs gingen Selma en Max jr. door naar de Kingma's, die om de hoek woonden. Selma had in het café aan de sluis ook veel over hen verteld. Zonder de dappere hulp van de Kingma's waren Selma en Max, na hun wonderbaarlijke ontsnapping uit de trein, waarschijnlijk alsnog in de handen van de Duitse bezetter gevallen.

Marijke Kingma, de dochter van het gezin, was net als Selma lid geweest van jeugdvereniging Nederlandse Bond van Abstinent Studerenden, een vereniging van jongeren die principieel tegen het drinken van alcohol waren. In die treurige crisistijd gingen veel arbeiders – en daarmee hun gezinnen – ten onder aan overmatig drankgebruik. 'Ach vaderlief, toe drink niet meer' was een bekend lied. De leden pleitten voor geheelonthouding, maar ze hielden zich met meer bezig. 'Wij NBAS'ers kwamen uit gezinnen waar werd nagedacht,' zal Marijke Kingma later zeggen. 'Nee, niks intellectuele milieus, arbeiderskinderen waren we. Wat we deelden was het geloof in een betere wereld. Solidariteit.'

De bond telde vijfhonderd leden, verdeeld over verschillende afdelingen in heel Nederland. Ze ontmoetten elkaar tijdens weekenden of vakantiekampen. Selma en Marijke speelden quatremains op de piano, beiden hielden van klassieke muziek. Marcus

Bakker, de latere leider van de Communistische Partij van Nederland (CPN), was ook lid en een goede vriend van de twee meisjes. Op bonte avonden werden door hem geschreven sketches opgevoerd. 'Maar we studeerden ook!' zal Marijke Kingma later zeggen. Ze luisterden naar lezingen over Rodin, Michelangelo of Albert Schweitzer. Ook belegden ze een avond waarop *De veensoldaten* van Wolfgang Langhoff werd besproken. Dit in 1935 verschenen boek was het eerste verslag van het leven in een Duits concentratiekamp, geschreven door een ooggetuige, en kreeg internationale bekendheid. 'Wie wilde kon al weten wat Hitler van plan was,' zal Marijke Kingma later zeggen.

Toen de Duitsers in 1940 Nederland waren binnengevallen eisten zij al spoedig dat de NBAS haar Joodse leden zou royeren. Daartoe was het bestuur niet bereid. Er werd besloten de bond op te heffen. In de zomer van 1943 werd Marijke Kingma gebeld door Selma. Haar moeder was weggevoerd. Zij en haar vader konden niet langer blijven bij de NBAS-vriend in Terneuzen, waar ze na Eindhoven ondergedoken zaten. Ze zochten een nieuw onderduikadres. Selma wist dat Marijke's vader actief was in het verzet, maar Marijke was op dat moment alleen thuis. Ze was jonger dan Selma, nog maar een tiener. Toch kwam ze met een oplossing: 'Kom hierheen,' stelde ze voor. 'Ik zal mijn vader vragen vervoer te regelen.'

Selma en haar vader Max werden ondergebracht op een afgelegen boerderij in Purmerland. Na verloop van tijd was het ook daar niet meer veilig. Ze konden door naar tante Kingma, die met slager Peenstra een slagerij voerde in het Friese Holwerd. Maandenlang hielden Selma en Max zich verscholen op de zolder van de zaak. In geval van een razzia konden ze zich verbergen in twee kleine, geheime ruimtes. Op het achtererf, in verschillende kleine stallen, wachtten koeien en varkens op de slachtdag.

In de winkel was het een komen en gaan van klanten en knechten. Selma en Max mochten niet door hen gezien worden. Alleen beneden was een wc, die ze vanzelfsprekend slechts met de grootst mogelijke omzichtigheid konden gebruiken.

Hoe de Zaanse vader Kingma in de herfst van 1944 aan valse identiteitspapieren kon komen voor Selma en Max, is onbekend. Feit is dat hij, als ambtenaar van de afdeling Huisvesting, hun een woning toewees aan de Notenkade. Ineens keken vader en dochter Vos uit over de Zaan.

Marijke Kingma herinnert zich: 'Selma en haar vader – ik moest natuurlijk Bea en meneer De Jong tegen hen zeggen, wat ik steeds vergat – leefden daar een normaal leven. Ja, voor zover je daar in oorlogstijd van kunt spreken. Ze kwamen regelmatig buiten, ik kwam ze soms tegen. Selma had een poes die ze uitliet op de kade, aan een koordje, zodat hij niet weg kon lopen. Zij en haar vader zagen er Joods uit, ja, maar niemand zou ze verraden. Iedereen in onze buurt was rood.'

In Zaandam brachten Selma en Max de Hongerwinter door. Vader Kingma kwam hun elke week een toelage en voedselbonnen van het verzet brengen als hij zijn ronde maakte om de huur te innen. Op 5 mei 1945 stapte Max Vos op de stoomveerpont die vlak voor zijn deur afmeerde en voer naar Amsterdam. Zijn krant was verlost van de NSB-redactie en heette nu *Het Vrije Volk*.

Hij nam plaats achter zijn bureau op het Hekelveld en pakte zijn oude werk weer op. Vanaf die dag maakte hij van maandag tot en met vrijdag dezelfde reis. Nog geruime tijd zal hij op de Notenkade blijven wonen. Eerst alleen met Selma. Toen voegden Corrie en Siert, met wie Max na de onderduik contact was blijven onderhouden, zich bij hen. In december 1946 werd Robert, de eerste zoon van Max en Corrie, op de Notenkade geboren. Selma was toen al naar Cambridge vertrokken.

Max jr. herinnert zich dat Selma in Zaandam ook nog even de familie Bakker wilde groeten. Marcus was inmiddels Tweede Kamerlid voor de CPN, maar woonde nog steeds in zijn geboortestad. Daarna bromden broer en zus terug naar Santpoort. Onderweg beraamden ze nieuwe tochten. 'Ik vond het geweldig ineens een zus te hebben,' zal Max jr. later zeggen. 'We hadden veel plezier onderweg. Selma was heel erg lief voor me.'

'Ik hoor steeds een merkwaardige klik op de telefoonlijn,' zei Selma op een dag tegen haar broer. 'Volgens mij worden we afgeluisterd.' Max moest er eerst om lachen, maar herinnerde zich toen de zwarte auto van de BVD – zoals de AIVD toen nog heette – die dagen voor de deur had gestaan nadat zijn vader was teruggekomen uit China. De Nederlandse inlichtingendienst bevestigt dat er toentertijd een dossier van Selma werd bijgehouden. Het was geopend na haar huwelijk met Chang in 1947. Daarna was genoteerd dat ze met de kleine Dop vanuit Cambridge was overgekomen, reizend op een Chinees paspoort met daarin een visum van de Nederlandse ambassade in Londen.

Haar bezoek in 1966 is ook vastgelegd. Men was ervan op de hoogte dat Selma gedurende die periode bij haar vader in Santpoort logeerde. Of de telefoon van die woning werd afgeluisterd, en of wellicht mensen uit haar omgeving over haar rapporteerden, weigert de dienst tot op heden te onthullen met als argument dat 'daardoor bronnen openbaar zouden kunnen worden waardoor het goed functioneren van de AIVD, en daardoor de nationale veiligheid ten behoeve waarvan deze dienst werkzaam is, zou kunnen worden geschaad.'

Eind april raakte de stemming bedrukt in huize Vos. 'Elk jaar was de sfeer voorafgaand aan 4 mei om te snijden,' herinnert Max jr. zich. De oorlog werd herdacht en alles kwam weer boven. Zijn moeder was tijdens zijn jeugd wegens psychische problemen 'meer in dan buiten het ziekenhuis geweest. Ook mijn vader had een trauma. Groter, denk ik, maar hij droeg het beter'. Selma woonde de herdenkingsbijeenkomst bij in de Kennemerduinen. De *Haarlemsche Courant* publiceerde er een foto van waarop vooral veel paraplu's te zien zijn. Het water was met bakken uit de hemel gekomen.

Inmiddels had de gemeente Haarlem een identiteitskaart aan Selma uitgereikt. Nog geen echt paspoort, maar met dit document kon ze een *visitors card* krijgen voor Groot-Brittannië. Ze had er niet op durven rekenen dat ze haar vrienden daar zou kunnen bezoeken en boekte voor 123,80 gulden een retour Cambridge bij een reisbureau. Selma kon dat uit eigen zak betalen. Twee jaar geleden had Max met een machtiging van haar een claim ingediend bij het Centraal Afwikkelingsbureau Duitse Schade-uitkering. Omdat ze bijna drie jaar een gele ster had moeten dragen had ze recht op elfhonderddertien gulden. Max had dat voor haar op een rekening gezet.

MET DE VEERBOOT NAAR ENGLAND

VOORJAAR 1966

Laat op de avond van 8 mei 1966 stapte Selma in Santpoort-Zuid op de trein. In Hoek van Holland ging ze aan boord van de veerboot die de volgende ochtend in Harwich afmeerde. Een paar uur later kwam ze aan in Cambridge, de stad waar ze zielsveel van hield. Hier hadden al haar mogelijkheden nog opengelegen. Toen ze hier kwam wonen was de oorlog voorbij. In Cambridge werd ze niet voortdurend herinnerd aan de dood van haar moeder en die van haar vele familieleden. Het nieuwe gezin van haar vader bevond zich op een veilige afstand. Hier had ze veel vrienden gemaakt en Chang ontmoet. Selma was terug in de stad die ze zag als haar thuis.

Ze logeerde bij haar goede vriendin Margaret Vince, die vlak bij het station woonde. Door de jaren heen had zowel Selma als Chang vanuit Peking met deze Britse psychologe gecorrespondeerd. Margaret had gelijktijdig met Chang onderzoek gedaan in het laboratorium van de universiteit. Ze was toen al lid van de Britse communistische partij en zal Chang hebben aangemoedigd dezelfde politieke richting in te slaan.

Margaret Vince had bekendheid gekregen als specialiste in dierpsychologie. *New Scientist* schreef over het onderzoek waarmee ze aantoonde dat kuikenembryo's in het ei al met elkaar communiceren en er zo voor kunnen zorgen dat ze daar min of meer gelijktijdig uit komen. Margaret was een boerendochter en een paar jaar ouder dan Selma. Ze woonde alleen, had geen kinderen en was nooit getrouwd. Tijdens de oorlog was ze verloofd geweest met een wetenschapper die op de dag van de bevrijding omkwam bij een tragisch ongeluk.

In het jaar dat Selma haar bezocht werkte Margaret nog steeds voor de universiteit. In het weekend namen zij en Selma een bus naar The Orchard, een buiten Cambridge gelegen ouderwetse tearoom aan de oever van de Cam die al sinds 1897 bestond. Onder bloeiende fruitbomen stonden ligstoelen voor de gasten klaar. De twee vrouwen zochten een mooi plekje uit en lieten zich een *tea*, met scones, jam en komkommersandwiches, serveren. Selma vertelde Margaret over haar leven in Peking, over Dop en Greta. Het werk van Chang moet ter sprake zijn gekomen. Margaret wist dat Chang net zoals zij verknocht was aan de psychologie. In Cambridge had hij met veel genoegen gebruikgemaakt van de ruim gesorteerde bibliotheken en goede onderzoeksfaciliteiten. Heeft Selma haar hart uitgestort en verteld dat Chang zich in China al jaren niet meer op een serieuze manier kon bezighouden met zijn vak? Vanaf 1964 waren kritische artikelen over psychologie verschenen in de partijkranten. Het was geen wetenschap, werd gezegd, het was in strijd met de communistische leer. Sindsdien mocht psychologie niet meer gedoceerd worden op de universiteiten. Psychologiedocenten moesten andere vakken te geven. Zal Selma dit alles opgebiecht hebben of wilde ze Margaret niet kwetsen in haar communistische overtuiging? Margaret was nog steeds lid van de Britse communistische partij.

Op een avond bezochten de twee vrouwen het Arts Theatre, het culturele hart van Cambridge. In het theater traden de beste toneelgezelschappen van heel Groot-Brittannië op. Het complex omvatte ook een bioscoop. Daar werd een documentaire over China vertoond, gemaakt door de Brits-Amerikaanse journalistcineast Felix Greene. Selma plakte het programma in het plakboek dat ze van haar reis maakte. Greene was de neef van de beroemde schrijver Graham Greene en een fellowtraveller: in zijn documentaire was China het paradijs. Later werd hem kwalijk genomen dat hij de grote honger verzweeg, terwijl hij juist in die jaren in China gefilmd had. Zal Selma tegen Margaret gezegd hebben dat de werkelijkheid anders was?

Na een week nam ze de trein naar het stadje Lewes, dicht bij Brighton. Haar vriendin en oud-collega Diana Lary woonde daar. Na een jaar in Peking was ze getrouwd met haar verloofde Nicky en ze had met hem de tweede verdieping van een achttiende-eeuws pand aan High Street betrokken. Haar man was verbonden aan de universiteit van Sussex vlakbij, Diana zelf werkte aan een proefschrift over een periode in de geschiedenis van de afgelegen en bergachtige provincie Guizhou, in het zuiden van China.

Vanuit hun woonkamer keek je zo de bovenste verdieping van dubbeldekkerbussen in, die zich door de smalle High Street wrongen. Door het keukenraam aan de achterkant was de zee te zien. Daarvoor lag een heuvelig landschap dat doorsneden werd door de Ouse. Diana vertelde Selma dat Virginia Woolf zich met zware stenen in haar zakken in die rivier verdronken had. Ze had in een dorp vlakbij gewoond en er werd gezegd dat de ziel van de schrijfster nog steeds in de streek ronddoolde.

Diana liet Selma het artikel lezen dat ze na terugkomst had geschreven over het Tweede Taleninstituut en dat eind 1965 werd gepubliceerd in *The China Quarterly*, een uitgave van de universiteit waaraan ze had gestudeerd en nu promoveerde. Het tijdschrift bericht over zowel China als Taiwan en ze had het niet naar Selma in Peking durven sturen uit angst haar daarmee in de problemen te brengen. Onder de kop 'Teaching English in

China' schreef Diana dat het bestuur van het Tweede Taleninstituut voor de helft uit voormalige legerofficieren bestond, die geen van allen een woord Engels spraken. De beste docenten waren de ouderen, die vóór de 'bevrijding' taalonderwijs van buitenlanders hadden gehad, maar zij waren politiek verdacht en werden niet vertrouwd. De tweede groep bestond uit docenten die daarna waren opgegroeid. 'Het zijn jaknikkers die gehoorzaam bevelen opvolgen, ook als die onwerkbaar blijken te zijn. De derde groep zijn de onlangs afgestudeerden. Zij zijn fel politiek en assertief.' Wat betreft de studenten werd er met twee maten gemeten. De kinderen van kaderleden konden zich heel wat meer permitteren dan de kinderen van boerenouders. 'Omdat hun connecties hen beschermen tegen elke vorm van kritiek, durven zij de discussie aan te gaan of soms zelfs opdrachten te weigeren, iets wat andere studenten niet in hun hoofd zullen halen.'

Selma had altijd gezegd dat Diana begreep wat er gaande was in Peking. Ze klaagde zelf over de gebreken van het instituut, maar om deze indrukken zwart-op-wit te zien moet ontluisterend voor Selma zijn geweest. Het ging over haar dagelijks leven. Zij kon aan de situatie niets veranderen.

Toch herinnert Diana zich van Selma's bezoek vooral dat ze bij herhaling zei de rest van haar leven in China te willen doorbrengen. Daar wilde ze met haar gezin wonen. Chang en zij konden er nuttig werk doen en een bijdrage leveren aan een betere toekomst voor China.

Toen Selma in Harwich weer op de veerboot stapte, had ze bijna drie weken in Engeland doorgebracht. Op 30 mei was ze terug in Santpoort. Nog geen twee weken later braken in Amsterdam onlusten uit.

RELLEN IN AMSTERDAM, CULTURELE REVOLUTIE IN PEKING

1966

Het begon met een arbeidersprotest tegen korting van vakantiegeld waarbij leden van de communistische vakbond de leiding hadden. De politie sloeg keihard op de betogers in en een vijftigjarige bouwvakker viel dood neer. Toen dagblad *De Telegraaf* meldde dat een hartaanval de oorzaak was, pikten de bouwvakkers dat niet. Volgens hen was de man slachtoffer van politiegeweld. Ze stroomden naar de Nieuwezijds Voorburgwal, waar de redactie en de drukkerij van *De Telegraaf* gevestigd waren. *Telegraaf*-auto's vlogen in brand, het pand werd bestormd. De onrust hield dagen aan. Provo's en andere ontevreden jongeren sloten zich aan. Het centrum van Amsterdam veranderde in een strijdtoneel. *De Telegraaf* berichtte over 'toestanden die aan een burgeroorlog doen denken'. De gebeurtenissen werden wereldnieuws: 'Police open fire in day of Amsterdam riots' meldde *The Guardian* op de voorpagina. *The Sun* schreef over een 'street battle near Queen Juliana's palace'.

Duizenden jongeren raakten in gevecht met politie en marechaussee. Uiteindelijk werden eenentachtig gewonde demonstranten geteld, achtentwintig politiemannen moesten worden behandeld en zestig arrestanten belandden in de gevangenis. Het gezag bleek serieus te zijn uitgedaagd: politiecommissaris Van der Molen en burgemeester Van Hall werden tot aftreden gedwongen. De verhoudingen in Nederland zouden van nu af aan anders zijn.

Wat moet Selma van deze volksopstand hebben gedacht? Ontevreden burgers die niet schroomden de strijd aan te gaan met de autoriteiten? Ze knipte een grote krantenfoto uit waarop jongeren een rookbom gooien, agenten met lange wapenstokken zwaaien en mannen in witte overhemden en stropdassen toekijken. In Peking gingen haar kinderen en leerlingen naar door de Chinese staat georganiseerde demonstraties. Diana Lary had in haar verhaal voor *China Quarterly* beschreven hoe dat eraan toeging.

'Als het een demonstratie van 250 000 mensen moet worden, gewoonlijk de eerste van een serie, gaat een derde van elke klas. Moet een half miljoen mensen op de been komen, om, bijvoorbeeld, verontwaardiging jegens Amerikaanse imperialisten te betuigen, dan gaat twee derde. Gaat het om een demonstratie van een miljoen deelnemers, dan is het hele instituut een hele dag in touw. Zo'n grote actie ontstond "spontaan" toen Amerika de Dominicaanse Republiek binnenviel. De studenten doen altijd graag mee en komen gloeiend van opwinding terug.'

In die maand juni begon er vreemd genoeg ook in China een andere wind te waaien. De Culturele Revolutie was uitgeroepen, berichtten Nederlandse kranten, al was nog niet duidelijk wat dat inhield. Iets cultureels, leek het. *De Groene Amsterdammer* vermoedde dat er sprake was van een intellectuele opstand in Peking, 'zoals in 1956, in Boedapest'.

Selma zal wel snel begrepen hebben dat de revolutie juist tégen intellectuelen was gericht. *Algemeen Handelsblad* schreef over een 'culturele zuivering onder de rechtstreekse leiding van Mao Zedong en het centrale comité'. De krant citeerde uit partijblad *De Rode Vlag* – dat Chang altijd las – dat de revolutie zich 'snel en hevig ontplooide, met de onweerstaanbare kracht van een lawine'. *Algemeen Handelsblad* bracht een bericht van Persbureau

Nieuw China, de vroegere werkgever van Selma: 'De revolutie is niet gericht tegen alle intellectuelen zoals sommige reactionairen beweren. Het gaat slechts om een handjevol anticommunistische schurken die zich als communist voordoen en enkele antipartij-, antisocialistische en contrarevolutionaire bourgeois intellectuelen.' Al dit nieuws verontrustte Selma. Van Changs brieven werd ze niet veel wijzer. Hij schreef dat de zomerkleding in de grote kist was geborgen en Dop de stekker van de televisie had gerepareerd. 'Alles gaat hier zoals altijd,' liet hij weten en verwees met geen woord naar een eventuele revolutie. Dat was vreemd. Selma vertrouwde de situatie in China niet. Ze was van plan geweest eind juni naar Peking terug te keren, maar besloot de ontwikkelingen af te wachten en iets langer in Nederland te blijven.

'Het zal wel een idee van Selma geweest zijn om helemaal naar de grens van België te rijden voor een bankstel,' zal haar broer Siert later zeggen. 'Want bij ons was dat echt niet opgekomen.' Siert en zijn verloofde Joke lieten een huis bouwen. Zodra dat werd opgeleverd, zouden ze trouwen. Het paar droomde van een nieuw bankstel in hun woonkamer. 'Selma had ergens een advertentie gezien, of een brochure gevonden. Omdat het niet boterde tussen haar en mijn moeder dacht ze: wegwezen hier, en onderweg konden we mooi vrienden van haar bezoeken.'

Siert chauffeerde zijn Fiat 500 over de snelwegen. In Zeeland was alles nog tweebaans en moest het tempo omlaag. Selma dirigeerde haar broer eerst naar Middelburg, waar de ouders van Paul Minderhout woonden. Tijdens hun laatste ontmoeting in het Vriendschapshotel had hij Selma op het hart gedrukt langs zijn ouders te gaan. Ze zouden graag uitgebreid willen horen over het leven in Peking. 'Heel hartelijke mensen, maar veel tijd hadden we niet,' herinnert Siert zich. 'We moesten nog met de veerboot mee naar de overkant, naar Morres-meubels, in Hulst.' Blijkbaar was Selma tijdens die korte ontmoeting op het echtpaar Minderhout gesteld geraakt want ze besloot een week later alleen met de trein naar Middelburg terug te gaan. Als een oude bekende werd ze binnengehaald.

Pa Minderhout was aannemer in ruste. Geen van zijn zoons had zijn bedrijf willen voortzetten. Alle drie waren meer geïnteresseerd in literatuur, kunst en muziek. 'Dat artistieke hadden we van onze moeder,' zal Andries Minderhout, de oudste, die kunstschilder werd, later zeggen. Voor Paul, de jongste, was muziek het belangrijkste, maar om zijn brood te kunnen verdienen volgde hij een studie Engels. Met dat diploma op zak solliciteerde hij naar een baan in Peking. Moeder Minderhout was in de ban van de klassieke componisten. Zij speelde viool, Selma begeleidde haar op de piano. Het huisje aan de Seissingel was gevuld met muziek. Bij de Minderhouts kon Selma schuilen. 'Je kunt gerust een tijdje blijven,' had pa Minderhout haar na dat eerste bezoek per briefkaart laten weten. Ze zal ruim een week bij het Zeeuwse echtpaar logeren.

Samen met de Minderhouts bezichtigde ze de stad en het drietal maakte een tocht over het Veerse Meer met een rondvaartboot. In het plakboek dat Selma van haar bezoek aan Nederland maakte kreeg een twee pagina's grote foto van Veere een ereplaats. Op de voorgrond varen ouderwetse platbodems met zijzwaarden, zeilen in top, daarachter de dikbuikige Campveerse Toren en het stadhuis met zijn trotse piek. Selma en mevrouw Minderhout zullen de ijle tonen van het carillon die over het water klonken vast hebben opgemerkt. Daarna ging het door naar de nieuwe Veerse Dam waar de Watersnoodramp van dertien jaar eerder werd gememoreerd. Selma had haar kinderen daar vaak over verteld. Nu kon ze aan het verhaal toevoegen dat Zeeland nooit meer kon overstromen. Vervolgens werd het eiland de Haringvreter gerond en voeren ze terug naar Middelburg.

Het bezoek aan Zeeland moet voor Selma een rustpunt hebben betekend. Ze zal zich welkom hebben gevoeld bij de Minderhouts, anders was ze nooit zo lang gebleven. 'Het zijn zulke fijne mensen,' schreef ze later aan haar vader. 'Erg, erg aardig, vooral ma.'

CHINESE AMBASSADE OMSINGELD

1966

Op 16 juli – Selma was inmiddels weer terug in Santpoort – voltrok zich in Den Haag een bizarre gebeurtenis die zou uitgroeien tot een internationaal incident dat voor Selma verstrekkende gevolgen had. In Den Haag viel iemand uit een raam van een pand aan de Mauritslaan. Een buurtbewoner zag de persoon in kwestie drie verdiepingen lager met een grote klap terechtkomen. Meteen daarna kwam een aantal Chinezen het huis uit die de zwaargewonde man naar binnen sleepten. De politie werd gebeld. Hulpverleners troffen in het huis een bewusteloze man aan en brachten hem naar een ziekenhuis. Het slachtoffer lag op een brancard en zou de operatiekamer worden binnengebracht toen een paar Chinese diplomaten het ziekenhuis binnenstormden. Ze grepen de brancard, duwden die naar buiten en gooiden de gewonde in een klaarstaande auto. Niemand hield hen tegen. Met hoge snelheid reed de wagen met diplomatiek nummerbord naar de villa van de Chinese zaakgelastigde aan de Goekooplaan. De gewonde werd binnengebracht en bevond zich op Chinees grondgebied. De mannen die in het pand logeerden waar het slachtoffer uit het raam was gevallen, waren ook naar de villa gekomen. De Haagse politie wilde hen verhoren over de toedracht van het ongeluk, maar werd niet toegelaten en besloot toen de villa aan de Goekooplaan te omsingelen.

Het slachtoffer maakte deel uit van een groep Chinese ingenieurs, gespecialiseerd in raket- en ruimtevaarttechniek, die in Nederland een congres over lastechnieken had bijgewoond. Daarom werd er algauw gesproken over de 'lassersaffaire'. De ingenieurs waren van begin af aan door de BVD in de gaten gehouden. De Nederlandse geheime dienst hoopte daarmee een indruk te krijgen van 'de stand van techniek in China'.

Een dag later maakte de Chinese zaakgelastigde bekend dat de gewonde 'lasser' was overleden, maar weigerde de dode over te dragen. Het lichaam werd naar een crematorium gebracht, waar de Nederlandse autoriteiten er alsnog beslag op legden. De Chinese diplomaten werden uitgewezen, de lassers moesten blijven maar weigerden nog steeds toe te lichten wat er met hun collega was gebeurd. Uiteindelijk zal blijken dat de man niet uit het raam was geduwd of gegooid, maar met behulp van een paar aan elkaar geknoopte lakens die waren gescheurd probeerde te ontsnappen. Hij wilde overlopen naar de Amerikanen. Op een eerder congres was al contact met hem gelegd. Het zou nog tot eind december duren voordat de kwestie werd opgehelderd. Ondertussen bleef het pand aan de Goekooplaan omsingeld. Selma kon geen visum aanvragen met het nieuwe Nederlandse paspoort dat ze had gekregen en wachtte af. De tijd verstreek. Ze was nu al ruim vier maanden van huis terwijl ze gezegd had maar drie maanden weg te blijven.

Half augustus kwam er een brief van Chang. Hij noemde de lassersaffaire met geen woord, terwijl die, zo hadden Nederlandse kranten gemeld, in China veel stof had doen opwaaien. Chang schreef wel dat zijn horloge twee keer achter elkaar was gevallen en nu alweer moest worden gerepareerd. Zulke trivialiteiten waren nooit belangrijk voor hem. Probeerde hij misschien iets te suggereren? In een volgende passage zegt hij: 'Afgelopen zondag zijn wij een studiegroep begonnen met ons gezin. Elke zondagochtend zal ik met Greta en Tseng Y de werken van voorzitter

Mao bestuderen.' Selma moet daaruit begrepen hebben dat wat er in China gebeurde, ook haar man en kinderen beïnvloedde.

Het Vrije Volk, dat elke dag bij de familie Vos in Santpoort werd bezorgd, berichtte op 18 augustus dat Mao Zedong door een miljoen mensen, onder wie veel Rode Gardisten, jongeren die de Culturele Revolutie steunden, was toegejuicht op het Plein van de Hemelse Vrede. Maarschalk Lin Piao, onlangs tot tweede man benoemd, gaf een toespraak, Mao had alleen naar de menigte gezwaaid. De westerse pers had eerder gespeculeerd dat Mao ernstig ziek was, maar Chinese kranten publiceerden toen foto's waarop hij de Jangtse overzwom. De boodschap was duidelijk: Mao was nog steeds de machtigste man van China. Op het plein was dat opnieuw bevestigd. Selma las de kranten op haar kamer boven. Ze bleef zo ver mogelijk uit de buurt van Corrie. De berichten over China werden steeds verontrustender.

Volgens *Het Vrije Volk* was het land internationaal totaal geïsoleerd geraakt door de roekeloze buitenlandse politiek van Mao. China werd alleen nog gesteund door Albanië en 'een handjevol verdwaalde communisten in Nieuw-Zeeland, Australië, België, Zuid-Amerika en Afrika'.

In gezelschap van haar vrienden probeerde Selma de positieve kanten van haar nieuwe vaderland te belichten. Leo Klatser en zijn vrouw Gien had ze verteld hoe haar kinderen op school leerden anderen te helpen. Chinese kinderen waren niet zo individualistisch als die in Nederland. Ze ging in Amsterdam regelmatig op bezoek bij professor Willem Frederik Wertheim, een marxistische socioloog die ze in China verschillende keren had ontmoet. Met collega's en een groep Tilburgse studenten had Wertheim in de zomer van 1966 *China: het aardse rijk* uitgegeven, een bundel artikelen waarin het communistische bewind werd geprezen om wat het tot stand had gebracht. Het land werd onder leiding van Mao gemoderniseerd. Er was geen honger meer en de mensen gingen goedgekleed. Selma zal later haar vader vragen exemplaren naar haar vrienden te sturen. De positieve toon van de verhalen zullen haar hebben gesteund in de weken dat ze een stortvloed aan verontrustend nieuws over China moest verwerken.

Het Vrije Volk kwam eind augustus met een bericht over Rode Gardisten, jongeren met rode armbanden 'en in kleding van militaire snit' die door de straten van Peking trokken. 'Ze vervangen namen van winkels, sluiten bibliotheken en halen boeken weg, waarvoor werken van Mao Zedong in de plaats komen. De jongelieden eisen het verbod van het schaakspel omdat dit het feodalisme en de bourgeoisie zou dienen.' Ook mocht er geen buitenlandse klassieke muziek meer worden gespeeld, 'waaronder de werken van Bach, Mozart, Beethoven, Schubert, Tsjaikovski en anderen'. Het leek wel alsof de lijst van door Selma bewonderde componisten speciaal was opgenomen om haar angst aan te jagen.

Selma vroeg haar broers of het verstandig was nu terug te gaan naar China. 'Ik had geen idee natuurlijk,' zegt Max jr. later. 'Ik was achttien. Wat wist ik van politiek? Ik begreep dat ze radeloos moest zijn om mij om advies te vragen. Ze werd verscheurd.'

In *De Telegraaf* werd Mao vergeleken met Stalin. De krant vroeg zich ook nog af of Mao 'als Hitler, tot zijn laatste ademtocht nog miljoenen zal kunnen dwingen hem te volgen', maar Selma las *De Telegraaf* niet.

Ze had het druk met pakken. Er mocht maar vijftien kilo bagage mee in het vliegtuig. Haar reisplakboek moest achterblijven, het was te zwaar. De lichtblauwe ochtendjas die ze had gekocht nam te veel plaats in, ze stuurde hem naar Marijke Kingma. Siert had haar zijn Philips-scheerapparaat gegeven, voor Dop, dat moest mee. Haar zoon zou daar heel blij mee zijn. De batterijen in China waren iets kleiner maar Dop vond daar wel iets op. Haar mooie bontjas kon ze in Peking niet dragen, zoveel was haar wel duidelijk geworden uit de berichten. Ze deed hem cadeau aan mevrouw Molleman, de hulp in de huishouding van de familie Vos, die dezelfde maat had als zij.

Vader Max Vos maakte zich zorgen om wat zijn dochter in Peking te wachten stond. Hij stuurde een brief naar het ministerie van Buitenlandse Zaken in Den Haag: 'Na een vakantie van vijf maanden in Nederland vertrekt mijn dochter woensdag 7 september a.s. om 11.20 uur van Schiphol via Moskou weer naar Peking. In verband met de laatste tijd verschijnende berichten in zake daar voorkomende ongeregeldheden, zou ik uwe excellentie willen verzoeken de chargé d'affaires te Peking te willen meedelen dat voor zover mijn dochter in noodzakelijke gevallen de hulp inroept, of gebruik maakt van de hulp van de chargé d'affaires, ik volledig garant sta voor ten behoeve daarvan gemaakte kosten.'

Selma werd door haar familie naar de luchthaven gebracht. Haar vertrek was minder feestelijk dan haar aankomst; er werd geen foto gemaakt. Opnieuw ging ze aan boord van een Aeroflottoestel. Nu met een gloednieuw Nederlands paspoort op zak, maar door de lassersaffaire had ze daarin geen visum voor China kunnen krijgen. Ze reisde daarom toch op haar Chinese document en zou China binnenkomen als Chinese.

GEEN LESSEN EN GEEN HUISWERK

1966

Op een avond, ruim twee maanden eerder, zaten Dop en Greta hun huiswerk aan de eettafel te maken. Ze waren zo langzamerhand gewend geraakt aan de afwezigheid van hun moeder. In de laatste brieven die ze van haar ontvingen schreef ze over Cambridge en haar bezoek aan Diana. Dop en Greta hadden juist de avondmaaltijd met hun vader gegeten die door mevrouw Sun voor hen was klaargemaakt. Hun vader zat op de bank het *Volksdagblad* te lezen. Dop had al gezien dat vandaag de hele voorpagina in beslag werd genomen door één artikel over een muurkrant op de universiteit van Peking. Daarop werd het universiteitsbestuur beschuldigd van 'intellectueel elitarisme' en 'bourgeois tendensen'. Dop vroeg: 'Waarom staat dit zo groot in de krant?' Zijn vader antwoordde niet. Voor Dop is op die dag, 1 juni 1966, met dat artikel de Culturele Revolutie begonnen.

Vijf dagen later waren er ook posters op zijn middelbare school. 'Docenten elitair en bourgeois,' las Dop met grote verbazing. Van Greta hoorde hij dat er op haar school ook muurkranten waren verschenen. Blijkbaar was er sprake van een campagne. Nog weer een paar dagen later zat Dop met een aantal klasgenoten in een lokaal vergeefs te wachten op de wiskundeleraar. Daarna werden alle lessen opgeschort.

Op vrijwel alle scholen in China had een select aantal leerlingen een groep gevormd. Ze noemden zichzelf rebellen en waren te herkennen aan een rode band om één arm. De klasgenoten van

Dop die daartoe behoorden waren voor het grootste deel zoons van hoge militairen. Er werd gezegd dat zij ook de muurkranten hadden aangeplakt. Het begon tot Dop door te dringen dat er iets ernstigs aan de hand was.

Voor zijn vader kwam dit alles ongetwijfeld niet als een verrassing. In de kranten werd al maanden een discussie gevoerd die Chang, als partijman, op de voet zal hebben gevolgd. Het was begonnen met een toneelstuk over een ambtenaar, in de Mingdynastie, die door de keizer werd ontslagen toen hij zich beklaagde over corruptie. Het toneelstuk werd ineens gezien als kritiek op voorzitter Mao. Eind 1965 was deze zaak hoog opgelaaid.

In die periode leek Mao zelf zich uit de politiek te hebben teruggetrokken. Hij reisde in een speciaal voor hem ingerichte staatstrein met geheime bestemming door het land. Later bleek dat hij zich had willen verzekeren van de loyaliteit van regionale leiders. Ondertussen namen zijn echtgenote Jiang Qing en haar getrouwen het voortouw in de kritiek op het gewraakte toneelstuk en gebruikten het moment om een 'socialistische zuivering van de kunst' te ontketenen. Schrijvers en kunstenaars moesten voortaan putten uit de wereld van arbeiders en boeren en niet meer uit het 'feodale' verleden. De Chinese klassieken over keizers en krijgsheren hadden een verderfelijke invloed. De Culturele Revolutie moest daar iets aan doen.

Chang had uit voorzorg de kalligrafie van een meer dan tweeduizend jaar oude dichtregel aan de wand van de woonkamer vervangen door een vers van voorzitter Mao. Begin mei was hij begonnen elke zondagochtend met zijn kinderen de werken van Mao te bestuderen. De hele familie droeg nu uitsluitend kleding van blauw katoen. Greta had zich aangemeld bij de communistische jeugdbeweging en was als lid aangenomen. Chang had dit aan Selma in Nederland geschreven. Ook dat ze het geld van haar vader niet moest verspillen aan kleding of reizen. Een censor zou de indruk krijgen van een familie die trouw leefde volgens de regels van de partij. In het verleden had Chang eerdere zuiveringen meegemaakt. Daar was hij zelf nooit het slachtoffer van geworden. Hij zal voorvoeld hebben dat er een nieuwe politieke storm opstak maar erop vertrouwd hebben dat hij zichzelf en zijn gezin daar heelhuids doorheen zou kunnen loodsen.

Dop en Greta hadden nu meer vrije tijd. Ze hoefden geen lessen meer te volgen of huiswerk te maken. Wel moesten ze nog steeds naar school om bijeenkomsten en politieke studies bij te wonen. Het oude schoolbestuur was afgezet, de leiding was overgenomen door een 'werkgroep' van partijgetrouwe ambtenaren. Partijleider Liu Shaoqi had deze mensen ingezet om de Culturele Revolutie, die nu officieel was afgekondigd, in juiste banen te leiden.

Samen met klasgenoten lazen Dop en Greta uit de werken van Mao. Ze discussieerden over de nieuwste politieke slogans. 'We kregen opdrachten, zo van: ga jij papier voor muurkranten halen,' herinnerde Greta zich. 'En dan moesten we iets schrijven. Als je niets wist keek je toe terwijl iemand anders schreef: "De rector is een revisionist."'

Greta en Dop waren aanwezig bij elke bijeenkomst die belegd werd. 'Het kwam niet in mij op om weg te blijven,' zal Greta later zeggen. 'Ik zou mezelf verdacht gemaakt hebben.' Extra aandacht was het laatste waar zij en haar broer om verlegen zaten. Met hun half-Chinese uiterlijk kregen ze die al genoeg. De beste manier om geen problemen te krijgen, wisten ze van jongs af aan, was onopvallend op de achtergrond te blijven. Dop sloeg verwonderd klasgenoten gade die koortsachtig nieuwe muurkranten kalligrafeerden en overal vooraan stonden te zwaaien met een rode vlag. Dat soort jongens vormde ongeveer een derde van de klas, herinnert hij zich. De grote meerderheid was zoals hij: afwachtend en niet van plan ergens bij betrokken te raken.

Dop begon zich zo langzamerhand zorgen te maken over hoe lang dit allemaal ging duren. Hij hoopte dat de lessen spoedig weer werden hervat, al leek daar weinig kans op nu vrijwel alle leraren waren beschuldigd. Dit jaar zouden er geen toelatingsexamens worden gehouden voor de universiteiten, had hij gehoord. Dat was slecht nieuws. Hij had weliswaar nog een jaar te gaan op de middelbare school, maar daarna wilde hij graag elektrotechniek gaan studeren en de plaatsen op de universiteiten waren zeer beperkt. Toelatingsexamens werden gewoonlijk in enorme zalen gehouden. Duizenden jongeren deden eraan mee en alleen degenen met de allerhoogste cijfers maakten kans; in gewone jaren kreeg tien, hooguit twintig procent een plaats. Volgend jaar zouden er twee keer zoveel gegadigden zijn, áls er volgend jaar examens waren. Dop wist niet wat hij moest gaan doen als hij niet kon gaan studeren. Wat was er nu eigenlijk aan de hand? Geen lessen, geen huiswerk, ze moesten alleen maar revolutie voeren. Dop vroeg zich af of iedereen in het land gek geworden was.

DE VAL VAN CHANG

1966

Het was nu begin augustus. Dops moeder bleef langer in Nederland, had ze laten weten. Zijn vader vertelde niets over wat er op het Psychologisch Instituut gebeurde. Een paar klasgenoten wisten van hun ouders dat binnen elke eenheid de mensen op hoge posities werden bekritiseerd. Op het hof werd gefluisterd over wie nu weer onder vuur lag op de Academie van Wetenschappen. Steeds weer andere wetenschappers waren 'gevallen', zoals dat werd genoemd. Het ging om oudere mensen die voor de communistische machtsovername hadden gestudeerd, besmet waren geraakt door buitenlandse invloeden en vanaf 1950 de verkeerde 'lijn' hadden gevolgd. Greta en Dop vermoedden dat hun vader ook tot die groep behoorde, al werd er niets over hém gezegd als zij in de buurt waren.

Wat had hun vader voor kwaad gedaan, vroegen Dop en Greta zich af. Hij was teruggekeerd naar China om het land te helpen opbouwen. Ze wisten dat hij altijd bezig was met zijn werk. Hun vader was een idealist en een trouw partijlid, maar de kranten schreven nu over wantoestanden binnen de partij. Leden waren corrupt en zouden de voortgang van de revolutie verhinderen. 'Revisionisten' waren het, en 'kapitalisten'. Degenen die in het buitenland hadden gestudeerd, waren extra verdacht. Ze hadden zich daar 'decadente' gewoonten eigen gemaakt. Alles uit het buitenland was slecht, alleen China was goed. Dop en Greta vreesden het ergste voor hun vader omdat hij ook nog eens getrouwd was met een Nederlandse. Hij móét gevallen zijn, zeiden ze tegen elkaar, want ze merkten dat de bewoners van de compound hen anders behandelden. Ze liepen nu voorbij zonder duidelijk te groeten, vooral de mensen uit het gedeelte dicht bij de poort. Daar stonden de kleinere woningen van de niet-wetenschappelijke medewerkers van de academie, zoals onderhoudspersoneel en chauffeurs. Ineens gedroegen ze zich uit de hoogte. Dat kon maar één ding betekenen: hun vader was afgezet.

De familie Tang had hun werkster ontslagen. Het gaf geen pas iemand in dienst te hebben voor huishoudelijk werk; dat was 'feodaal'. Greta was erbij toen haar vader aan mevrouw Sun vertelde dat ze niet meer kon komen. Hij gaf haar drie maanden extra loon. Dop haalde nu de boodschappen, Greta kookte de maaltijden. Het resultaat daarvan viel tegen, vond ze zelf. Daarom vroeg ze haar vader of hij niet liever in de kantine van het instituut wilde lunchen. Chang antwoordde ernstig en met een ongewoon zware stem dat hij liever iets at wat door zijn dochter was bereid. Pas veel later begreep Greta dat hij het op het instituut toen al heel zwaar had en kreeg ze vreselijke spijt van wat ze had voorgesteld.

MET HET RODE BOEKJE OP HET PLEIN

1966

Op de scholen werd de toestand steeds chaotischer. Eind juli waren de werkgroepen van Liu Shaoqi teruggetrokken. Daarna hadden de Rebellen de macht overgenomen. Deze leerlingen noemden zich nu Rode Gardisten en waren te herkennen aan een rode band om een arm.

Op 18 augustus werden alle scholieren op het Plein van de Hemelse Vrede verwacht. Dat betekende die ochtend vroeg verzamelen op school. Als een leger van blauw en groen geklede soldaten marcheerden de leerlingen van Dops school de poort uit. Het oudste jaar voorop, de klas van Dop kwam daarachteraan. 'Eén, twee, één, twee.' De colonne jongens liep midden op straat, verkeer was er die dag vrijwel niet. Het centrum was voor de gelegenheid afgezet. De Rode Gardisten onder hen hadden rode vlaggen bij zich en zwaaiden daarmee. 'Eén, twee, één, twee.'

De zeventienjarige Dop kende de route uit zijn hoofd. Ze waren al zo vaak met de hele school naar het Plein van de Hemelse Vrede getrokken. Op 1 mei en 1 oktober liepen ze altijd mee in de parade. Een paar keer had Dop met halters in zijn handen gelopen, om zo de sportieve schooljeugd uit te beelden. Een ander jaar was hij ingedeeld bij de groep die duiven moest loslaten op het plein, symbolisch voor de wereldvrede die China voorstond. Lange tijd wachtten ze op hun beurt, elk met een duif in de hand die zich aan hun greep probeerde te ontworstelen en als ze niet opletten op hun kleren poepte.

Op 1 oktober vorig jaar stond zijn vader nog op de eretribune naast de Poort van de Hemelse Vrede. Vanaf dat punt had hij Dop in de voorbij marcherende menigte kunnen ontdekken. Dop was nu zo lang – hij was de een meter tachtig gepasseerd – dat hij boven iedereen uitstak. Thuis had zijn vader gezegd: 'Je moet de volgende keer niet zo krom lopen, probeer je rug recht te houden!'

Aangekomen op het plein werden de scholieren naar hun plaatsen gedirigeerd, deze keer vlak voor de Grote Hal van het Volk. Dop vroeg zich af waar Greta zou staan, maar hij kon niemand van haar school in de massa ontdekken. Uit de luidsprekers schalde het lied 'Het Oosten is rood'. Om tien uur klonk een stem over het plein. De spreker was Lin Piao maar Dop kon de man niet zien. Onder leiding van Lin was het *Rode Boekje* samengesteld, een bundeling van citaten van Mao. Het was sinds kort gebruikelijk om het altijd bij je te hebben en zichtbaar een hoek uit je broekzak te laten steken. Een paar weken eerder hadden Dop en Greta een exemplaar gekocht in een boekwinkel waar enorme stapels lagen. De verkoop van de traditionele literatuur was stopgezet. Op school werd er bij elke bijeenkomst in het boekje gestudeerd. In de stadsbussen reden jongeren mee die eruit voorlazen. Dop zwaaide er nu mee boven zijn hoofd, net zoals alle andere scholieren. Het plein werd een zee van *Rode Boekjes*.

'De Vier Oude Elementen moeten worden vernietigd: oude ideeën, oude cultuur, oude tradities en oude gewoonten,' zei Lin Piao. Donderende bijval klonk over het plein. Iedereen zwaaide weer met zijn *Rode Boekje*. Lin Piao vervolgde: 'Zoals onze voorzitter Mao heeft gezegd: zonder destructie is er geen constructie. Eerst moet iets worden afgebroken, dan kan iets worden opgebouwd.'

Daarna kwam Zhou Enlai aan het woord, de premier. Tot slot

verscheen voorzitter Mao zelf; hij werd verwelkomd met een oorverdovend applaus. De leider zwaaide naar de jongeren, maar zei niets. Dop klapte mee en zorgde dat hij niet harder of zachter klapte dan de jongeren om hem heen, zoals de andere keren dat hij op dit plein had gestaan of langs de kant van de weg om buitenlandse staatshoofden te verwelkomen. Als zijn klasgenoten iets riepen of ergens mee zwaaiden, deed hij hetzelfde. Hij stak nog een laatste keer zijn *Rode Boekje* omhoog. Het programma zat erop en had al met al niet meer dan anderhalf uur geduurd. Dat viel mee. De jongens stelden zich weer op en marcheerden terug naar hun schoolgebouw.

Twee dagen later stonden de toespraken afgedrukt in het *Volksdagblad*. Op school werd de tekst besproken. De leiders hadden daarin de lijn van de Culturele Revolutie uitgestippeld. De nieuwe slogan was: 'De Vier Oude Elementen moeten worden vernietigd.' Dit moesten de scholieren vele malen en zo luid mogelijk scanderen.

Het viel Dop nu op dat Zhou Enlai één keer had gezegd dat het werk en de productie moesten worden voortgezet. Dat klonk hem redelijk in de oren. Waar moest het met het land naartoe als iedereen alleen maar revolutie aan het voeren was? Lin Piao bekommerde zich daar blijkbaar niet om. Je moest tussen de regels door lezen, wist Dop.

Tot voor kort was zijn vader van alle details van de politiek op de hoogte omdat hij op het instituut vertrouwelijke publicaties onder ogen kreeg die anderen niet mochten zien. Nu zou dat wel niet meer het geval zijn, veronderstelde Dop. Hij moest zelf proberen te begrijpen wat er om hem heen gebeurde. Het was belangrijk in welke volgorde de namen van de leiders stonden. Liu Shaoqi, die Mao zou opvolgen, werd niet meer als tweede, maar als zevende genoemd. Het was daarom wel duidelijk dat ook hij zou vallen.

Op de voorpagina van het *Volksdagblad* stond Mao in gezelschap van een Rode Gardiste in een groen katoenen pak en met het haar in heel korte staartjes. Alle schoolmeisjes hadden na het begin van de Culturele Revolutie hun haar afgeknipt. Met een glimlach bevestigde ze een rode band rond de bovenarm van de voorzitter. Dit had plaatsgevonden op het terras naast de Poort van de Hemelse Vrede. Alleen speciaal genodigden konden daar komen en die Gardiste moest wel een bijzonder iemand zijn.

Onder de foto was het gesprek afgedrukt dat tussen Mao en de jonge vrouw had plaatsgevonden. 'Hoe heet je?' vroeg Mao. 'Song Binbin,' antwoordde het meisje. Song was haar familienaam, Binbin betekende zachtaardig en beleefd. 'Je zou je naam moeten veranderen in Yao Wu,' vond Mao, 'Wees Strijdbaar.'

Dop en zijn klasgenoten moesten een voorbeeld nemen aan deze Binbin, werd hun verteld. Zij was de energieke leidster van de Rode Garde op haar school. Net als zij moesten ze zich met de grootst mogelijke ijver aan de Culturele Revolutie wijden. Na de bijeenkomst sprak Dop met zijn vrienden bij de poort van de school. Song Binbin was een dochter van generaal Song, wist een van hen te vertellen, die destijds had meegelopen met de beroemde Lange Mars en een van de grondleggers van de communistische partij was. Dat verklaarde waarom Binbin zo dicht bij Mao kon komen. De foto van Mao met Binbin werd in alle kranten over heel China afgedrukt en verscheen daarna ook in vele westerse publicaties. Dit was het moment waarop Mao zijn zegen gaf aan de Rode Gardisten, werd later door historici gezegd. De foto werd een icoon van de Culturele Revolutie.

Wat Dop en zijn vrienden nog niet wisten was dat Binbin sinds twee weken voor de bijeenkomst op het plein samen met andere Rode Gardisten de dood van de onderdirectrice van haar school op haar geweten had. Onder haar leiding was deze vrouw, mevrouw Bian, door een groep meisjes met stokken zo zwaar toegetakeld dat ze in een ziekenhuis aan haar verwondingen bezweek. Bijna vijftig jaar later zal Song Binbin hiervoor publiekelijk haar verontschuldigingen aanbieden. Mevrouw Bian werd later gezien als de eerste docent die tijdens de Culturele Revolutie door haar leerlingen werd vermoord. Mao zal dit hebben geweten. Door juist van Binbin die rode armband aan te nemen gaf hij haar een compliment voor haar bloedige leiderschap. Zo luidde hij een nieuwe fase van de Culturele Revolutie in. De Rode Gardisten waren Mao's soldaten en hij moedigde hen aan ten strijde te trekken.

DE TERREUR VAN DE RODE GARDISTEN

1966

In de week na de bijeenkomst op het Plein van de Hemelse Vrede begonnen Rode Gardisten zich als de nieuwe heersers van de stad te gedragen. In de grote winkelstraat van Peking werden etalages van 'kapitalistische' winkels, die luxe zijde stoffen of bontjassen verkochten, verbrijzeld. Overal lag glas. Rode Gardisten klommen op ladders, haalden de straatnaam 'Wangfujing', Waterput van residentie Wang, naar beneden en hingen 'Straat van het Volk' op. Kapsalons werden dichtgetimmerd omdat er 'decadente' permanenten werden gezet. De jongeren met de rode armbanden drongen 'feodale' kerken en tempels binnen, sleepten de houten beelden en het meubilair naar buiten en staken die in brand. Ook de bezittingen van mensen die bekendstonden als 'kapitalist' of 'grootgrondbezitter' werden in een vuur gegooid, in stukken geslagen of afgevoerd. Daarna herinnerden grote posters op de gevel van de woning aan de zonden van de bewoners.

Dop en Greta werden regelmatig naar school geroepen om getuige te zijn van het 'verhoor' van steeds weer andere leraren of leraressen. Op het sportveld van Greta's school was daartoe speciaal een verhoging geplaatst waarop de docent moest plaatsnemen. Alle misstappen werden voorgelezen: tijdens de les waren de werken van Mao te weinig aan de orde gekomen, kritiek van leerlingen wat dit betreft was genegeerd. Of er werden kwalijke zaken opgediept uit het verleden; de vader van de docent was eigenaar van een stuk land geweest, of van een huis. De leraar kreeg een hoge muts op waarop 'zwart element' of 'kapitalist' was geschreven of een bord om de nek met meer beschuldigingen. Er werd tegen het slachtoffer geschreeuwd, collega's en leerlingen moesten op het podium komen om meer vergrijpen te noemen. De docent werd geslagen. Sterke jongens trokken de armen van het slachtoffer naar achteren en duwden het hoofd naar beneden. De 'vliegtuigpositie' werd dat genoemd. 'Het ging er altijd heel hardhandig aan toe,' herinnert Greta zich. 'Leerlingen met een "onbesproken" achtergrond hadden de leiding. Ze kwamen uit een arbeidersgezin. Je ging je niet tegen die kinderen verzetten, dat haalde je niet in je hoofd, je hield je gedeisd,' zal Greta zich herinneren. 'Ook bewoners uit de omgeving van de school werden zo aangepakt, als bijvoorbeeld bekend was dat ze in het leger van de nationalisten hadden gediend. Ik was de hele tijd vreselijk bang. De volgende ben ik, dacht ik steeds. Ze konden heel makkelijk van het ene op het andere moment zeggen: Zo, nu gaan we bij jou thuis kijken.'

Dop hoorde vertellen dat de rector van een school vlakbij was doodgeslagen. De conrector was daarbij ernstig gewond geraakt en een leraar van diezelfde school had zelfmoord gepleegd. Hij kon het bijna niet geloven, maar hetzelfde verhaal kwam van verschillende kanten. Weer een paar dagen later vertelde iemand dat Rode Gardisten de beroemde schrijver Lao She hadden mishandeld. Hij had vervolgens zelfmoord gepleegd. Lao She woonde niet ver van hem vandaan.

De kranten berichtten nog steeds over moedige Rode Gardisten en revolutionaire modelarbeiders, maar op straat hoorde Dop totaal ander nieuws. Rode Gardisten van school 47 waren naar het platteland buiten Peking gegaan om de revolutie te propageren. Leuzen roepend en zwaaiend met rode vlaggen belandden ze in een dorp waar ze het aan de stok hadden gekregen met een stel boeren. Vervolgens hadden de leerlingen een groot aantal dorpelingen doodgeslagen.

Dop kreeg nog steeds geen les maar bleef naar school gaan. De conciërge en de mensen van de administratie zaten op hun plaats, alsof alles gewoon zijn gang ging. De school was nog steeds de eenheid waartoe hij behoorde. Van klasgenoten hoorde hij dat de scheikundeleraar door een aantal medescholieren in elkaar was geslagen. 'Is hij dood?' vroeg Dop. 'Nee, hij leeft nog,' was het antwoord. Een week later zag Dop diezelfde leraar in de felle zon onkruid wieden op het sportveld. Iets tegen de man zeggen durfde hij niet. Niemand mocht met de leraar praten.

HUISZOEKING

1966

Die avond wachtten Greta en Dop op hun vader om samen met hem te eten toen er werd aangeklopt. Voordat ze iets konden zeggen, zwaaide de deur open en dromde een tiental in blauw en groen geklede mensen de woning binnen. 'Wij komen een huiszoeking doen!' kondigde een van hen aan. 'Wij verzamelen bewijs voor de misdaden van Tsao Ri Chang en zijn buitenlandse vrouw.' Het waren Rode Gardisten van het Psychologisch Instituut.

Greta en Dop kenden hen. De meesten waren met Chinees Nieuwjaar nog langsgekomen om hun geluk te wensen. 'Die mensen hadden een knop omgedraaid,' zal Dop later zeggen. Een paar van hen waren afgestudeerde psychologen die nu onder leiding van hun vader bezig waren met hun proefschrift. Ook de chauffeur van het instituut was erbij. Hij had de familie Tsao naar de luchthaven gereden toen Selma naar Nederland was gereisd. Nu was hij de aanvoerder van de groep. Dop en Greta zaten naast elkaar op de bank en wachtten zwijgend af wat er ging gebeuren. Dop had net op tijd de achterdeur kunnen openzetten, waardoor Moumoun naar buiten was gevlucht.

De ongenode bezoekers verdeelden zich in drie groepen. Greta moest mee met de mensen die haar slaapkamer wilden doorzoeken. 'Wat zit hierin?' vroeg een van de vrouwen terwijl ze tegen de grote kist aanschopte. 'Onze winterkleding,' antwoordde Greta, verstijfd van angst. Dop was door vijf Rode Gardisten gesommeerd mee te komen naar de slaapkamer van zijn ouders. Het schrijfbureautje van zijn moeder trok meteen hun belangstelling. 'Wat zijn dit?' vroeg een van de mannen. 'Brieven van mijn Nederlandse grootvader.' 'En dit?' 'Albums met foto's van onze familie.' 'En dit?' Iemand hield een stapel papieren omhoog. 'Ik weet het niet,' antwoordde Dop, 'dat is allemaal in het Nederlands, ik kan het niet lezen.' Alles verdween in grote tassen.

Greta kon haast niet uit haar woorden komen, zo bang was ze, toch moest ze uitleggen wat zich in de kasten bevond. Dop realiseerde zich dat ze zich vooral niet moesten verzetten, dat zou maar klappen opleveren. Laat ze alles maar meenemen en weggaan, dacht hij bij zichzelf. Het was maar goed dat het Rode Gardisten van het instituut waren en niet zo'n ongeregelde bende Gardisten die tegenwoordig door de stad trokken. De familie van zijn goede vriend Blauwe Berg, met wie hij op de lagere school had gezeten, was daar het slachtoffer van geworden. Diens vader had vroeger een winkel met porseleinen serviesgoed gehad; jaren geleden was de zaak door de staat geconfisqueerd. Toch gold hij, als voormalige middenstander, nog steeds als 'kapitalist'. Onbekende jongeren waren het huis binnengedrongen op jacht naar het 'zwarte element' dat zich daar zou bevinden. De vader was de binnenplaats op gesleept en vastgebonden op een bank. Zijn vrouw en zoons moesten toekijken terwijl de Rode Gardisten met hun riemen waaraan zware gespen bevestigd waren, hem sloegen tot hij dood was.

Greta en Dop durfden bijna geen adem te halen terwijl hun huis werd doorzocht. De bezoekers bleven ruim twee uur, het leek een eeuwigheid. Elke kast werd geopend, de inhoud werd op de grond gegooid, elke lade werd leeggehaald, zoals dieven op zoek naar goud en geld. De Rode Gardisten besloten dat zich in de slaapkamer meer bewijs van een 'verderfelijke levenswijze' moest bevinden, maar eerst gingen ze overleggen met kameraden op het instituut. Tot nader order werd de slaapkamerdeur daarom verzegeld. Toen verdwenen de indringers met hun buit in zware tassen.

Een uur later kwam Chang thuis, bleek en stil. Ze hadden hem op het instituut vastgehouden tot de Rode Gardisten terug waren van hun huiszoeking. Chang en de kinderen spraken met geen woord over wat er was gebeurd. Zonder iets te zeggen keken ze naar de enorme bende om hen heen. Het papier waarmee de deur van de ouderlijke slaapkamer was dichtgeplakt, durfden ze niet te verwijderen. Greta en Dop zochten lakens en dekens bij elkaar en maakten voor hun vader een bed op de bank. Voordat ze gingen slapen vroegen Dop en Greta of hij hun moeder niet kon laten weten dat ze beter wat langer in Nederland kon blijven. Hij schudde het hoofd. Daartoe zag hij geen mogelijkheid.

Daarna ging er bijna geen dag voorbij zonder huiszoeking op het hof. Rode Gardisten sleepten uit vrijwel alle woningen spullen naar buiten, verbrandden boeken op de binnenplaatsen en plakten beschuldigende posters aan de muren. Op het gebouw waarin de Tsao's woonden kleefden vier grote vellen waarop beschuldigingen aan het adres van de bovenbuurman, een bioloog, stonden opgesomd. Dop en Greta waren blij dat de Rode Gardisten van het Psychologisch Instituut dat niet met hun vader hadden gedaan.

De dag voordat Selma thuis zou komen werd Greta bij de poort opgewacht door Sprinkhaantje, de dochter van de Hsiungs. 'Ga maar niet naar huis,' zei het kind verlegen. 'Ze zijn weer bezig.' Toen Greta toch ging kijken, lag het hele huis weer overhoop. De deur van de ouderlijke slaapkamer stond nu open. Het grote bed was verdwenen, maar Greta was opgelucht dat haar moeder in ieder geval in haar eigen kamer kon komen. De volgende ochtend bleef zij thuis om alles verder op te ruimen en opnieuw in te richten. Hun vader kon niet gemist worden op het instituut, had hij gezegd. Er was geen sprake van dat hij nog gebruik mocht maken van de dienstauto met chauffeur. Dop ging in zijn eentje naar het busstation en stapte daar over op een plattelandsbus die hem, via tal van dorpen, naar de luchthaven bracht.

SELMA TERUG IN PEKING 2

NAJAAR 1966

Tegen het einde van de middag liep Dop met een koffer in de hand achter zijn moeder aan over het hof. Ze gingen hun woning binnen. Selma keek de woonkamer rond. Meteen begreep ze wat er was gebeurd. 'Ze zijn dus al geweest,' stelde ze vast. Blijkbaar had ze er in Nederland al rekening mee gehouden dat Rode Gardisten haar huis zouden doorzoeken. Haar kinderen zagen dat ze precies registreerde wat verdwenen was, maar ze noemde die spullen niet. Greta huilde om wat er was gebeurd. Selma probeerde haar te troosten maar leek tegelijkertijd mijlen ver. Toen kreeg ze Moumoun in de gaten. Ze pakte haar op en lachte opgelucht: 'Moumoun hebben ze tenminste niet te pakken gekregen.'

Drie weken later, op 27 september 1966, schreef Selma haar vader: 'Wij leven van dag tot dag en in totale onzekerheid.' Haar brief was in telegramstijl opgesteld en in haastige letters neergepend. Selma had iemand in het Vriendschapshotel ontmoet die op het punt stond terug te keren naar huis. Ze beschreef haar situatie zoals die was en leek geen enkele rekening te houden met een eventuele censor. Haar brief moet het land uit gesmokkeld zijn. Max Vos ontving het bericht in een envelop zonder afzender. De postzegel, met een afbeelding van de Britse vorstin, was in Londen afgestempeld.

'Chang is hoofd-kapitalist en revisionist van het instituut, werkt al 2 maanden als schoonmaker,' vervolgde Selma. 'Niemand spreekt met hem, behalve op vergaderingen, waar hij beschuldigd wordt. Grote aanplakbiljetten in het instituut tegen Chang en ook tegen mij. Bank geblokkeerd. Chang en ik wegen samen nog 200 pond, hoogstens! Had me geen zorgen hoeven maken over mijn lijn!'

Terwijl Chang zijn kinderen op geen enkele manier had willen betrekken bij zijn problemen, nam hij Selma wel in vertrouwen toen ze thuiskwam. Chang stond onder extra zware verdenking vanwege zijn studie in het buitenland en zijn Nederlandse vrouw. Selma en Chang waren 'spionnen van het Westen' en daarnaast werd het vakgebied van Chang, de psychologie, verketterd.

Dop verklaarde achteraf: 'Mijn vaders specialisatie was het geheugen. Op een gegeven moment werd gezegd: "Daar hoeven we niets over te weten. Als iets belangrijk is, zoals de woorden van voorzitter Mao, dan leer je die uit je hoofd. Punt."' Mevrouw Zhou, een vroegere medewerkster van het instituut, zal later zeggen: 'Naast de Chinese versie van het marxisme duldden de autoriteiten geen andere theorieën. Een wetenschap die het menselijk gedrag verklaarde aan de hand van iets anders dan de klassenstrijd, werd niet langer getolereerd. Ook was het geen exacte wetenschap. Ons vak werd in de ban gedaan. Het werd bestempeld als bijgeloof en moest ontmaskerd worden.' Chang was samen met de andere leidinggevende gedegradeerd tot schoonmaker van de wc's en schrobber van de gangen. Dop hoorde later dat zijn vader ook briketten had moeten maken van kolengruis, samen met een van zijn collega's die een hartkwaal had. Het was een zwaar en smerig karwei. De briketten moesten met een mal gevormd worden en dan in de zon gedroogd. Chang was steeds degene die de kruiwagen hanteerde als de briketten moesten worden weggebracht, hij probeerde zijn zieke collega te ontzien. Ook hoorde Dop dat de twee mannen bij een gelegenheid op een tafel moesten staan om bekritiseerd te worden, waarna de tafel ruw onder hen vandaan werd getrokken en zij op de grond smakten.

Chang had bij eerdere zuiveringen in de jaren vijftig driemaal zijn levensverhaal moeten optekenen, de laatste keer eind 1956, tijdens de nasleep van de campagne 'Laat Honderd Bloemen Bloeien.' Daarin moest hij de namen noemen van iedereen die tijdens zijn studie of in zijn werk een rol had gespeeld. Ook was hij verplicht de namen door te geven van de mensen met wie Selma contact onderhield in China, Nederland en Engeland. En wat hun politieke opvattingen waren. Zo noemde hij zijn schoonvader Max Vos iemand 'met niet erg progressieve meningen'. Elk nieuw cv was bij zijn dossier gevoegd. Iedereen met buitenlandse connecties werd er nu van beschuldigd een spion te zijn van een westers land of westerse organisatie.

In de haastig geschreven brief aan haar vader in Nederland vervolgde Selma: 'Dop uit zijn kamer gezet, slaapt bij Greta. Huis twee keer ondersteboven gehaald. Alle kunstboeken, alle familiefoto's, de kerstboom, stropdassen van Chang en drie paar leren schoenen, weg! Ons bed ook weg, wij hebben de kinderbedden. Dop op vier kisten en Greta op noodbed. Dekens moeten afstaan voor de Rode Garde. Moeten vermoedelijk het huis uit. Naar één of twee kamertjes, daar gaat alle huisraad, kleding en linnengoed. Voel me net als na 10 mei 1940.'

Alles zou nog erger worden, vreesde Selma. 'Als Chang strafkamp krijgt, of als het instituut naar het platteland gaat, valt de familie uit elkaar. God mag weten wat er met de kinderen gebeurt. Heb hun geboortebewijs vernietigd, anders misschien beschuldiging.' Dop was immers in Cambridge en Greta in Hongkong geboren en alle verwijzingen naar het buitenland konden desastreuze gevolgen hebben.

Selma was ontslagen, ze zou zonder geld komen te zitten, want het salaris van haar man kon elk moment gestopt worden. 'Indien nodig kun je me dan een maandelijkse toelage sturen, op mijn naam?' vroeg ze haar vader. 'Ik schrijf dan wel dat de boter moeilijk goed te houden is!' Blijkbaar achtte ze de kans erg klein dat ze opnieuw een brief buiten de censuur om zou kunnen sturen, ze moesten dus in codes gaan schrijven. Eerst echter een dringend probleem: 'poezen, kippen, konijnen en goudvissen verboden. Moumoun moet dood. Weet niet hoe, want geen dierenarts.'

Huisdieren waren 'kapitalistisch', volgens de huidige politieke richtlijnen. De kippen van Selma waren tijdens haar afwezigheid door mevrouw Sun al stuk voor stuk geslacht en in de pan gedaan. Greta, Dop en Chang hadden nooit zoals Selma van de kippen gehouden, maar van Moumoun weigerde de familie afscheid te nemen. Ze zouden haar verborgen houden.

'Alles is chaos hier. Meeste winkels dicht, enorme mensenmassa's van buiten Peking, moeilijk voedsel te krijgen, lange rijen, wel fruit. Ik weet niet of scholen ooit weer beginnen. Ga maar es kaddisj zeggen voor ons, of hoe heet dat ook alweer,' probeerde Selma haar vader op te beuren. Ze had een lijstje bijgesloten met namen van vrienden in Nederland en Cambridge die ze op de hoogte wilde houden van haar toestand in China. Toch vroeg ze haar vader niet de brief te kopiëren en aan hen door te sturen. 'Zeg maar dat het goed gaat met mij en de kinderen. Zeg níéts over Chang. Schrijf alleen familienieuws terug. En alleen aan mij.' Brieven moesten voortaan naar haar huisadres worden gestuurd, absoluut niet naar het instituut. In de kantlijn was nog jachtig gekrabbeld: '*De Groene* komt niet door! Heb je het abonnement wel betaald?'

SELMA ZOEKT HULP

NAJAAR 1966

Max Vos had Selma op het hart gedrukt zich meteen te melden bij de Nederlandse zaakgelastigde, dan wist hij tenminste dat ze er weer was. Onder druk van de Chinese autoriteiten, die zich stoorden aan de koloniale geschiedenis van de oude ambassades, was de vertegenwoordiging begin dat jaar verhuisd. De Nederlanders hadden het stenen reliëf boven de poort met de twee Nederlandse leeuwen meegenomen naar hun nieuwe locatie; een moderne blokkendoos in het oostelijke deel van de stad.

Selma had er op geen slechter moment naartoe kunnen gaan. De Chinese vertegenwoordiging in Den Haag werd nu al meer dan twee maanden lang omsingeld door de Nederlandse politie. De Nederlandse autoriteiten wilden nog steeds de Chinese lassers ondervragen over de dood van hun collega. Als antwoord hierop had de Chinese regering de Nederlandse zaakgelastigde in Peking, de heer G.J. Jongejans, huisarrest gegeven. Hij mocht de ambassade niet verlaten. Bij de entree stonden militaire bewakers waar Selma voorbij moest zien te komen.

De zaak was in Peking verder geëscaleerd door de Culturele Revolutie. Een chauffeur die voor de ambassade werkte had portretten van Mao in de dienstauto opgehangen. Douwe Fokkema, de vervangend zaakgelastigde, die zich nog wel vrij door de stad mocht bewegen, weigerde zich op die manier te laten rondrijden. Hij had de portretten verwijderd. Een nieuwe rel was het gevolg: 'Diplomaat steelt portretten van voorzitter Mao,' schreef een Chinese krant.

Eenmaal binnen in het nieuwe gebouw liet Selma ongetwijfeld haar nieuwe Nederlandse paspoort zien. Ze zal uitgelegd hebben dat ze geen Chinees visum kon krijgen vanwege de lassersaffaire en dat ze daarom toch op haar Chinese pas had moeten reizen. De opzet om als Nederlandse terug te keren was dus mislukt. Op een ander moment was daar misschien een mouw aan te passen geweest, nu konden de Nederlandse diplomaten moeilijk hun Chinese contacten om een gunst vragen. Selma werd ook niet meer uitgenodigd voor de lunch bij Yvonne in 't Hof, de secretaresse, want zij was begin dat jaar overgeplaatst. Haar vervangster had Selma niet leren kennen omdat ze net een klein halfjaar in Europa was geweest. Nu Chang beschuldigd werd was het trouwens helemaal geen goed idee nauwe banden met buitenlandse vertegenwoordigers te onderhouden. Selma had problemen genoeg. Ze kon de Nederlandse vertegenwoordiging beter zo veel mogelijk mijden.

Om meer te weten te komen over wat er gaande was, ging ze bij haar Finse vriendin Armi op bezoek. Die bevond zich in hetzelfde parket. Haar man was ook psycholoog. Sinds twee jaar mocht hij zijn vak niet meer doceren aan de universiteit, in plaats daarvan moest hij Frans geven. Ook hij werd op zijn instituut tijdens bijeenkomsten beschimpt en vernederd. Net als Chang moest hij zwaar lichamelijk werk verrichten.

Armi's oudste zoon herinnert zich dat zijn familie in die tijd ontdaan was over een groot aantal doden dat was gevallen op hun compound, het terrein van de Pedagogische Academie van Peking. De laatste weken waren zeker vijftien docenten en professoren vanaf hoge verdiepingen uit ramen gevallen. Zelfmoord, werd gezegd, niemand durfde te vragen of ze misschien waren geduwd. Elke keer ontstond er tumult op de compound. Bewoners stroomden toe en kinderen riepen: 'Kom 's kijken naar het lijk!' Armi had haar kinderen verboden naar buiten te gaan en sprak schande van de sensatielust. Zijzelf ging niet meer naar haar werk op de redactie van *China Pictorial*, een maandblad voor buitenlanders. Ze was bang dat ze daar bekritiseerd of mishandeld zou worden. De kopij werd daarom bij haar thuisgebracht. In de beslotenheid van haar eigen woning polijstte ze artikelen over voorbeeldige Rode Gardisten en revolutionaire modelarbeiders. 'De propagandamachine bleef gewoon doordraaien,' zal haar zoon later cynisch zeggen.

Selma vertelde Armi dat ze bij thuiskomst een ontslagbrief had gevonden. Ze was de laan uit gestuurd omdat ze langer in Nederland was gebleven dan vooraf was afgesproken en kreeg geen cent meer uitbetaald. Op de boze brief die ze had teruggezonden, verwachtte ze geen reactie. De twee vrouwen stonden machteloos. Selma moet geschrokken zijn toen Armi vertelde dat ze van plan was in Finland het verloop van de Culturele Revolutie af te wachten. Ze zou proberen haar jongste zoon, die moeilijk liep omdat hij polio had gehad, mee te nemen. Armi kon een beroep doen op een ambassade die in een goed blaadje stond bij de Chinezen. De Finnen ijverden voor Chinees lidmaatschap van de Verenigde Naties. De ambassadeur was lid van de Finse communistische partij. Selma had met haar terugkomst een deur achter zich gesloten.

Bij de tweede goede vriendin die Selma bezocht, Ruth Weiss, heerste een andere sfeer. Ruth wilde de Culturele Revolutie vooralsnog in een positief licht zien. Ze betreurde het dat haar zoons niet welkom waren bij de Rode Garde omdat hun moeder een intellectueel was, maar daar had ze ook begrip voor. In plaats daarvan, zo zal ze later trots in haar autobiografie schrijven, hadden haar jongens zich als vrijwilligers bij de politie gemeld om het verkeer in de stad te regelen, noodzakelijk vanwege de massa's jongeren die zich in Peking ophielden. Een paar maanden later meldde haar oudste zoon zich vrijwillig voor werk op een staatsboerderij in het hoge noorden van China. Ruth stond achter dat besluit, zo werd hij tenminste zelfstandig. In tegenstelling tot Selma kon Ruth rekenen op bescherming van bovenaf. Zij kende premier Zhou Enlai en diens vrouw vanaf de jaren dertig. Zhou zou ervoor hebben gezorgd, zal de oudste zoon van Ruth later zeggen, dat zijn moeder geen haar werd gekrenkt.

Bus 32 kroop door de straten. Selma keek met verbijstering naar de duizenden jongeren die op de been waren. In kranten werden ze de 'gasten van Voorzitter Mao' genoemd. Een meisje in een groen pak met een rode band om haar arm vocht zich de overvolle bus in en begon met schelle stem voor te lezen uit het *Rode Boekje* van Mao. Toen Selma's halte in zicht kwam, baande ze zich een weg naar de uitgang, haar hand op haar bril om die niet te verliezen. Bij de poort van het Vriendschapshotel werd haar identiteitskaart gecontroleerd door een militair. Dat was nieuw, registreerde Selma, maar op het terrein van het hotel was het nog altijd opvallend rustig. Behalve een aantal portretten van Mao aan de gevels van de gebouwen wees niets op een revolutie.

Selma ging op bezoek bij Paul Minderhout. Ze wilde hem vertellen over haar verblijf bij zijn ouders in Middelburg. Het duurde even voordat Paul opendeed. Hij was broodmager en zag geel. Het ergste was achter de rug, stelde hij haar gerust. Wekenlang had hij in een ziekenhuis gelegen met een verwaarloosde hepatitis. Aanvankelijk had hij zich niets van de ziekte aangetrokken, totdat hij zich zo beroerd voelde dat hij opgenomen moest worden. Selma, die zelf hepatitis had gehad, wist dat je er doodmoe van werd.

Paul had nauwelijks een idee van wat er in de straten van

Peking aan de hand was. Hij sleepte zich van zijn kamer naar het restaurant om iets te eten en weer terug. Op zijn instituut waren alle lessen afgelast. Wel kreeg hij elke maand uitbetaald, dus voorlopig hoefde hij zich geen zorgen te maken. Nu kon hij geen plannen maken. Eerst moest hij beter zien te worden.

Johan Jutten en zijn vrouw Ria, de enige andere Nederlanders die nog in het Vriendschapshotel woonden, trof Selma niet thuis. Ze zag hen ook niet in het restaurant waar ze hun maaltijden meestal aten. Later hoorde Selma dat Johan Jutten verwikkeld was geraakt in een arbeidsconflict met het omroepinstituut van de staatsradio, waar hij lesgaf. Eerst draaide de kwestie om zijn salaris; Jutten vond het onrechtvaardig dat andere docenten, met minder opleiding en ervaring dan hij, meer betaald kregen. Hij eiste inzicht in de salariëring. Toen hij dat niet kreeg, ging hij in staking. Staken was in China verboden, werd hem aan het verstand gebracht. Jutten had weer een paar lessen gegeven toen er een meningsverschil over de duur van zijn contract ontstond. Daarna was de Culturele Revolutie uitgebroken.

Jutten en zijn vrouw werd verzocht het land te verlaten. In afwachting van tickets en visa fietste Jutten door de stad. Hij wilde de Culturele Revolutie meemaken, zodat hij er in Nederland uit eigen ervaring over zou kunnen vertellen.

OP DE FIETS DOOR DE CULTURELE REVOLUTIE

NAJAAR 1966

Zo kwam hij op een dag langs restaurant Moskou, waar de familie Tsao vroeger regelmatig ging dineren. De deuren waren volgeplakt met muurkranten en er stond een ladder tegen de gevel. 'Ik zie dat Rode Gardisten tot aan het reliëf van de vredesduif zijn geklommen en bezig zijn het reliëf van de muur te hakken,' schreef Jutten later in *Een jaar in Peking. Op de fiets door de Culturele Revolutie.*

Hij peddelde ook door smalle *hutongs*. Op een trottoir zag hij een groep mensen in een kring staan. 'Een van hen, een vrouw, staat ononderbroken te schreeuwen terwijl ze af en toe stompende bewegingen naar beneden maakt.' Een militaire vrachtwagen stopt. 'Chauffeur en bijrijder kijken even toe, springen uit de auto en bieden aan assistentie te verlenen. De groep wijkt uiteen. Een ineengedoken, gehurkte man wordt zichtbaar. De vrouw zegt dat hij moet opstaan en verdwijnen. Ze geeft hem een paar duwen. De man loopt weg. Van het kledingstuk dat zijn bovenlichaam bedekt heeft, is alleen de boord, een lap over zijn schouder, en de linkermouw over.' Kort daarna werd Juttens pad gekruist door een kleine optocht.

'Een oude man loopt aan het hoofd. Achter hem volgen kinderen en Rode Gardisten. De man draagt op de borst en rug houten borden, die met touwtjes aan elkaar zijn gebonden. Zijn zonden staan in zwarte karakters op de borden geschreven. In zijn linkerhand heeft hij een trommel, in zijn rechterhand een stuk hout waarmee hij op de trommel slaat.' Aangekomen in de drukte van Wangfujing, de grote winkelstraat, ziet hij een vrouw van wie al het haar ruw is afgeknipt.

'Ze wordt gevolgd door een aantal mensen die haar uitjouwen. Haar gelaatstrekken zijn bevroren, ze staart voor zich uit en loopt mechanisch.' Dan wordt Jutten staande gehouden door een Rode Gardist die er bezwaar tegen heeft dat hij foto's maakt, maar als Jutten hem van repliek dient, bindt de jongeman meteen in.

Op 15 september waren Jutten en zijn vrouw Ria uitgenodigd voor een maaltijd bij de nieuwe secretaresse van de Nederlandse zaakgelastigde. Iets over zes uur 's avonds stapte het jonge echtpaar op het terrein van het Vriendschapshotel, nog steeds een oase van rust, in een taxi.

> Op de Boulevard van de Eeuwige Vrede, de brede hoofdweg door Peking, worden we door de politie tegengehouden. Voor ons zien we een zee van mensen die de boulevard over de gehele breedte vult. Hadden we normaal door mogen rijden, dan hadden we nog vijf minuten nodig gehad om op onze plaats van bestemming aan te komen. De chauffeur draait van de grote straat af, een zijstraat in. Deze straat wordt voor het grootste deel in beslag genomen door jongens en meisjes met rode vlaggen en portretten van Mao Zedong. Ze zingen en roepen leuzen. De chauffeur rijdt langzaam langs de marcherende demonstranten. Stoppen is onmogelijk, want ook achter ons heeft de stroom zich gesloten. De chauffeur rijdt stapvoets mee. Het gezang en geroep wordt voortdurend begeleid door het "boem boem tatata boem" van de trommen. Nieuwsgierige gezichten verdringen elkaar voor de raampjes van onze taxi. Inmiddels is de duisternis gevallen.

Het gezin Tsao, winter 1966

Selma met Siert in Santpoort, voorjaar 1966

Muurschildering in Peking, 1967. Van links naar rechts: Kang Sheng, Zhou Enlai, Mao Zedong, Lin Biao, Chen Bo Dan, Jiang Qing

Mao en Rode Gardist Binbin

Chang met collega-directeuren in het modeldorp Dazhai, 1964.
Chang rechts naast de modelboer Chen, die in het midden zit

Dop en Blauwe Berg
in Peking, 1969

Dop en zijn achterneef in Midden-Tsao

De oudste neef Zeng-Jiang, ca. 1970

Aanleg van een waterput

Greta (midden) met links een achternichtje en rechts een ver familielid in Midden-Tsao, ca. 1970

Geurige Bloem met de boerenzoon met wie ze trouwde

Dop en Greta bij de Grote Muur, 1974/’75

Het vertrek uit Peking. Rechts Groot Hoofd, 1979

De straatjes waar onze tocht door voert zijn verlicht door hier en daar een lamp en de maan boven Peking. De mensen buiten zijn donkere silhouetten. De chauffeur zit voorovergebogen over zijn stuur, hij speurt naar links en rechts op zoek naar een uitweg. Als hij een donker straatje ziet, wringt hij zijn auto tussen de mensen door. We draaien het straatje in. We zijn ontsnapt. Het gezang klinkt achter ons, steeds zachter. Maar plotseling doemen uit de duisternis recht tegenover ons nieuwe figuren met vlaggen en portretten op.
De chauffeur geeft gas en kan nog net een zijstraatje in schieten. Maar ook hier komen ze ons, alweer, luid zingend tegemoet marcheren. Weer brengt een zijstraatje redding. Ook dit blijkt echter even later gevuld met mensen. Gelukkig lopen ze in dezelfde richting als waarin wij rijden, zodat we niet tegen de stroom in hoeven. De chauffeur sluit zich achter de stoet aan, we rijden stapvoets mee. Halverwege het straatje blijkt dat een groepje demonstranten uit tegengestelde richting probeert zich door en langs de optocht te wringen waar wij achter rijden. Hun vlaggen slepen over de neus van de taxi, bedekken de voorruit en slepen over het dak naar omlaag. Het is zo druk dat de mensen tegen de wagen op gepropt worden. De chauffeur kijkt strak voor zich uit. Het zweet loopt hem tappelings langs het gezicht. Hij heeft nog niet één keer geclaxonneerd, nog geen woord gezegd. Hij rijdt met stadslichten. We komen na enige tijd op een bredere weg, nog steeds omgeven door demonstranten. Een politieagent stopt de wagen en vraagt waar we naartoe moeten. De chauffeur antwoordt. Met een paar collega's maakt de politieman de weg voor ons vrij. Maar vijftig meter verder zitten we alweer in de fuik. De chauffeur heeft het opgegeven een uitweg te vinden; hij laat zich meedrijven. Zo rijden we de ene keer naar het zui-

den en even later naar het noorden. Ver buiten de bebouwde kom lukt het de chauffeur ertussenuit te knijpen.

Ruim drie uur na vertrek kwamen ze op hun plaats van bestemming aan.

Op 1 oktober waren alle formaliteiten nog steeds niet vervuld voor de Juttens. Ze moesten het land verlaten, toch werden ze samen met alle andere buitenlandse bewoners van het Vriendschapshotel per bus naar het Plein van de Hemelse Vrede gebracht om de parade te bekijken. Dit jaar maakten militaire tanks of raketlanceerinstallaties daar geen deel van uit. Ook reden er geen pronkwagens mee met daarop opera-acteurs in felgekleurde kostuums. De parade bestond dit jaar uitsluitend uit Rode Gardisten.

> 'Uit de mensenmassa steekt een woud van rode vlaggen omhoog,' schreef Jutten. 'En ook dragen er velen een portret van Mao. De overigen, dat zijn de meesten, maken het plein rood met de bekende boekjes. Voor het vasthouden van de boekjes zijn voorschriften gegeven. Men dient het boekje in de rechterhand te houden, met de titel naar de tribune gericht. Er moet voortdurend mee gezwaaid worden, boven het hoofd en in korte rukjes van achteren naar voren. [...] Schuifelende voeten werpen reusachtige wolken van stof omhoog. Soms wordt in de voorste gelederen de voortgang even gestagneerd, zodat degenen die erachter lopen ook de pas moeten inhouden. Er ontstaat dan een beweging als van een golf die tegen een oever slaat. Een dubbele rij soldaten heeft de baan afgezet, waarbinnen de parade moet blijven. Witgejaste figuren lopen af en aan om flauwgevallen soldaten weg te voeren. Het is zeer warm.

Om drie uur 's middags was het spektakel afgelopen en waren er tweeënhalf miljoen Rode Gardisten aan de Juttens voorbijgetrokken.

Selma, Chang en hun kinderen bleven deze dag thuis. Voor het eerst sinds 1950, toen de familie naar het China van Mao kwam, had Chang geen uitnodiging gekregen. Greta en Dop waren evenmin gevraagd mee te lopen met een halter of een duif in de hand. In plaats daarvan maakte Dop wiskundeopgaven. Hij had zich voorgenomen alle laatste hoofdstukken uit zijn leerboeken te herhalen. Wanneer de lessen hervat zouden worden, waar hij nog steeds op hoopte, zou de stof niet zijn weggezakt. Greta volgde het voorbeeld van haar broer. Hun vader had vrij. De Rode Gardisten van het instituut waren op het plein. Vandaag hadden ze geen tijd voor hem. De massabetoging was op de televisie te volgen, maar het apparaat stond in huize Tsao niet aan.

Terwijl haar kinderen huiswerk maakten had Selma graag een nieuw nummer van *De Groene Amsterdammer* gelezen, maar sinds ze terug was gekomen uit Nederland had nog geen enkel exemplaar haar bereikt. Ze ging ervan uit dat er een administratieve fout was gemaakt. In elke brief aan haar vader vroeg ze hem uit te zoeken wat er aan de hand was. Later bleek dat, met uitzondering van het Vriendschapshotel, nergens meer buitenlandse tijdschriften werden bezorgd. Selma zou daardoor nooit het paginagrote artikel lezen dat in het nummer van 23 december van *De Groene* werd afgedrukt onder de kop: 'Lessen uit het rode boekje'.

Het eerste deel bestond uit een reisverslag van Kurt Mendelssohn, lector in de natuurkunde aan de universiteit van Oxford. Hij was uitgenodigd door het Wetenschappelijke en Technologische Instituut van China. Voor vertrek uit Engeland was hij veelvuldig gewaarschuwd voor de onzekere politieke situatie, maar toen hij en zijn vrouw werden ontvangen door Rode Gardisten van een middelbare school in Peking, waren hun zorgen daarover voorbij: 'Ieder ongemakkelijk gevoel verdween op slag, door het daverende welkom dat ons wachtte, met handgeklap en gewuif met het kleine rode boek.'

Per trein en vliegtuig reisde het echtpaar door het hele land en werd door 'theemeisjes' en stewardessen voorgelezen uit het *Rode Boekje*. Over het niveau van het natuurkundeonderwijs in China kwam Mendelssohn niets te weten. 'Ons werd verteld dat de studenten het druk hebben met een nieuwe vormgeving van het verouderde uiterlijk van hun leraren. Dat klinkt tamelijk onheilspellend, maar de leraren die we spraken, bleken zich heel wel op hun gemak te voelen.' Mendelssohn ziet de ontwikkelingen in China zeer positief: 'De Rode Gardisten zijn de activisten van de jonge generatie, velen zijn opgeleid om de leerstellingen van Mao toe te passen. Zij vormen een militante, niet een militaristische organisatie. Hun wapen is de pen, meer nog de bezem, en niet het geweer. Het uiteindelijke doel is het scheppen van een nieuwe vorm van een socialistische samenleving, waarin ieder naar vermogen zal moeten inbrengen en ieder naar behoefte zal ontvangen. Aldus kan China, zo wordt het de jongeren verteld, de wereld aanvoeren en het mensdom in een nieuwe era binnenleiden.'

Naast het verhaal van deze Britse wetenschapper was een interview afgedrukt met een Russische student die aan een Pekinese universiteit Chinese cultuur en geschiedenis had willen studeren maar nu, zoals alle Russen, was gevraagd het land te verlaten. Bij aankomst in de zomer van 1966 bleek dat de professor op wiens lessen hij zich had verheugd, tot een 'schadelijk element' was verklaard. Diens vervanger las uitsluitend citaten van Mao Zedong voor. 'De Rode Gardisten op de universiteit gaven een order uit waarin stond dat alle "reactionairen" een zwart label op hun borst moesten dragen met hun naam en de categorie van hun "zwarte bende" waartoe ze behoorden: "revisionistisch element", "contrarevolutionair", "kapitalist", "grootgrondbezitter" of "bandiet". Tot mijn grote verbazing hoorde de secretaris van het partijcomité en een van de directeuren van ons instituut ook tot de reactionairen. De Rode Gardisten schoren hen kaal. Van de vroege ochtend tot de late avond moesten zij – met andere professoren – zware kruiwagens voortduwen of bomen rooien op een kerkhof. Wij zagen hoe men hen liet spitten op het volley- en het basketbalveld en hen vervolgens de velden liet egaliseren met een handwals. Vanuit een bus hebben wij twee doden op straat zien liggen waar Rode Gardisten omheen dansten.'

Op 6 oktober vertrokken Johan Jutten en zijn vrouw Ria per trein. Van Selma hadden ze geen afscheid kunnen nemen. Ze hadden haar na haar terugkeer uit Nederland niet meer ontmoet.

SELMA SCHRIJFT NAAR MAX EN DIANA

NAJAAR 1966

Vanuit Santpoort volgde Max Vos de ontwikkelingen in China op de voet. Hij kampte inmiddels met een oogziekte waardoor hij steeds slechter ging zien. Met behulp van een vergrootglas las hij de berichten over het land waar zijn dochter woonde. *Het Vrije Volk* had een correspondent ter plaatse: de Canadees David Oancia, die ook voor andere kranten werkte. Op 28 november 1966 berichtte Oancia over massa's jongeren die in China op reis waren geweest met trein of bus. Zij hadden nu te horen gekregen dat ze voortaan te voet moesten gaan.

'Het kan geen toeval zijn dat deze aanbeveling wordt gedaan nadat is komen vast te staan hoezeer het Chinese transportsysteem van de massale in- en uittocht te lijden heeft gehad. Het openbaar vervoer wordt enige dagen stilgelegd om de spoorwegleiding althans een kans te geven weer op adem te komen.' Ook de kleinkinderen van Max hadden zich onder de reizigers bevonden.

Jongeren moesten elders in het land 'de revolutie verspreiden'. Op de scholen werden gratis treinkaartjes uitgedeeld aan Rode Gardisten en leerlingen met een 'zuivere achtergrond'. Toen die waren vertrokken bleken er nog kaartjes over. De achttienjarige Dop spoorde in twee dagen met een vriend naar Xian, een stad in het westen van China. Hij was net weer thuis toen Greta met een klasgenote naar Kanton vertrok. 'Drie dagen waren we onderweg in een overvolle trein. In de bagagerekken, onder de banken, overal lagen jongeren.' In Peking had het gevroren, in Kanton troffen ze een tropische temperatuur. 'Alles was er groen. We logeerden in een school, gratis. Ook voor het eten in de kantine hoefden we niet te betalen.'

De meisjes bezochten universiteiten en lazen muurkranten. 'Die gingen over mensen die wij niet kenden. We begrepen er niets van. Maar we maakten notities, dat was onze opdracht. Die zouden we bij thuiskomst inleveren.' De klasgenote werd steeds uitgevraagd over Greta's buitenlandse uiterlijk, toch voelde Greta zich hier veiliger dan in Peking. Niemand in Kanton wist dat haar ouders beschuldigd werden. Ze kwam tot rust en keek haar ogen uit. 'Op de markt waren apen te koop. De mensen daar aten graag apenvlees.' Bij thuiskomst vertelde ze haar moeder dat ze zich zorgen had gemaakt over de hygiëne van de Kantonese schoolkantine. Ze had een eigen rijstkom en stokjes gekocht. Selma reageerde trots: 'Dan heb ik je toch goed opgevoed.'

'Culturele Revolutie richt zich nu ook op de industrie,' berichtte de Canadese correspondent van *Het Vrije Volk* in januari 1967. 'Daartoe worden Rode Gardisten naar de fabrieken gestuurd.' Dat verliep niet zonder slag of stoot, want een paar dagen later ging het over 'botsingen tussen studenten en arbeiders waarbij doden zijn gevallen'. Max Vos zag vanuit Santpoort de onrust in China steeds groter worden. De economie van het land raakte ontwricht. 'De opbrengst van de landbouw, de industriële productie en de handel met het buitenland zijn in gevaar gekomen,' meldde *Het Vrije Volk*. Vervolgens roerden de boeren zich. 'Zij hebben in delen van het land hun akkers verlaten en trekken op naar de grote steden,' schreef David Oancia. Niet lang daarna werd hij in zijn auto aangevallen door een grote groep Rode Gardisten terwijl politiemannen stonden toe te kijken. 'Alle ruiten zijn gebroken en van de carrosserie is weinig meer over,' liet hij zijn lezers weten.

Militairen zouden de orde en de rust gaan herstellen, maar zij bleken Mao getrouw en wilden de revolutie juist verbreiden. De chaos nam toe. In de dichtbevolkte provincie Sichuan raakte het leger slaags met tegenstanders. 'Ook ernstige gevechten in andere provincies,' schreef de krant. Daarna kwam als klap op de vuurpijl: 'Mao vreest voor aanslag op zijn leven.' Er was een burgeroorlog in China uitgebroken.

Max Vos maakte zich zorgen en schreef zijn dochter. Toen hij niet meteen antwoord kreeg stuurde hij een volgende brief. En nog een. Eindelijk antwoordde Selma. Ze deed het eerst voorkomen alsof er niets bijzonders in Peking gebeurde. Het was zomer en de hitte had haar verlamd. 'Geen energie. We transpireren dag en nacht en in de keuken is het boven de 40 graden. Ik moet elke dag de vloer in de douche dweilen, papa herinnert zich dat wel.' Maar uit het antwoord op haar vaders vraag of de kinderen nu wel of geen les kregen op school, bleek dat niets normaal was. 'Dat kan niet zo lang ze elkaar in de haren blijven zitten. De kinderen gaan vrij geregeld naar school maar er is geen les omdat de onderwijsrevolutie nog niet geregeld is. Ze gaan meestal een paar uur 's morgens en soms ook wel 's middags. Dat is alles wat ik ervan schrijven kan.'

Wat hun woonsituatie betreft leefde Selma nog steeds in grote onzekerheid: 'De inspectie is langs geweest, het resultaat is nog niet bekend. Ik wacht met belangstelling af, zoals je je kunt voorstellen. Er zijn gevallen waar hoger personeel, vier per gezin bijvoorbeeld, de beschikking heeft over drie kamers, terwijl lager personeel met hetzelfde aantal personen er maar twee heeft. Dat is natuurlijk de omgekeerde wereld, en er moet zo snel mogelijk verbetering in gebracht worden,' zo schreef ze cynisch aan haar vader om duidelijk te maken dat de Tsao's binnenkort waarschijnlijk het veld moesten ruimen voor het gezin van een chauffeur of een portier van het instituut.

Over vakanties aan zee werd niet meer gerept, die behoorden tot een ver verleden. Zwemmen in het Vriendschapshotel was ook van de baan. Selma had geen werk en kon geen pasjes meer krijgen. Voedsel was er wel. 'Veel groenten en fruit,' schreef Selma. 'Dop haalt elke dag een lapje vlees voor ons en iets voor de poes.' Moumoun was nog steeds in leven.

Een onderwerp waar Selma in haar brieven altijd uitgebreid over rapporteerde was de gezondheid van haar gezin en ook nu tikte ze daar een paar alinea's over vol: 'Chang z'n kou blijft maar doorsukkelen. Hij komt er niet vanaf. Voor de mijne heb ik van alles geprobeerd, maar niets schijnt te helpen. Het zal hem wel in het klimaat zitten, en 'n verandering van lucht is waarschijnlijk de enige oplossing. Aan chronische bronchitis is niet veel te doen.' Greta had vaak last van hoofdpijn en ze werd duizelig van televisiekijken. Ze was naar een dokter geweest, die vast had gesteld dat haar niets mankeerde, toch zou ze voor de zekerheid ook nog een andere arts consulteren. Heeft Max Vos dit alles opgevat als de ziektesymptomen van een gezin dat onder grote spanning stond?

Nog geen vier weken later lukte het Selma opnieuw een brief mee te geven aan een kennis uit het Vriendschapshotel die het land ging verlaten. Het bericht van 20 september 1967 was bestemd voor Diana Lary, de jonge Britse ex-collega die ze het jaar ervoor in Engeland had opgezocht. Nu bleek hoe Selma zich in haar eerdere brieven had ingehouden.

'Culturele Revolutie veroorzaakt nog steeds aardverschuivingen. De macht is in handen van heethoofdige rebellen die wild op elkaar schieten. Letterlijk! Op ons instituut werd gevochten en misschien nog steeds. Er zijn 3 groepen op onze school (overal zijn er 2 of 3). Eén heeft de macht, de twee andere voeren oppositie, allemaal vóór Mao, maar de groep met de macht wil die houden, daarom wordt er gevochten. De Partij functioneert nergens meer, het hele leven is totaal ontspoord. Ook geen politie meer, golf van diefstallen en inbraken.'

Over het lot van Chang, waarover ze steeds had gezwegen in haar andere brieven, zei ze nu: 'Samen met 100 andere wetenschappers van de Academie van Wetenschappen ingedeeld in de 4de categorie: antipartij, antisocialist en revisionist. Alle 100 zijn partijleden. Als het niet zo tragisch was, zou het grappig zijn.' Greta's klas was onlangs medisch gekeurd voor vertrek naar het platteland, waar al enige tijd over werd gesproken. Selma had geen idee wanneer ze zouden gaan. Dops klas kwam binnenkort ook aan de beurt. Als haar kinderen ergens ver weg terecht zouden komen en Chang veroordeeld werd, 'zal ik moeten scheiden en proberen dit land te verlaten. Of ik dan van de regen in de drup terechtkom of net andersom, is de vraag'.

Selma had weinig medelijden met de mensen die zij en Diana onder elkaar hadden aangeduid als de '200 percenters' en die nu onder vuur lagen. 'S. Rittenberg is verwijderd van de radio, Michael Shapiro is aangevallen. Eigenlijk allemaal, al die hooggeeerde mannen. Dat krijg je ervan als je een superrevolutionair bent.' Sidney Rittenberg was de Amerikaan die voor de Chinese staatsradio werkte en daarnaast spioneerde en propaganda verspreidde onder de bewoners van het Vriendschapshotel. Aan het begin van de Culturele Revolutie had hij persoonlijk bij Mao Zedong bedongen dat buitenlanders daaraan mee konden doen. Samen met Michael Shapiro, een Brit, verenigde hij de militante buitenlanders in de Bethune-Yan'an Rebel Brigade van Mao Zedong.

Deze groep had meegelopen in elke demonstratie tegen de revisionistische Russen en tegen de imperialistische Britten, die tot woede van de Rode Gardisten nog steeds over Hongkong heersten. Leden van de 'brigade' hadden ook deelgenomen aan de aanval op de Britse ambassade in augustus, een maand voordat Selma haar brief aan Diana schreef. Daarbij was ambassadepersoneel mishandeld en het ambassadegebouw tot de grond toe afgebrand.

Nu werden deze revolutionaire buitenlanders ervan beschuldigd onder 'revisionistisch leiderschap' te staan, schreef Selma aan Diana. 'Yes, it's a mess,' besloot ze haar brief. 'Deze woorden zijn absoluut alleen voor jou bestemd, be discrete. Liefs voor jou en de jouwen. En maak je geen zorgen. I am still fairly tough. S.'

DE GROTE SCHOONMAAK

NAJAAR 1967

In Santpoort werd op 26 oktober 1967 de bruiloft van Siert en Joke gevierd. Hun huis in Heerhugowaard was klaar. Het bankstel dat ze samen met Selma in Zeeuws-Vlaanderen hadden gekocht was bezorgd en was de trots van hun nieuwe woonkamer. Selma schreef aan haar vader en Corrie: 'Allereerst namens ons vieren van harte gefeliciteerd, en dat jullie veel plezier moogt beleven van je nieuwe schoondochter! We hopen dat jullie een zeer plezierige dag zult hebben, en ik persoonlijk hoop dat Corrie zich niet te druk heeft gemaakt en op bed moet uithijgen.'

Selma had geen goed nieuws te vertellen, maar ze wilde geen domper zetten op de feestvreugde in Nederland. Ze moest nu van zich laten horen en excuseerde zich terloops voor haar lange zwijgen: 'Omdat we het zo druk hadden. De mannen zijn 10 dagen naar het platteland geweest. Dop met school en zijn vader met diens instituut. Greta had tegelijkertijd zullen gaan maar aangezien er niet genoeg plaats was op de vrachtauto's – en ze niet mee wilde doen aan de bestorming daarvan – is ze weer naar huis gekomen. Wij hebben toen 10 dagen een soort werkvakantie gehouden, huis schoongemaakt van top tot teen, gepoetst, gewreven en geboend en geen radio aangehad.'

Wat Chang 'op het land' moest doen meldde Selma niet. Evenmin of hij nog steeds vernederd en gekweld werd door zijn collega's en medewerkers. Nederlandse kranten bleven ondertussen verontrustend nieuws publiceren. In heel China werd in fabrieken en instituten zwaar gevochten, schreef *Het Vrije Volk*. Hoe het er daarbij aan toeging was moeilijk te ontdekken voor de paar buitenlandse correspondenten die zich nog in China bevonden, maar vanuit Hongkong berichtten journalisten dat daar een groot aantal lijken was aangespoeld. In de kroonkolonie bevonden zich veel *China watchers* die de gebeurtenissen in het land van Mao volgden. Zij spraken verschillende dialecten, beluisterden lokale zenders en analyseerden publicaties die ze te pakken konden krijgen. Deze specialisten vermoedden dat het om slachtoffers ging van de strijd tussen verschillende facties die tijdens de Culturele Revolutie waren ontstaan. Hun lichamen waren in de waterrijke provincie Kanton in een rivier terechtgekomen of gegooid en door de stroom meegevoerd naar de Britse kroonkolonie.

Ondertussen was het op het hof van de Tsao's in Peking eindelijk rustig. Er kwamen geen Rode Gardisten meer. Terwijl Dop en Chang op het platteland waren, hadden Selma en Greta zich in huis verschanst. De schoonmaakbeurt leek een bezwering. Zolang alles aan kant was zou hun niets overkomen. De twee vrouwen waren in stilte bijeen. De radio zond alleen revolutionaire muziek uit en toespraken van rebellen. Alle televisie-uitzendingen waren gestaakt omdat verschillende facties elkaar de macht over het zendstation betwistten. 'Makkelijk hoor, zo met z'n tweeën,' schreef Selma aan haar vader, 'geen last met eten koken want wij eten maar kleine hapjes en 's avonds breien we allebei aan 'n trui van uitgehaalde wol.'

Selma hoopte dat het geen strenge winter zou worden, schreef ze, omdat nergens kolen te krijgen waren. Daardoor kon het fornuis niet worden gestookt. Briketten had Selma wel, maar die brandden weer niet in het fornuis. 'Voor 't koken gebruiken we nu 'n briketkacheltje, in de badkamer. Jawel. Douchen kan immers niet meer. Zalig dat gepoedel in waskuipen, hoor,' vervolgde ze cynisch. Nu het fornuis niet werd gebruikt, was er immers ook geen warm water voor de douche. Toch vond Selma het kolengebrek het zieligst voor poes Moumoun: 'die altijd op de keukenkachel sliep zoals papa zich wel herinnert, ze heeft 't constant koud, arm beest. Ik heb haar een dak op haar mandje gemaakt en 'n haakje erin voor de koperen babykruik en zo slaapt ze dan, op Dops voeteneinde.'

Selma was mager geworden. Ze ging haar dikke winterjas nauwer laten maken. 'Chang is al even slank. De kinderen zijn niet afgevallen, maar Dop is geen millimeter gegroeid, wat voor z'n schoenmaat ook wel goed is en z'n lengte is al heel behoorlijk.'

Aan het eind van de brief zijn Dop en Chang teruggekeerd van het platteland, Selma weidde niet uit over hun ervaringen. Wel vermeldt ze dat Dop het gerucht opgevangen had dat de scholen per 1 november weer open zouden gaan, een nieuwtje dat met gejuich was ontvangen in huize Tsao. 'Dop heeft z'n boeken al bij elkaar gezocht en is stevig aan het herhalen. Greta, niet zo studieus uitgevallen, doet het wat kalmer aan. Maar ze heeft goed gewerkt en ik heb 'r dus een quiche gemaakt, waar ze dol op is.' Toch zullen de scholen gesloten blijven.

Selma en haar gezin worstelden zich door de winter heen, zo is op te maken uit haar volgende brieven. Chang moest weer op reis 'en dat is geen lolletje', aldus Selma. Ze deed de was met keteltjes water die ze eerst op het noodfornuisje had verwarmd. Het werd kouder en Selma vreesde een nieuwe voedselschaarste. Ze liet Dop een voorraadkelder graven op de binnenplaats, waarin Chinese kool kon worden opgeslagen. Bij de meeste winkels stonden nu lange rijen. Uien, wortels en aardappelen waren niet meer te krijgen. De diplomatenwinkel aan de andere kant van de stad, waar Selma vroeger brood en kaas kocht en weleens een taartje at, was na het begin van de Culturele Revolutie gesloten.

Wekelijks stapte ze in bus 32 om te kijken of er in het Vriendschapshotel nog iets te krijgen was en om op bezoek te gaan bij Paul Minderhout. Hij was weer gezond en wilde graag terug naar Nederland, maar reizen per trein via Moskou was onmogelijk geworden. Tijdens de Culturele Revolutie was de verhouding tussen de Chinese Volksrepubliek en de Sovjet-Unie extra vijandig geworden. Paul wachtte op een Nederlands vrachtschip dat een Chinese haven aan zou doen, maar dat kon met alle chaos nog wel even duren.

In januari 1968 begon het stevig te vriezen. 'Dop en Greta gaan naar school als ijsberen, niet alleen vanwege 't gebrek aan verwarming maar ook vanwege 't gebrek aan vensterglas.' Op de scholen waren vrijwel alle ruiten tijdens gevechten gesneuveld. Het werd steeds kouder. Op een nacht vroor het twintig graden. Al Selma's planten die ze aan het begin van de winter in haar slaapkamer had gezet, waren daar bevroren. Dop trok eropuit met de schaatsen van opa Vos, maar was al snel weer thuis. Op het ijs werd door aanhangers van verschillende facties zo hard gevochten 'dat Dop er niet van terug had'. Poes Moumoun, inmiddels bijna twaalf jaar oud, was ziek geweest. Selma had haar met een medicijn uit de mensenapotheek weer op de been gekregen. Greta had bijna een trui afgebreid, 'ze moet nog maar een halve mouw'.

Selma was inmiddels gewend geraakt aan het nieuwe keukenkacheltje, dat bleek zelfs een voordeel te hebben: briketten veroorzaakten lang niet zoveel stof als eierkolen. Met Nieuwjaar had ze oliebollen gebakken. 'Voor zover dat ging zonder gist.' Dop en Greta gaf ze elke dag een paar uur Engelse en Nederlandse les, zodat die hun tijd toch nuttig besteedden. 'Verder is het hier stinkkoud, zo koud dat als je met vochtige handen aan de deurknop komt, je er meteen aan vastvriest. En wasgoed ligt al bevroren in de emmer voordat je 't op de waslijn kunt krijgen. Noordenwind uit Siberië, berg je dan maar.'

Op 23 maart 1968 schreef Selma de laatste brief aan haar vader. Ze feliciteerde hem met zijn verjaardag op 2 april. Haar toon was opgewekt, alsof het allemaal wel goed zou komen. Over Chang geen woord, maar dat viel al bijna niet meer op. De seringen op de binnenplaats liepen uit en ze was van plan bloemzaad te gaan zaaien, als dat ergens te krijgen was. Ze had in ieder geval wat graszaad, voor Moumoun, want zij kauwde graag op gras. En iemand had haar sperziebonenzaad beloofd, dat deed het altijd. Het voorjaar lokte. Selma was vooral thuis en met haar kinderen. Voor wie niet beter wist klonk het als een lange vakantie.

'Dop staat af en toe in de keuken dingen te maken uit 'n kookboek. Je lacht je dood, als ie bezig is lijkt ie zo sprekend op opa in z'n doen en laten!! Ook wat de handigheid betreft; hij repareert graag dingen en timmert heel fatsoenlijk, gezien het gebrek aan gelegenheid om zich te oefenen. Stukjes op z'n broek zetten op de machine doet ie ook.' Greta ging een trui voor opa breien, Selma zou uitzoeken of ze die kon opsturen. Zelf was ze bezig aan een vest in zwart-wit. De witte wol daarvoor kwam van een afgedankte trui, de zwarte van een rok die haar eigen moeder nog voor haar had gebreid.

Selma klaagde niet. Voor de komende paar weken had ze genoeg briketten, daarna zouden die wel weer gewoon te krijgen zijn. Ze besloot met: 'We hadden eigenlijk voor 'n halfjaar moeten inslaan, als sommige buren, maar ik ben nou eenmaal voor fair play: als jij zoveel neemt, heeft een ander niet genoeg.'

Max Vos ontving daarna geen enkel bericht meer van zijn dochter. Hij stuurde de ene brief na de andere naar Peking, maar er kwam niets terug. Of toch. De zomer van 1968 was net begonnen toen er een vederlichte luchtpostenvelop werd bezorgd, die opengesneden moest worden en daarna uitgevouwen. In de linkerbovenhoek stonden onder het woord 'Opa' een paar regels in Chinese karakters. Max Vos liet de tekst vertalen door een verre kennis. 'Uw brief van de 6de maand en de 3de dag op de 11de ontvangen. Papa en mama zijn al bijna drie maanden niet thuis. Wij beiden maken het goed. Maakt u zich geen zorgen. Wij hopen dat het met uw gezondheid goed gaat en dat uw hele familie goed gezond is. Greta en Tseng Y.

SELMA WORDT OPGEHAALD

MAART 1968

Die avond zou de familie met vlees gevulde pasteitjes, *jiaozi*, eten. In keurige rijen lagen ze klaar op het met meel bestrooide aanrecht. De nieuwe huishoudster had ze gemaakt. Selma had weer een hulp, dat was sinds kort weer toegestaan. Een paar keer in de week kwam deze jonge moeder van zes kinderen het avondeten voor de Tsao's bereiden. Omdat Chang laat was had Selma gevraagd de pasteitjes nog niet te koken.

Er werd geklopt. Toen Greta de deur opendeed stapten er twee medewerkers van het Psychologisch Instituut binnen. Ze keken naar Selma. Een van hen vroeg: 'Kunt u met ons meekomen naar het instituut? We willen graag even met u praten.' 'Dat is goed,' reageerde Selma enigszins verbaasd. Ze pakte haar jas. Voordat ze de deur uit ging zei ze tegen de hulp: 'Ga maar vast naar huis. We maken de jiaozi straks zelf wel klaar.'

Dop en Greta gingen ervan uit dat hun ouders zo terug zouden zijn en wachtten af. Twintig minuten verstreken. Toen dromde een heel gezelschap van instituutmedewerkers binnen. 'Huiszoeking,' kondigde een van de mannen aan. Net als kort voor Selma's thuiskomst keerden ze de woning binnenstebuiten. De inhoud van alle kasten belandde op de vloer. Brieven en documenten verdwenen in een tas. Tot slot werden de boeken stuk voor stuk doorgebladerd om te zien of daarin geen brieven of notities verborgen waren. 'Pak wat spullen in voor jullie ouders,' commandeerde een van de mannen. Nu pas begrepen Dop en

Greta dat hun vader en moeder niet thuis zouden komen die nacht. Ze waren allebei gearresteerd! Haastig zochten ze kleding, ondergoed en toiletgerei bij elkaar. Voor hij de deur uit liep zei de woordvoerder van de groep: 'Het salaris van jullie revisionistische vader wordt niet meer uitbetaald. Jullie kunnen eens in de maand 18 yuan per persoon ophalen bij het instituut.'

De volgende ochtend, toen ze inkopen gingen doen, merkten Dop en Greta dat iedereen op het hof al op de hoogte was van de arrestatie van hun ouders. Niemand van de bijna vijftig gezinnen die er woonden keek hen aan. Greta en Dop voelden zich paria's, maar gelukkig wierp Lieverdje hun een meelevende blik toe. Zij was altijd een vriendin van Greta geweest. De meisjes hadden vroeger samen gespeeld. Toen Dop en Greta thuiskwamen mompelde buurman Hsiung, die pal naast hen woonde, iets geruststellends. Greta en Dop wisten dat ook hij onder vuur lag op zijn instituut en de hele dag zware arbeid moest verrichten. Toch liet hij merken dat hij hen niet in de steek liet.

De eerste keer dat Dop geld ging vragen, meldde hij zich bij de portier van het instituut. Na verloop van tijd verscheen iemand die Dop kende van de laatste huiszoeking. De man overhandigde hem het geld en liet hem een handtekening zetten. Dop verwachtte dat hij hem zou opdragen schone kleren voor zijn ouders te brengen, maar dat gebeurde niet. Zelf durfde hij dat niet voor te stellen en hij durfde ook niet naar zijn vader en moeder te informeren. Greta en hij maakten zich zorgen of ze wel genoeg te eten kregen en of ze 's nachts wel konden slapen. Later bleek dat Selma en Chang van begin af aan gescheiden van elkaar waren geweest.

Over de 'Campagne tot Zuivering van de Klassengelederen' waar zij het slachtoffer van waren geworden zou historicus Jonathan Spence later schrijven: 'Iedereen naar wie onderzoek werd ingesteld, werd onder zware psychologische druk gezet. Het bekennen van een of andere fout werd als essentieel beschouwd voor iemands persoonlijke verlossing; wie koppig zweeg of in alle rechtschapenheid zijn onschuld betuigde, kon wreed worden gestraft.'

Elk slachtoffer trok een sliert van anderen met zich mee. Zodra een van Changs vrienden, of iemand die in de hiërarchie boven hem stond, schuldig werd bevonden, diende dat als nieuw 'bewijs' tegen hém. Daarna kregen Changs onderschikten en zijn protegés het voor hun kiezen. Ook werden ze gedwongen tegen Chang te getuigen. 'Als ik dat niet had gedaan was ik ook gevangengezet,' zal een van Changs medewerksters later zeggen. Daarnaast moest het vak psychologie met wortel en tak worden uitgeroeid. Waarvan Selma beschuldigd werd, is nooit onthuld. 'Ze wordt in afzondering ondervraagd,' is het enige wat ooit over haar situatie gezegd is. 'Mevrouw Tsao was buitenlandse,' zou de medewerkster later zeggen, 'dat was voldoende reden om in haar een spion te zien en haar vast te houden.'

Een wetenschappelijk instituut dat dienst ging doen als gevangenis; het klinkt als iets uitzonderlijks, maar dat was het niet. Veel Chinese universiteiten, fabrieken en scholen hadden schuurtjes of hokken op hun terrein in gebruik genomen als cellen. De echtgenoot van Selma's vriendin Armi werd in dezelfde tijd gevangengehouden op het taleninstituut waar hij Frans doceerde. Hij ontsnapte en ging zijn beklag doen op het gemeentehuis van Peking. De ambtenaren hield hij voor dat een opleidingsinstituut het recht niet had mensen gevangen te nemen. Zonder pardon werd hij teruggebracht naar zijn cipiers. Kort daarna kreeg zijn zoon Mikko te horen dat hij schoon goed moest komen brengen naar het taleninstituut. In ruil kreeg de jongen de bebloede kleding van zijn vader mee.

Greta en Dop probeerden Moumoun zo veel mogelijk binnen te houden. Elk huisdier moest zijn geregistreerd, dat hadden ze bewust nagelaten. Alle buren wisten van het bestaan van Moumoun, maar tot dusver had nog niemand haar aangegeven. Moumoun kreeg lekkere hapjes en elke avond een warme kruik in haar mandje, ook al was het inmiddels bijna zomer. Greta en Dop gaven haar een wekelijkse wasbeurt met shampoo, net zoals Selma altijd deed. Daarna stak de zwarte V op haar witte kopje weer extra duidelijk af. 'De V van Vos,' had hun moeder zo vaak gezegd.

Nog steeds gingen Dop en Greta, inmiddels negentien en achttien jaar, één of twee keer per week naar hun middelbare school. Dop trof dan zijn klasgenoten in het lokaal op de vierde verdieping waar ze vroeger les hadden gehad. Met de andere jongens besprak hij het laatste nieuws. Op school had hij nooit iets verteld over het lot dat zijn ouders had getroffen, maar hij ging ervan uit dat de anderen dat wel wisten. Een bijzonder verhaal was het in ieder geval niet. Zeker de helft van zijn klasgenoten had problemen in de familie. De vader van een van Dops vrienden had een hoge functie bij de Staatstelevisie. Hij werd er nu ook van beschuldigd revisionist te zijn en moest lichamelijke arbeid verrichten. Misschien was die vader ondertussen ook wel gearresteerd en had zijn klasgenoot net als Dop dat niet verteld. De grootouders van een andere jongen behoorden destijds tot een rijke familie. In 1949 waren al hun bezittingen geconfisqueerd. Sindsdien waren ze arm, toch droegen hun kinderen en kleinkinderen het stigma 'vijanden van de revolutie'. Van een paar klasgenoten wist Dop dat ze net zo dachten als hij, en andersom. Ze vertelden elkaar interessante roddels door. Zoals over voorzitter Mao, die veel tijd zou doorbrengen in een heel groot bed waarin hij verschillende meisjes tegelijkertijd ontving. De scholieren hadden geen idee of het verhaal op waarheid berustte, maar decennia later las Dop in het boek van de lijfarts van Mao dat dit inderdaad het geval was geweest.

Soms fietste Dop met een groepje klasgenoten naar de universiteiten buiten de stad om de muurkranten te lezen. De studenten waren beter geïnformeerd dan de middelbareschoolleerlingen. Er werden op de universiteiten krantjes met het laatste nieuws verkocht. De partijkranten publiceerden alleen saaie propaganda, maar in deze blaadjes werden de namen genoemd van de laatste leiders die gevallen waren. En door wie en waarvan ze beschuldigd waren. Zo waren de jongens weer op de hoogte.

Onderweg en op de universiteiten waren ze op hun hoede; een klein incident kon snel uitgroeien tot een confrontatie. 'Als je het aan de stok kreeg met Rode Gardisten kon niemand je helpen,' zal Dop later zeggen. Om die reden trok hij er liever niet alleen op uit.

Op het hof werden Dop en Greta gemeden, ze waren al niet anders meer gewend. Als er niemand meeluisterde spraken ze soms even met Lieverdje. Ook hun buurmeisje vond het onbegrijpelijk wat er gebeurde. Haar moeder, mevrouw Tang, stond op een dag buiten voor haar deur toen Greta voorbijliep om inkopen te gaan doen. Met een snel gebaar en zonder iets te zeggen stopte de vrouw een handvol bankbiljetten in Greta's boodschappenmandje. 'Het geld maar nog meer het gebaar was ons tot grote steun,' zal Greta later zeggen.

Zij en Dop durfden niet meer bij oude vrienden langs te gaan. Velen van hen, wisten ze, zaten ook diep in de problemen, zoals Hong Fei, met wie Greta op de lagere school gezeten had. Zij was in de verte verwant aan de keizerlijke familie. Er had een berg stukgeslagen meubels op hun stoep gelegen. Greta probeerde er niet aan te denken hoe de familie eraan toe moest zijn. In ieder geval waren ze uit hun woning verjaagd.

Buiten de poort zwierven niet alleen groepen Rode Gardisten rond, er waren ook criminele bendes actief. Twee zoons van Germaine, de Franse vriendin van hun moeder, hadden zich daarbij aangesloten, bleek later. De broers pleegden inbraken.

In de theaters werden steeds dezelfde revolutionaire opera's opgevoerd, de bibliotheken waren gesloten en de eigen boeken van Greta en Dop waren meegenomen door de Rode Gardisten van het instituut. De klassieken werden nu al jaren verketterd en vooral de oude Russische literatuur. 'Feodaal gif' was het. Dat had de nieuwsgierigheid van Dop en Greta gewekt. Dop wist contact te leggen met een paar jongens die handelden in spullen die nu verboden waren. Zij waren bereid een titel van zo'n Russische schrijver op te sporen. Het werd *Oorlog en vrede* van Tolstoj. Om de beurt verslonden Greta en Dop het verhaal over adellijke families in Moskou die betrokken raakten bij de oorlog tussen Rusland en Frankrijk onder Napoleon. Bij een onverwacht geluid werd het boek snel achter de pannen in de gootsteenkast verstopt.

Inmiddels waren er een paar brieven van opa uit Nederland gekomen. Greta en Dop lazen genoeg Nederlands om te begrijpen dat de oude man zich zorgen maakte omdat hij maar niets van zijn dochter hoorde. Ze moesten terugschrijven. Een heel kort bericht. Ze hielden er rekening mee dat de brief onderschept zou worden en Rode Gardisten verhaal zouden komen halen. Contact met het buitenland was verdacht. Dat moest dan maar.

Midden augustus kreeg Greta het bericht dat ze al eerder had verwacht: zij en haar klasgenoten moesten Peking verlaten. Sinds ze medisch gekeurd waren hing dit in de lucht. Greta was ingedeeld bij de groep die naar Binnen-Mongolië moest. Een paar weken later moesten ze vertrekken.

Miljoenen jongeren in Peking en andere grote steden trof eenzelfde lot. Net als Greta en Dop hadden ze al twee jaar geen les gehad en het zag er niet naar uit dat het onderwijs spoedig hervat zou worden. Docenten waren immers beschuldigd, gevangengezet of vermoord. De jongeren die doelloos hun dagen doorbrachten begonnen voor overlast te zorgen. Hun aantal was elk jaar gegroeid. De misdaad nam toe en de situatie werd onhoudbaar. Een nieuw opgerichte organisatie was al maanden bezig met het regelen van hun verhuizing naar het platteland. Daarvoor moesten ouders toestemming geven. Voor de wet waren de jongeren minderjarig. Dat was een reden die Greta en Dop konden aanvoeren om hun ouders te zien. Ze meldden zich bij de poort van het Psychologisch Instituut. De contactpersoon werd erbij geroepen. 'Kom zondag maar terug!'

GRETA EN DOP BEZOEKEN HUN OUDERS

Greta en Dop zaten te wachten in een kale, vuile kamer die deel was van het laboratorium. Sinds er geen onderzoek meer werd gedaan was de boel verwaarloosd. 'Jullie spreken geen woord buitenlands, begrepen!' snauwde de contactpersoon die naast hen stond. Greta en Dop knikten. De deur ging open.

Twee vrouwen leidden hun moeder binnen. Vijf maanden hadden ze haar niet gezien. Selma droeg de jurk die zij voor haar hadden ingepakt. Het viel Greta en Dop op hoe mager ze was geworden. Misschien kreeg ze wel gras of bladeren te eten, vreesden ze, maar ze was wel heel blij hen te zien. 'Hoe gaat het met jullie?' vroeg Selma. 'Goed,' antwoordde Greta ongemakkelijk. De twee bewakers en de 'contactpersoon' waren blijven staan. Ze volgden elk woord en keken daarbij alsof ze met een drietal zware misdadigers te maken hadden.

'Ik vertrek binnenkort naar Binnen-Mongolië,' zei Greta zacht. Over het gezicht van haar moeder gleed een bezorgde uitdrukking. 'Ik kom om toestemming en advies te vragen,' ging Greta verder. 'Wat moet ik allemaal meenemen?' Een van de bewaaksters riep met schelle stem: 'Ze zal heropgevoed worden door de boeren! En dat is maar goed ook, want haar moeder is een vijand van de Culturele Revolutie!'

Selma zocht naar woorden. 'Alleen Chinees!' commandeerde een van de vrouwen. 'Je moet veel warme kleding meenemen,' vervolgde Selma. 'Neem ook je stevige schoenen mee en je winterlaarzen.' Greta knikte. Ze had haar moeder graag gevraagd hoe het met haar ging, maar zij en Dop wisten wel dat ze daar geen antwoord op kon geven. 'Heb je nog iets nodig. Kunnen we iets brengen?' vroeg Dop. 'Nee,' antwoordde zijn moeder. 'Maak je geen zorgen.' Daarna werd ze weggeleid.

Een kwartier later kwamen twee bewakers binnen met Chang. Dop zag in één oogopslag dat zijn vader geen enkele hoop meer had. 'Mijn vader lag toen al twee jaar onder vuur, waarvan vijf maanden in gevangenschap. Hij had het Psychologisch Instituut opgebouwd en daar zestien jaar van zijn leven aan gegeven. Op dat moment zag ik dat hij zich realiseerde dat het allemaal voor niets was geweest. Alles was weer afgebroken. Bovendien had hij mijn moeder meegenomen naar China. Hij had haar ook in het ongeluk gestort.'

Hun vader glimlachte niet naar hen zoals hun moeder had gedaan. Hij leek verstijfd en zei alleen maar dingen waarvan hij dacht dat hij ze moest zeggen: 'Heel goed, dochter, dat je naar het platteland gaat om je te laten heropvoeden door de boeren! Luister goed naar wat de boeren je vertellen. Zo kun je een bijdrage leveren aan de Culturele Revolutie!' Greta en Dop knikten. Hun vader was altijd een trouw partijlid geweest, maar zulke opmerkingen had hij nooit eerder tegen hen gemaakt. Er werd blijkbaar veel druk op hem uitgeoefend. Hun vader moest zich zorgen maken over Greta's vertrek. Alle ouders deden dat. Dat hun vader die zorgen niet kon uitspreken betekende niet veel goeds. Bij het afscheid zagen ze even weer de vader die ze kenden. Chang keek zijn zoon aan en zei ernstig: 'Nu ben jij het hoofd van de familie.'

Thuis haalde Dop de groene koffer tevoorschijn waarmee het gezin achttien jaar geleden naar Peking was gekomen. Greta zocht de kleren bij elkaar die haar moeder had genoemd. Al haar truien, vesten en sjaals moesten mee. De rokken en jurken bleven thuis, die werden op het platteland niet gedragen. Dop vouwde alles op en pakte het netjes in de koffer. Daar was hij net zo goed in als zijn moeder omdat hij 'Vossehanden' had, zoals ze altijd zei. Greta en hij bezaten elk een dikke Engelse wollen deken die door hun ouders in Cambridge was gekocht. Er waren er meer geweest, maar bij een van de huiszoekingen waren die in beslag genomen: Ze golden als decadent. Greta besloot daarom dan ook alleen een ouderwets met kapok gevuld dekbed mee te nemen, daarmee viel ze niet op. Het volumineuze geval paste niet in de koffer en moest als extra bagagestuk mee, maar dat was geen probleem, alles werd vooruitgestuurd. De reisorganisatie zorgde daarvoor. Een paar dagen voor vertrek werden koffers en dekbedden bij iedereen thuis opgehaald.

Dop wikkelde het stapeltje bankbiljetten dat ze nog hadden in een zakdoek. Op de avond dat hun ouders niet thuis zouden komen en het huis was doorzocht, lag het laatste salaris van hun vader, vierhonderd yuan, in een lade. De Rode Gardisten hadden het niet in beslag genomen. Ze waren op bezoek geweest naar bewijzen van 'westerse decadentie', Chinees geld behoorde daar niet toe. Daarna had Dop de bankbiljetten voor de zekerheid toch maar verborgen. Een deel daarvan was inmiddels uitgegeven, nog tweehonderd yuan waren over. Wie zuinig aan deed kon daar maanden van leven. Dop wilde dat Greta het geld meenam naar Binnen-Mongolië voor het geval zich een noodsituatie zou voordoen. Zij was een meisje en kwetsbaarder. Hij zou zich zonder geld wel zien te redden.

Op de laatste zondag van augustus meldden broer en zus zich opnieuw bij de poort van het instituut. Afgesproken was dat Greta afscheid zou mogen nemen van haar ouders. Weer moesten ze wachten in het troosteloze vertrek. Toen hun moeder werd binnengebracht viel hun meteen op dat er iets aan haar veranderd leek. Haar gezicht stond strak. Ze bewoog zich mechanisch en ze vroeg niets. 'Ik vertrek over een paar dagen,' begon Greta. Selma's gezicht veranderde niet. Ze staarde voor zich uit. Greta en Dop wisten niet goed wat verder nog te zeggen. Kort daarna werd hun moeder weggeleid en net zoals de vorige keer verscheen een kwartier later hun vader, geflankeerd door zijn cipiers.

'Ik vertrek over een paar dagen,' begon Greta weer. Tot ontzetting van Dop en Greta barstte hun vader in tranen uit. Dop besefte later wat er toen door hem heen moet zijn gegaan: zijn eigen familie had zich zoveel ontzegd om hem te laten studeren zodat hij aan hun arme dorp kon ontsnappen. Nu werd zijn kind naar een dorp gestuurd waar ze misschien wel de rest van haar leven zou moeten blijven.

GRETA VERTREKT NAAR HET PLATTELAND

1967

Dop fietste naar het station. Op spoor 1, waar de trein al klaarstond en zich een hele menigte van familieleden had verzameld. Schoolbussen, die via de speciale zijingang het station waren binnengereden, kwamen op de kop van het perron tot stilstand. Honderden leerlingen stroomden naar buiten, allemaal gekleed in een blauwe katoenen broek, een blauw jasje en met op hun borst een rood speldje met een portret van voorzitter Mao. Geüniformeerde stationsmedewerkers begonnen op trommels te roffelen en sloegen koperen bekkens keihard tegen elkaar. Een schelle stem, vervormd door de luidsprekers, riep: 'De Culturele Revolutie zal de hele wereld veroveren! Boeren zijn de pijlers van Chinese maatschappij! Lang leve Voorzitter Mao!'

De leerlingen zagen lijkbleek. In de menigte probeerden ze hun vader, moeder, broers en zussen te ontdekken. Dit was de laatste keer dat ze hen zouden zien. Dop zag Greta niet, maar zij liep meteen op haar lange broer af. Praten was vrijwel onmogelijk. Uit de luidsprekers knalde nu revolutionaire muziek. De andere scholieren hadden ook hun familieleden gevonden, ze vormden nu het middelpunt van ouders, broers en zussen. Iedereen huilde. Op het perron klonk luid gejammer. Daartegenin schetterden de trommels, de cimbalen en opnieuw de metalen luidsprekerstem: 'Jongeren leveren met vreugde hun bijdrage aan de Culturele Revolutie! Lang leve Voorzitter Mao.'

De ouders waren er misschien nog wel het ergst aan toe. Hun

tranen lieten ze vrijelijk over hun wangen stromen. Zij wisten wat verbanning naar het platteland betekende en vreesden wat hun kind zou kunnen overkomen. Greta was overmand door verdriet. Haar ouders waren er niet. Snikkend stond ze naast haar broer, die zich met alle macht probeerde te beheersen. Ze moest alleen naar het noorden, zonder Dop, die haar steun en toeverlaat was geworden sinds hun ouders waren gearresteerd. 'Meteen schrijven als je bent aangekomen,' riep Dop boven het lawaai uit. Dan had hij haar adres tenminste. Greta knikte. De afgelopen dagen had hij dat al een paar keer gezegd. Dop zou ook naar het platteland moeten, maar zolang hij nog in Peking was zou hij op het huis en op Moumoun kunnen passen en zich beschikbaar houden voor het geval er iets voor hun ouders gedaan kon worden.

'Instappen!' werd er geroepen. De stoomfluit gilde boven de trommels en de cimbalen uit. Verblind door tranen volgde Greta haar klasgenoten de trein in. De revolutionaire muziek werd luider. Ouders riepen nog een laatste advies naar hun kind, maar ze waren onverstaanbaar. De stoomlocomotief zette sissend en rokend de stoet wagons in beweging. Zeshonderd scholieren waren op weg naar hun nieuwe bestaan.

'Sommige kinderen bleven de hele reis huilen,' herinnert Greta zich. Zij troostte zich na een paar uur met de gedachte dat zij niet de enige was wie dit overkwam. Ze werd omringd door de acht scholieren met wie ze naar hetzelfde dorp zouden gaan: twee meisjes en zes jongens. Naast haar zat haar beste schoolvriendin, die een van hen was: Geurige Bloem. Zij had Greta altijd gesteund terwijl haar familie het ook moeilijk had. Haar ouders waren weliswaar eenvoudige arbeiders, maar hadden ooit van hun spaargeld een klein huis gekocht en een deel daarvan verhuurd. De Rode Gardisten hadden hen tot de verwerpelijke kaste van 'huizenbezitter' gebombardeerd en de vader verschillende keren zwaar mishandeld. Het huis was geconfisqueerd, maar ze woonden er nog wel in één kamer. Met vrijwel alle kinderen uit de groep was iets aan de hand. De oom van een van de jongens was in 1949 met de nationalisten naar Taiwan gevlucht. Nu waren zijn ouders 'spionnen voor Taiwan'. Leerlingen met een 'zuivere klassenachtergrond' konden via goede contacten vaak iets regelen met een doktersverklaring zodat ze niet naar het platteland hoefden.

De scholieren waren een paar uur onderweg toen de stemming in de trein iets begon te verbeteren. Greta kreeg snoepjes en deelde zelf koekjes uit. 'We probeerden er maar het beste van te maken.' De trein ratelde door een verlaten berglandschap. Toen het donker werd probeerde iedereen wat te slapen.

In de ochtend stapte voor het eerst een groepje leerlingen uit. Zij werden in die omgeving ingekwartierd. Steeds leger raakte de trein. Uren later bereikten ze eindbestemming Hohhot, hoofdstad van Binnen-Mongolië. Daar kon Greta haar groene koffer en haar opgerolde dekbed van een loketbediende in ontvangst nemen. Ook de bagage van haar groepsleden was aangekomen. Ze werden naar een oude bus gedirigeerd en reden Hohhot weer uit. Dit kon je geen stad noemen, stelde Greta vast. Bakstenen krotjes stonden aan ongeplaveide, modderige straten. Buiten Hohhot begon een uitgestrekte vlakte. Daarna beklom de bus een plateau en kwamen ze in een eindeloos, glooiend graslandschap terecht. Er was geen boom of struik te bekennen. Mongolen woonden niet in deze streek, hadden de scholieren vastgesteld. Er was er niet één te bekennen en alle passagiers waren Han-Chinezen. Hoe konden mensen hier overleven, vroeg Greta zich af. In een nederzetting met een winkeltje werden ze opgewacht door een man met paard-en-wagen. Hij bracht hen verder het heuvelland in, naar een gehucht van ommuurde lemen huizen, zeventien in totaal. Op het erf van elke woning rukte een grote wolfachtige hond luid blaffend aan zijn ketting.

De scholieren uit Peking keken geschokt om zich heen. Was dit de plaats waar ze nu moesten blijven? Greta en de twee andere meisjes werden afgezet voor de muur rond een van de woningen, de jongens werden elders ondergebracht. In de poort stonden een vrouw, balancerend op kleine gebonden voeten, haar man en een verlegen tienerzoon hen op te wachten. De meisjes zouden bij hen logeren totdat er een nieuwe woning voor de scholieren was gebouwd.

Inmiddels werden Greta en haar twee klasgenotes omstuwd door nieuwsgierige vrouwen en kinderen uit het dorp, die hen aandachtig opnamen. Hun gezichten waren bruinverbrand, hun halzen en handen zwart van het vuil. Ze verspreidden een doordringende, zure lichaamsgeur. De dorpelingen wezen elkaar op details van het uiterlijk en de kleren van de meisjes, maar Greta merkte dat er niet speciaal op háár werd gelet. De mensen zagen geen verschil tussen haar half-westerse gezicht en dat van de twee anderen. Het woord 'buitenlander' werd niet genoemd. 'Uit Peking,' fluisterde de een na de ander.

'Kom! kom!' nodigde de vrouw des huizes. Moeizaam strompelend ging ze voor hen uit en opende een van de twee deuren in het huis. 'Hier kunnen jullie zolang wonen. Dit is voor onze zoon en zijn bruid als hij is getrouwd.' Ze leidde de meisjes naar een ruimte met een lemen vloer. Het grootste deel van het vertrek werd in beslag genomen door een verhoging, ook van leem: de *kang*. In het halletje waardoor ze binnen waren gekomen stond een eenvoudig fornuis. De vrouw liet zien dat als dat werd gestookt ook de kang warm werd. Je kon het vuur aanjagen met een blaasbalg. Er lag een bergje gedroogde mest naast, die als brandstof werd gebruikt. Haar zoon zou hun wel laten zien waar je dat kon vinden en hoe je het moest drogen. Zij zou zo de waterput en het privaat wijzen op het erf.

De meisjes spreidden hun beddengoed uit boven op de kang. De ramen, zag Greta, waren van papier, niemand had glas in dit dorp, en ook geen meubels, zelfs geen krukje, had ze van de vrouw begrepen. 'Hout is hier net zo duur als goud.'

De scholieren werden in het dorpshuis verwacht, opnieuw met een lemen vloer. Hier zagen ze ook de jongens weer, die aan andere families waren toegewezen. Het dorpshoofd sprak een paar officiële woorden. Er vielen termen als 'onze taak', 'in naam van de Culturele Revolutie', maar hij had het ook over 'deze kinderen die ver van hun ouders zijn'. Er werd een grote, dampende ketel binnengebracht.

De scholieren roken de zware geur van schapenvlees. Alleen zij kregen iets opgeschept, de boeren keken toe, de scholieren durfden geen hap te nemen. Zoiets hadden ze nog nooit gegeten. Greta hoorde de stem van haar moeder in haar hoofd. 'Als je het niet lust, ga je maar naar je kamer.' Dat zei ze vroeger altijd zodra haar dochter kritisch keek naar iets op haar bord. Ze nam een hapje, eigenlijk was het erg lekker, maar haar klasgenoten wilden niets proeven en keken toe hoe zij haar kom leegat. 'Binnen de kortste keren zou ons hele groepje een moord doen voor die schapenstoofpot met haver, wortel en wittekool. Iedereen zou het een grote delicatesse gaan vinden. In het dorp werd maar een enkele keer per jaar vlees gegeten,' herinnert Greta zich.

Het was donker geworden en de scholieren keerden terug naar hun gastgezinnen. De meisjes konden in hun kamer geen hand voor ogen zien. De boerin bracht een kruikje olie, met daarin een lont die ze voorzichtig aanstak. Het vlammetje wierp dansende schaduwen over de kale muren. 'Niet te veel bewegen,' lachte de boerin, 'anders gaat hij uit en lucifers zijn duur.' Voorzichtig kropen de meisjes onder hun dekens.

Buiten blaften honden. Ze waren van slag door de komst van zoveel vreemden. In het dorpshuis hadden de boeren de jongens en meisjes welkom geheten, maar ze hadden ook gemompeld dat het niet hun eigen idee was geweest negen extra monden naar hun dorp te halen. 'We hadden geen keus.' Stedelingen konden niet hard werken maar aten net zoveel als zij, vreesden ze. Toch had Greta vandaag in dit dorp meer menselijke warmte gevoeld dan in Peking.

De boerin had verteld dat hun voorouders tot honderd jaar geleden nog in het midden van China woonden. Ze waren gevlucht voor een hongersnood. In de heuvels van Binnen-Mongolië hadden ze zoveel land gevonden dat ze het niet allemaal bebouwen konden. 'Naar hun idee waren ze in het paradijs beland,' zal Greta later zeggen.

Maar zij zag het dorp met andere ogen. Er was geen elektriciteit, geen licht, geen radio en niemand had een zaklantaarn of een naaimachine. Geen enkele bewoner had een klok, horloge of thermometer, alles moest op gevoel. Toen Greta vroeg waar de vrouwen hun kleren wasten, antwoordde een van hen: 'Van wassen slijt je goed.' Hun eigen lichaam zag ook zelden water en zeep. In het dorp krabde iedereen zich voortdurend aan het hoofd. 'Waar een mens is, zijn luizen,' had iemand gezegd.

's Morgens werden de meisjes wakker van geroep. 'Zo direct allemaal verzamelen!' hoorden ze het dorpshoofd schreeuwen. Niet voor niets was de komst van de scholieren in begin september gepland. De oogst moest worden binnengehaald. Greta leerde hoe ze haver met een sikkel moest snijden. Zo dicht mogelijk bij de grond, de stengels waren waardevol als stro. Zodra ze een bosje verzameld had moest dat bij elkaar gebonden. Het dorpshoofd voorspelde dat de wind zou opsteken, er was dus haast geboden.

Aan het eind van de middag liet een van de boeren hun zien hoe de haver moest worden bewerkt. Zo van het veld kon je het niet eten en de scholieren moesten nu voor hun eigen maaltijden zorgen. In een schuurtje werd de haver boven een groot vuur geroosterd in een enorme ronde pan. Bij het proces kwamen pluisjes vrij die Greta's ogen deden tranen. De boer bond zijn mouwen en broekspijpen dicht met touw, anders zaten de prikkende pluisjes dagen later nog in je kleren, waarschuwde hij.

Doodmoe vielen de drie meisjes die eerste avond neer op de kang, om de volgende ochtend weer vroeg te worden gewekt. Er waren nog meer velden met graan. Daarna moesten de aardappels uit de grond, voordat de eerste nachtvorst kwam.

De scholieren werkten, aten, en een paar keer hadden ze 's avonds in het dorpshuis een politieke scholing bijgewoond. Alleen de boeren kwamen daar, de boerinnen bleven thuis. 'We konden vaak onze ogen niet openhouden,' zal Greta later zeggen.

Greta was nu tien dagen in het dorp en zat 's avonds doodmoe op de kang. Buiten klonk rumoer. Een verzameling dorpsgenoten drong de kamer binnen met voorop de assistent van het dorpshoofd. Hij was naar een naburige, grotere nederzetting geweest en had een telegram meegekregen dat aan Greta was gericht. De man had het bericht geopend en gelezen. Dat was aan zijn gezicht te zien. De hele stoet dorpelingen scheen ook al van de inhoud op de hoogte. De boodschapper rechtte zijn rug en las met luide stem: 'Kom onmiddellijk terug naar Peking.'

VRESELIJK NIEUWS

9 SEPTEMBER 1968

Nu hij alleen was lunchte Dop regelmatig in de kantine van zijn school. Sinds de lessen waren gestaakt kwamen daar niet veel leerlingen meer. Er werd nauwelijks schoongemaakt. Dop bleef daarom liever staan dan dat hij aan een van de smerige tafels ging zitten. De medewerkers van de administratieafdeling kwam hij hier nog wel altijd tegen. Zij stonden nu onder leiding van het Revolutionaire Comité en hielden net als vroeger de kasboeken bij en schreven brieven. Ook leraren kwamen lunchen. Zij waren nu de 'vijanden van de revolutie' en hadden die ochtend wc's schoongemaakt of gangen gedweild. Dop liet het wel uit zijn hoofd iets tegen hen te zeggen. Niemand zei iets. Het was stil in de kantine.

Bij binnenkomst overhandigde Dop zijn distributiebon aan een van de personeelsleden, een ander nam met een snauw zijn tien fen in ontvangst. Zoals iedereen had Dop zijn eigen eetgerei bij zich, in zijn geval houten eetstokjes en een aluminium bakje. Door een derde medewerker werd daar met een grote lepel een klodder rijst in gemikt. Een vierde gooide er een paar stukjes kool en wat vetspek bovenop. Lekker vond Dop het eten nooit, maar het scheelde hem een warme maaltijd maken. Binnen een paar minuten werkte hij zijn eten naar binnen. Daarna spoelde hij zijn etensblik en stokjes af bij een kraan, borg die in zijn tas en stapte weer op zijn fiets.

Die maandagochtend wilde hij weer op school gaan lunchen. Wie weet zou hij een paar klasgenoten tegenkomen, maar het was nog vroeg. Eerst moest hij de komende uren zien te vullen. De deur ging open en in een kier verscheen een jong buurmeisje. 'Je moeder is dood,' zei ze. Dop keek haar verbijsterd aan. 'Iemand zegt het,' vervolgde het kind. Dop liep naar buiten.

Aan de gezichten van zijn buren zag hij dat ook zij het nieuws hadden gehoord. Hij ging weer naar binnen en vroeg zich af wat hij moest doen. Hoe kon zijn moeder ineens zijn overleden? Hij had haar nog geen twee weken geleden gezien, toen hij met Greta afscheid was gaan nemen omdat ze naar Binnen-Mongolië vertrok. Zijn moeder was nog maar zevenenveertig. Zijn gedachten werden onderbroken door twee medewerkers van het Psychologisch Instituut die ineens in de woonkamer stonden. Een van hen was de chauffeur die de hele familie naar de luchthaven had gereden toen Selma naar Nederland ging. 'Je moet naar het instituut komen!' sommeerde hij. 'Is mijn moeder overleden?' wilde Dop weten. Er kwam geen antwoord.

Dop fietste achter hen aan. 'Wat is er met mijn moeder?' riep hij. De mannen bleven zwijgen. Dop ging sneller fietsen en haalde hen in, steeds sneller fietste hij. Als eerste was hij bij de poort van het instituut, waar hij zonder af te stappen doorheen sjeesde. Dat was streng verboden en nog nooit gebeurd. De portier kwam verbijsterd zijn hokje uit.

Iemand verwees Dop naar een gebouw, hij werd verwacht. Hij betrad een kamer waar een stuk of vijftien mensen bijeen waren. Zodra ze hem in het oog kregen begonnen ze met van woede vertrokken gezichten tegen hem te schreeuwen. 'Jouw moeder wilde haar straf ontlopen!' 'Je moeder was een verrader.' 'Jij bent de zoon van een verrader.' Tussen de mannen en vrouwen ontdekte Dop zijn lerares politieke geschiedenis. Nu pas geloofde hij dat zijn moeder werkelijk overleden was, anders was zij nooit naar het instituut gekomen. 'De zoon van een antirevolutionaire spion,' schreeuwde iemand. Dop kon geen woord uitbrengen. Vlak voor zijn gezicht bleven mensen tegen hem gillen.

Zijn vader werd binnengebracht. Hij huilde. Dop hoorde later dat zijn vader een dag eerder naar het dode lichaam van Selma was gebracht. Daar was hij ingestort. De bewakers hadden hem geschopt en gedwongen weer op te staan. Hij moest zijn vrouw beschuldigen. Dat had Chang geweigerd. Nu krijsten ze weer: 'Zeg tegen je zoon dat zijn moeder een spion was die haar straf probeerde te ontlopen,' riep iemand. Dop begreep uit die woorden dat zijn moeder zelfmoord had gepleegd. Rode Gardisten interpreteerden dat als schuldbekentenis. Chang mompelde iets, maar dat was niet goed genoeg. 'Zorg dat je zoon op het rechte pad komt. Zeg hem dat zijn moeder een verrader was.' Chang weigerde en werd weggetrokken. 'Wil je het lichaam van je moeder zien?' schreeuwde een vrouw tegen Dop.

'Nee!' Dop wilde alleen maar weg. Hij kreeg de trouwring en het horloge van zijn moeder in zijn hand gedrukt. 'Wat moet er met de as gebeuren?' vroeg iemand. 'Weet ik niet.' Dop was alweer buiten en sprong op zijn fiets.

Op het hof probeerde iedereen hem te mijden. Hij was nog maar net thuis toen mevrouw Sun kwam, de vroegere werkster. Ze woonde vlakbij, achter de muur, op een ander hof. 'Ik heb het gehoord,' huilde ze. Veel huishoudelijk personeel had zich tijdens de Culturele Revolutie tegen hun vroegere werkgevers gekeerd en hen beschuldigd. Mevrouw Sun niet. Ze kwam om Dop te troosten.

's Middags fietste Dop naar school. De lerares politieke geschiedenis had hem die ochtend gezegd dat hij moest komen. Dop wist dat zij een aanhanger van de Rode Gardisten was en verwachtte niet veel goeds van het gesprek, maar het viel mee. 'Je moet nu sterk zijn en je eigen weg gaan,' zei de lerares.

Dop liet zijn hoofd hangen. 'Het maakt niet meer uit wat ik doe,' antwoordde hij. 'Wat er gebeurd is komt allemaal in mijn dossier te staan. Mijn beide ouders zijn vijanden van de revolutie. Mijn moeder heeft haar straf daarvoor ontlopen. Ik kan geen eigen weg kiezen.' De lerares knikte. 'Toch moet je goed je best blijven doen.'

Twee weken na Selma's dood verscheen Greta op een ochtend, vergezeld door Kleine Wang, een van de negen scholieren met wie ze in het Binnen-Mongoolse dorp woonde. In een paar woorden vertelde Dop wat er was voorgevallen. Greta zakte in elkaar.

'Ik heb het nooit kunnen geloven,' zal ze later zeggen. 'Mijn moeder was teruggekomen uit Nederland, voor ons. Waarom zou ze ons dan op die manier alsnog verlaten?' Greta wilde haar vader spreken op het instituut, maar bij de poort werden zij en Dop afgesnauwd en weggejaagd.

Greta kon maar een paar dagen in Peking blijven. Het buurtcomité wist dat ze was teruggekeerd, een vertegenwoordigster kwam poolshoogte nemen. Een dringende familiekwestie? Haar moeder was weken geleden overleden! Wat deed Greta hier dan nog? De volgende dag stond de vrouw weer op de stoep. Ze begon steeds harder te schreeuwen. Greta zal later zeggen: 'Zo iemand had heel veel macht. Ze vond dat ik moest opdonderen.'

Daarna was Dop weer alleen met Moumoun. Op een middag verschenen er opnieuw twee medewerkers van het instituut. 'Ik geloofde eerst niet wat ik hoorde,' zal Dop later zeggen. De twee mannen vertelden dat ze bezig waren een tentoonstelling samen te stellen over het decadente leven van de familie Tsao. Dop wilde hen niet assisteren dus trokken ze zelf de westerse pakken van Chang uit de kleerkast. Ook diens Britse tennisracket moest mee en het Engelse theeservies. Dat brachten ze alvast naar de auto die voor de poort stond geparkeerd. 'Zorg jij in de tussentijd voor iets waar die kat in kan.' Kwam aan de wreedheid van deze mensen dan nooit een eind? vroeg Dop zich af.

Hij zag zijn vader voor zich, net weduwnaar. Ze zouden hem dwingen rechtop naast de bezittingen te staan die nu door deze mannen werden verzameld, hem beschimpen, stompen, slaan. Er kwam een waas voor zijn ogen. Snel deed hij de voordeur op slot, sprong op zijn fiets en reed de poort uit. Een van de medewerkers probeerde hem te stoppen door zijn bagagedrager te grijpen. 'Waar ga jij naartoe! We zijn nog niet klaar!' riep hij kwaad. Dop hield zich doof en fietste zo hard mogelijk weg.

's Avonds, toen het donker was, kwam hij terug. Hij verwachtte een ingetrapte deur, een woning in chaos, maar Moumoun lag rustig op de bank te slapen. Dop wachtte af. Misschien kwamen ze nu ook hem arresteren. Hij had immers verzet gepleegd. Het kon hem allemaal niets meer schelen. Maar er gebeurde niets. De dagen sleepten zich voort. Dop zocht zo veel mogelijk het gezelschap op van vrienden en klasgenoten, maar ze konden bijna nergens heen. Veel parken waren zonder verklaring gesloten. Later kwam Dop erachter dat het door hem en zijn vrienden geliefde Beihaipark in die tijd gereserveerd was voor Jiang Qing, de echtgenote van Mao.

DOP ALLEEN IN PEKING

1968

Een halfjaar later hoorde Dop dat hij en zijn klasgenoten zich klaar moesten maken voor vertrek. Hij was inmiddels twintig. Zijn klas zou naar Shaanxi worden gestuurd, een provincie ten westen van Peking. Dop stuurde een brief naar school waarin hij uitlegde dat hij niet weg kon omdat hij op het huis moest passen. Er was geen ander familielid dat dit kon doen. De school gaf hem toestemming voorlopig in Peking te blijven. Met Chinees Nieuwjaar kwam Greta terug. De dorpspartijleider had haar en de andere scholieren toestemming gegeven de feestdagen thuis door te brengen.

Broer en zus zaten te lezen in de woonkamer toen de portier van het hof kwam melden dat iemand van het instituut had gebeld: hun vader was opgenomen in een ziekenhuis. Ze haastten zich erheen en vonden Chang op een zaal met vijf andere patiënten. Hij was vel over been en vertelde dat er leverkanker bij hem was vastgesteld. Zoals gebruikelijk moesten Dop en Greta voor eten, schone lakens en kleren zorgen, en hun vader naar de wc brengen. Een operatie wees uit dat Chang niet meer te redden was, de kanker had zich uitgezaaid. Hij werd ontslagen uit het ziekenhuis. De instituutmedewerkers besloten dat hij niet mocht terugkeren naar zijn oude woning. Die moest worden ontruimd. De 55 vierkante meter zouden te groot zijn nu Selma niet meer leefde en Greta officieel was uitgeschreven.

Ze kregen één kamer toegewezen, op een terrein dat ook eigendom was van de Academie van Wetenschappen. De nieuwe buren reageerden vijandig toen Greta en Dop een paar bezittingen kwamen brengen. Rode Gardisten van het Psychologisch Instituut hadden hun verteld dat de Tsao's 'vijanden van de revolutie' waren. In het vertrek was voor niet veel meer plaats dan voor drie bedden. Daaronder werden koffers met kleding geschoven en een paar pannen. Moumoun hield zich hiertussen verborgen. Ze was door de verhuizing angstig geworden. Het brikettenkacheltje paste net in een hoek. Een deel van de meubels uit de oude woning wist Dop ergens op te slaan, maar voor de eettafel, stoelen, kasten en de sofa was geen plaats. Die had hij moeten laten staan.

Toen werd Chang overgebracht naar het troosteloze kamertje. Hij leed veel pijn en eten lukte bijna niet. Dop kocht geneeskrachtige kruiden bij de apotheek, maar die brachten geen verlichting. Regelmatig kwamen Rode Gardisten van het instituut Chang ondervragen, ze scholden hem uit als zijn antwoorden hun niet bevielen. Elders hadden mensen bekentenissen gedaan en Changs naam genoemd. Hij moest toegeven met hen voor het Westen te hebben gespioneerd.

De kinderen probeerden hun vaders leed te verzachten, maar iemand van het buurtcomité kwam steeds op kijvende toon meedelen dat Greta onmiddellijk weg moest. Ze had geen *hukou* meer, geen verblijfsvergunning voor Peking. Haar brief met toestemming uit Binnen-Mongolië werd weggewuifd. Greta raakte daardoor geheel van streek en vertrok naar vrienden. Kleine Wang, die ook van het Binnen-Mongoolse dorp naar Peking was gekomen voor de feestdagen, kwam nu naast Dop aan het bed van de doodzieke Chang zitten. Kort daarna drongen politieagenten de kamer binnen en arresteerden Kleine Wang omdat ook hij geen hukou had. Dop was nu alleen met zijn vader. 'Zorg goed voor je zus,' zei Chang. Een paar uur later stierf hij.

De dag na zijn dood lieten Greta en Dop het lichaam van hun vader naar het crematorium brengen. Het had geen zin vrienden uit te nodigen, niemand zou durven komen, iedereen zou worden aangegeven. Daarom hadden ze na de crematie in het geheim afgesproken met de vroegere buren, de Hsiungs, in de dierentuin. Zij waren de enigen die hen nog durfden te steunen. De Hsiungs spraken hun medeleven uit en probeerden Greta en Dop op te beuren. Diezelfde week keerden Greta en Kleine Wang terug naar Binnen-Mongolië. Dop woonde nu in zijn eentje in de kamer met de drie bedden. Moumoun had hij elders in veiligheid gebracht. Op het nieuwe hof was ze van haar leven niet zeker. Medebewoners joegen op haar.

'Telefoon!' riep iemand buiten. Dop haastte zich naar de portiersloge, waar het enige toestel van het terrein stond. Toen hij de hoorn opnam was de verbinding al verbroken. 'Een gesprek uit Henan, zei de telefoniste,' mompelde de portier. Dop wist genoeg. Dat moest zijn vriend Blauwe Berg zijn geweest, die verbannen was naar het platteland van die provincie. Een 'lotgenoot', zoals de jongeren die de steden moesten verlaten elkaar noemden. Dop en hij hadden afgesproken dat hij op deze manier zou laten weten dat hij op de eerste trein naar Peking stapte.

Blauwe Berg had drie jaar geleden, in het begin van de Culturele Revolutie, zijn vader verloren. Voor de ogen van vrouw en kinderen was de man door Rode Gardisten doodgeslagen. De oudere broer van Blauwe Berg had dit niet kunnen verwerken. Hij was een jaar later onder nooit opgehelderde omstandigheden dood aangetroffen naast een spoorlijn. Blauwe Berg wilde zijn moeder regelmatig bezoeken, zij droeg nu alleen de zorg voor haar twee jongste zoontjes. Omdat hij geen geld had voor een kaartje verborg hij zich dan in de trein, boven het plafond van het toilet. Dop wist nu dat hij acht uur later de trein moest opwachten, met twee perronkaartjes, zodat Blauwe Berg het station ongehinderd kon verlaten. Beide jongemannen hadden twee familieleden verloren in de Culturele Revolutie en stonden er nu alleen voor. Ze moesten elkaar helpen. Op niemand anders hoefden ze te rekenen.

Weer kwam iemand Dop halen, in opdracht van de portier. In het kamertje naast de poort zat een man op hem te wachten. Het bleek een bode van de Nederlandse zaakgelastigde te zijn en hij werd omstuwd door nieuwsgierige bewoners van het hof. De man was op een westerse brommer gekomen die hij voor de poort had geparkeerd. Ook daaromheen had zich een kring nieuwsgierigen verzameld. De bode hield een envelop in zijn hand, gericht aan mevrouw Selma Tsao-Vos. Dop was ervan overtuigd dat er voor zijn komst door de aanwezigen al een tijdje flink geroddeld was over zijn familie. Vast en zeker was aan de bode verteld dat zijn beide ouders waren overleden en onder welke omstandigheden. 'Neemt u deze brief in ontvangst?' vroeg de bode. 'Dat is goed,' zei Dop en tekende. Daarna maakte Dop zich zo snel mogelijk weer uit de voeten. Hij kon niet vermoeden welke keten van gebeurtenissen hiermee in werking werd gezet.

MAX VOS INFORMEERT BIJ BUITENLANDSE ZAKEN

1968

Max Vos had het laatste halfjaar verschillende verzoeken om informatie gestuurd naar het ministerie van Buitenlandse Zaken in Den Haag. Nadat hij het korte briefje had ontvangen van zijn kleinkinderen, waarin ze schreven dat hun ouders al drie maanden niet thuis waren geweest, was Max begrijpelijkerwijs gaan vrezen dat er iets mis was met zijn dochter en haar echtgenoot. 'Is het mogelijk dat via de chargé d'affaires – uiteraard zeer voorzichtig – een onderzoek wordt ingesteld? Voor uw medewerking bij voorbaat dank,' schreef Max Vos op 8 juli 1968. Het ministerie antwoordde dat 'de zaak in behandeling is genomen' en deed er verder het zwijgen toe.

Op 25 augustus 1968, twee weken voor Selma's dood, had Max zich opnieuw tot het ministerie gericht. Zijn toon werd steeds bezorgder. 'Hoewel ik ervan overtuigd ben dat de zaak uw aandacht heeft, zou ik toch gaarne willen vragen of u intussen al iets anders vernomen heeft. U wilt mij wel verontschuldigen dat ik u hiermede lastigval, maar ernstige ongerustheid noopt mij hiertoe.'

Een week voor Selma's dood liet het ministerie weten dat 'de zaakgelastigde geprobeerd heeft mevrouw Tsao-Vos te benaderen, evenwel zonder resultaat'. Max Vos wendde zich uiteindelijk tot een advocaat, die hem adviseerde zich rechtstreeks tot mr. Frans Simons te richten, de Chef Directie Algemene Zaken van het ministerie van Buitenlandse Zaken. Deze hoge ambtenaar wist inderdaad informatie los te weken bij de zaakgelastigde in Peking. Inmiddels was het eind januari 1969, Selma was een kleine vier maanden eerder overleden. Nu bleek ineens dat zij op 31 mei 1967 een bezoek had gebracht aan de Nederlandse vertegenwoordiging. Ze had laten weten China te willen verlaten 'met achterlating van haar echtgenoot en twee kinderen'. Ook waren de details van Selma's mogelijke vlucht al besproken: ze zou per trein of vliegtuig via Moskou reizen.

Max Vos was daar destijds niet van op de hoogte gesteld, terwijl hij officieel had aangeboden alle kosten te vergoeden indien Selma om hulp vroeg. Zijzelf had onmogelijk een ticket kunnen betalen omdat de bankrekening van haar en Chang was geblokkeerd.

De zaakgelastigde had aan mr. Frans Simons laten weten dat in Selma's dossier een 'niet ondertekende met de pen geschreven aantekening' was gevonden, alsof hij niet kon achterhalen met wie ze had gesproken, terwijl op de vertegenwoordiging maar een paar mensen werkten. De onbekende gesprekspartner had ook nog genoteerd dat Selma's kinderen 'geen van beiden roodgardist willen worden'. Dat hield dus in dat het hele gezin zich in een buitengewoon moeilijke situatie bevond. De laatste jaren was Selma altijd present geweest op de viering van Koninginnedag. Ze was de enige Nederlandse die tijdens de Culturele Revolutie niet weg kon komen. Iedereen op de kanselarij moet bekend zijn geweest met haar omstandigheden.

Omdat de zaakgelastigde niets meer van Selma had vernomen was hij ervan uitgegaan dat ze 'van haar plan heeft moeten afzien, mogelijk zelfs in dat verband in moeilijkheden is geraakt met de Chinese autoriteiten', liet mr. Frans Simons aan Max Vos weten. Later zullen Dop en Greta het dossier van hun moeder onder ogen krijgen en lezen dat de zaakgelastigde ook observaties had gemaakt van Selma's karakter. Ze zou uitgesproken meningen hebben en erg kwaad kunnen worden. In die tijd was dat voor een vrouw zeker geen compliment. Selma zal, wellicht met de vuist op tafel, hebben geëist dat er een oplossing kwam voor haar 'nationaliteitenkwestie'. Ze was van haar reis teruggekomen met een nieuw Nederlands paspoort en verwachtte daaraan rechten te kunnen ontlenen. Maar de zaakgelastigde had zich op het standpunt gesteld dat ze als Chinese het land was binnengekomen.

Nog weer twee maanden later – Selma is nu al een halfjaar niet meer in leven – schrijft mr. Frans Simons aan Max Vos dat het gelukt was een brief bij zijn dochter in Peking te laten bezorgen. Het betrof de uitnodiging voor de viering van Koninginnedag. Het gezin Tsao bleek te zijn verhuisd, was de bode te weten gekomen. Hij had zich bij het nieuwe adres gemeld. 'Mevrouw Tsao was niet thuis, doch van haar twee wel aanwezige kinderen, die overigens in goede welstand schenen te verkeren, werd de indruk verkregen dat hun moeder slechts voor een boodschap of iets dergelijks afwezig was, derhalve niet om onheilspellende redenen.'

Maar Max Vos was niet overtuigd en vreesde wel degelijk een andere, ernstiger oorzaak, zo antwoordde hij. Want waarom zou Selma in alle talen blijven zwijgen? 'Indien de mogelijkheid daartoe aanwezig was geweest had mijn dochter mij zeer zeker enig bericht gezonden.'

Na de viering van Koninginnedag op de Nederlandse kanselarij in 1969 werd een document toegevoegd aan het dossier van Selma Tsao-Vos. Een van de genodigden voor het feest was Armi Lin geweest, de Finse vriendin van Selma. Wat zij over Selma aan een secretaresse vertelde, werd vooralsnog niet doorgegeven aan Max Vos. De zaakgelastigde wilde Armi's woorden, dat Selma zelfmoord zou hebben gepleegd, eerst bevestigd hebben door de Chinese autoriteiten.

DOP VERTREKT NAAR HET PLATTELAND

NAJAAR 1968

Rond middernacht vertrok Dop uit Peking. Langzaam verliet de trein het verlichte perron en boorde zich de donkere nacht in. Niemand was afscheid van hem komen nemen, al zijn vrienden en klasgenoten waren al op het platteland. Hij zat bij het raam en had zijn blauwe pet over zijn ogen getrokken. De kleine kamer op het nieuwe hof had hij moeten ontruimen. Ook hij had nu geen hukou voor Peking meer. Hij was op weg naar zijn nieuwe leven op het platteland. In zijn bagage bevond zich een verguld kistje met daarin de as van zijn vader.

Voor diens dood had Dop met zijn vader een plan bedacht. Chang was geboren in een klein dorp, driehonderd kilometer ten zuidwesten van Peking. Als Dop toch naar het platteland moest, kon hij misschien daarnaartoe. Het was veiliger tussen bloedverwanten te leven dan tussen vreemden. De school van Dop vond het goed. Als hij maar uit Peking vertrok en door boeren zou worden 'heropgevoed'. Dop had al een verkenningsbezoek gebracht. Greta was toen bij hun zieke vader gebleven.

Het dorp van hun vader heette Midden-Tsao. Er was ook een Oostelijk Tsao en een Westelijk Tsao. De helft van de inwoners van die drie dorpen droegen dezelfde familienaam als zij. Dop had bij die gelegenheid Moumoun meegenomen, in een doos, en haar bij een neef in Midden-Tsao achtergelaten. Hij kwam terug naar Peking met een officiële toestemming van de lokale partijleider: hij mocht komen, 'al zaten ze in Midden-Tsao niet echt op me te wachten,' zal hij later zeggen. De bewoners van het dorp vreesden, net als de boeren in Binnen-Mongolië, dat iemand uit de stad meer at dan hij opbracht.

Nu was Dop onderweg naar Midden-Tsao om zich daar voorgoed te vestigen. Hij was bijna eenentwintig. De familiebezittingen die niet door de Rode Gardisten waren geconfisqueerd had hij in houten kratten verpakt en als vracht vooruitgestuurd. Of hij Greta ooit weer zou zien was niet zeker. Zij was weer in Binnen-Mongolië, in het uiterste noorden van China. Dop reisde in zuidelijke richting, naar Midden-Tsao. Voortaan zou er tussen hen een afstand van achthonderd kilometer zijn.

Dop had een goedkope stoptrein genomen. In elk station werd hij opgeschrikt door geschetter uit luidsprekers. 'Lang leve Voorzitter Mao!' Het begon langzaam licht te worden. Dop zag droog heuvelachtig land. Bij de spoorwegovergangen wachtten paardenkarren. In blauw geklede boeren, met petten op en katoenen schoenen aan, keken de trein na. Het was bijna negen uur in de ochtend toen in de hoofdstad van Hebei werd gestopt: Shijiazhuang. Dop stortte zich in het gedrang rond de loketten en wist een kaartje te bemachtigen voor de stoptrein naar Xinji. Daar was hij een paar uur later. Zijn kratten bleken nog niet te zijn aangekomen.

Hij was ruim op tijd voor de enige bus die dagelijks van Xinji tot vlak bij Midden-Tsao reed. De weg was ongeplaveid en werd omzoomd door populieren. Ossenkarren met hoog opgestapeld hooi kwamen de bus tegemoet. Een militaire vrachtwagen wierp een grote stofwolk op. Na anderhalf uur stapte Dop uit. De laatste drie kilometer naar Midden-Tsao moest hij te voet afleggen. Over zijn schouder droeg hij de tas met daarin de as van zijn vader.

Dop had Chang gevraagd of er mensen waren in het dorp die

hij beter kon mijden. 'Je moet je eigen weg vinden,' had zijn vader daarop geantwoord. Hij had eraan toegevoegd dat er vroeger andere tradities bestonden. Op zijn veertiende was hij uitgehuwelijkt aan een meisje van een naburig dorp. Zij was bij zijn familie ingetrokken. Zij was dus zijn eerste vrouw en woonde nog steeds in Midden-Tsao. Toen Dop zijn verkenningsbezoek had gebracht, had hij haar ontmoet: ze strompelde op gebonden voeten.

De Eerste Vrouw woonde in een huisje dat Chang van zijn vader had geërfd. Daartegenaan was een tweede huisje gebouwd. Dat was enige tijd in gebruik geweest door familieleden wier eigen woning bij een aardbeving beschadigd was geraakt. Nu was het weer leeg. Dop opende het slot en stapte een eenvoudig vertrek binnen. Zoals gebruikelijk was dit de keuken. Hier werd het vuur gestookt. De tweede ruimte werd voor het grootste gedeelte in beslag genomen door een kang. Hij zou het hier wel redden, dacht Dop. De boeren lukte dat immers ook. In ieder geval konden de Rode Gardisten van het Psychologisch Instituut hem hier niet lastigvallen. Dat was een grote opluchting, maar hij realiseerde zich ook dat hij nu nooit zou gaan studeren. Hij kon hier niet weg.

Dop zette zijn bagage neer en besloot zijn oudste neef te gaan bezoeken, die in een naburig huis woonde. Hij kende hem al van vroeger. De man had in de jaren vijftig een bezoek gebracht aan Peking en een paar dagen op het hof bij hen gelogeerd. Dop was ongeveer dertig jaar jonger dan zijn neven omdat Chang een nakomertje was geweest en al tegen de veertig liep toen Dop werd geboren. Toch was duidelijk dat hij tot dezelfde generatie als de neven behoorde omdat hij net als zij het karakter 'Tseng' in zijn naam had, dat 'meer' betekende. Tseng Y betekende 'Meer Rechtvaardigheid', de Oudste Neef heette Tseng Tjiang: 'Meer Land'. De mannen met 'Tseng' in hun namen waren nu de oudste nog levende generatie van de familie. Dat gaf Dop aanzien in Midden-Tsao.

De neef had slecht nieuws: Moumoun was dood. De poes was in Peking gewend geweest elke dag een stukje vlees of vis voorgezet te krijgen. De neef kon zich dat niet voorstellen en had Moumoun aan haar lot overgelaten, maar ze kon geen muizen vangen. Het verschil tussen de stad en het dorp was gewoon te groot geweest voor Moumoun.

Zodra hij zijn spullen met paard-en-wagen had opgehaald, zette Dop een bed naast de kang. Hij hield er niet van boven op een oven te slapen. De keuken gebruikte hij vooral voor opslag. Hier kwam het wasbakmeubel te staan dat zijn ouders uit Hongkong hadden meegebracht. Daarbovenop zette hij de grote kist, waarin de Singer-naaimachine van zijn moeder was opgeborgen. Zijn geliefde Philips Pionier zat in een doos om hem tegen vocht te beschermen. Dop had geen metaaldraad om een antenne te maken, waardoor de Pionier niets ontvangen kon. Dan had hij nog verschillende koffers met kleren. Familieleden kwamen zijn bezittingen uit de grote stad bewonderen. 'Ik was rijk,' zal Dop later zeggen.

Zoals iedereen moest hij aan het werk. Elke ochtend verzamelden de dorpsbewoners zich in zes verschillende werkeenheden van ongeveer honderdvijftig mannen en vrouwen die samen een commune vormden. Een leider besliste welke eenheid de rode gierst moest binnenhalen, welke naar de haver-, mais- of de katoenvelden ging. Er waren ploegen die de varkens moesten verzorgen en de koeien melken. In het voorjaar werden de akkers met paarden geploegd, daarna begon de hele cyclus weer opnieuw: zaaien, mesten, wieden en oogsten. Van de opbrengst van dit werk zagen de dorpsbewoners niet veel terug, het grootste deel moest naar de staat. Iedereen kreeg een halve kilo graan per dag toebedeeld.

'Dat was het quotum. Mais kregen we bijna altijd. Van het meel maakte ik deeg. Tegen de bovenkant van een wok kleefde ik kleine klodders daarvan. Op de bodem bracht ik water tot koken. Deksel erop, een halfuurtje stomen, klaar. Vrijwel al mijn maaltijden bestonden uit maisbroodjes. Soms had ik er wat groenten bij, meestal gepekeld, anders kon je het niet bewaren. Een halve kilo graan per dag lijkt veel, maar als je niks anders hebt is het weinig. We hadden allemaal honger, de hele dag,' herinnert Dop zich. De mensen met wie hij samenwerkte vertelden tijdens het schaften dat het nu wel meeviel. De hongersnood van begin jaren zestig, na de Grote Sprong Voorwaarts, was de ergste die ze ooit hadden meegemaakt. Zelfs de alleroudste dorpelingen herinnerden zich niet dat ze vóór de communistische tijd ooit zo geleden hadden. Details kreeg Dop niet te horen, niemand wilde er meer over zeggen. Volgens de officiële partijlijn had Mao immers grote voorspoed gebracht, en was juist het leven in de 'feodale tijd' kommer en kwel geweest.

Dop deed het werk dat hem werd opgedragen. Hier werd hij nooit een 'vijand van de revolutie' genoemd zoals in Peking. 'De bewoners van Midden-Tsao zagen me als een gewoon mens. Niemand deed onaangenaam tegen me. In het dorp kreeg ik weer het gevoel bij een normale maatschappij te horen. Wie hard werkte, kreeg respect. Zo was ik het in mijn jeugd gewend geweest. In Peking ging het alleen nog maar om politiek. Ik deed mijn best en de boeren waardeerden dat.'

Er werd gewerkt van zonsopkomst tot zonsondergang. In de zomer betekende dat veel uren, in de winter minder. Als het regende, kreeg iedereen vrij. 'Dan kon je slaap inhalen,' zegt Dop later, maar vaak kreeg hij daar de kans niet toe. Zijn neven en achterneven kwamen graag bij hem langs. Bij hen thuis was het druk omdat ze samenwoonden met veel broers en zusters, of omdat ze zelf veel kinderen hadden. Bij Dop konden ze ongestoord op de kang zitten. In Peking had Dop zich niet gerealiseerd hoe groot de sprong was geweest die zijn vader van Midden-Tsao naar Peking had gemaakt. Vrijwel niemand anders was ooit weggekomen uit het dorp.

De oudere dorpelingen wisten te vertellen hoe dat Chang wel gelukt was. In 1925 lag grootvader Tsao op sterven. Hij riep zijn drie zoons bij elkaar. Grootvader Tsao wist dat Chang opmerkelijk goed kon leren. Hij volgde een middelbareschoolopleiding in een naburig stadje, zat daar op een internaat en haalde voortdurend zeer hoge cijfers. Op zijn sterfbed liet grootvader Tsao zijn oudste twee zoons beloven dat ze Chang financieel zouden steunen zodat hij zijn studie kon afmaken. De gebroeders Tsao hielden hun woord. Ook al hadden ze toen zelf al een gezin. Met veel moeite legden ze steeds wat geld opzij voor hun jongste broer.

Chang werd toegelaten tot de vooropleiding voor de universiteit in Peking. Dat was ongekend voor een arme boerenzoon in die tijd. China was sinds 1911 een republiek, maar studenten kwamen nog steeds uit rijke families of verarmde intellectuele milieus. De gebroeders Tsao bleven trouw geld sturen. Chang werd toegelaten tot de faculteit psychologie van de prestigieuze Tsinghua-universiteit. Zijn succes straalde af op alle bewoners van Midden-Tsao. Na vier jaar behaalde hij zijn titel en ging toen zelf doceren. De rollen werden nu omgedraaid. Chang stuurde zijn familieleden regelmatig wat geld. Totdat in 1938 het contact met hen verloren ging.

De Japanners waren China binnengevallen. Chang was met studenten en collega-docenten voor de bezetter uit naar Kunming gevlucht, in het zuiden. Postverkeer was onmogelijk tijdens de jaren van strijd die volgden. Pas in 1945, toen de oorlog voorbij was, kwam in Midden-Tsao weer een bericht van hem. Chang liet zijn moeder en eerste vrouw weten dat hij naar Cambridge zou gaan om daar te promoveren. Er was hem een beurs van het Bokser Schadevergoeding Fonds toegewezen. Na de Bokseropstand van 1900 had China herstelbetalingen moeten doen aan een aantal westerse landen. Groot-Brittannië en de Verenigde Staten stelden dit geld later ter beschikking aan Chinese studenten die aan Britse of Amerikaanse universiteiten wilden studeren. Cambridge! Ook de boeren van Midden-Tsao wisten hoe wereldberoemd deze universiteitsstad was. In het Chinees wordt die Jian Qiao genoemd: Brug over de Rivier.

Eind 1950, kort nadat hij teruggekomen was naar China, ging Chang voor het eerst weer naar zijn geboortedorp. De bus vanuit Xinji reed nog niet in die tijd, de laatste vijfentwintig kilometer moest hij lopen. Iets buiten Midden-Tsao ging hij op een grote steen zitten om uit te rusten van de lange tocht. Een van zijn nichten kreeg hem als eerste in het oog. Toen ze zich realiseerde dat daar haar geleerde oom zat, holde ze het dorp in om iedereen het nieuws te vertellen.

Changs moeder, die met zijn Eerste Vrouw samenwoonde, was toen al een eind in de tachtig. Haar grootste wens, haar jongste zoon nog eenmaal zien, ging nu in vervulling. Chang zal tijdens dit bezoek verteld hebben dat hij opnieuw getrouwd was, met een buitenlandse, en dat hij met haar twee kinderen had, of misschien had hij dat al eerder per brief laten weten. Selma had hij niet willen meebrengen naar het dorp. Zij voelde zich in Peking al zo ontheemd. Over hoe Eerste Vrouw in dit verhaal paste werd nooit iets gezegd in aanwezigheid van Dop. Hij vroeg er zelf ook niet naar.

Vijf jaar geleden, in 1964, was Chang voor het laatst in Midden-Tsao geweest. Met collega-directeuren van andere instituten had hij een bezoek gebracht aan Dazhai, in de provincie Shanxi. Dop herinnerde zich nog goed dat zijn vader naar het modeldorp was geweest. Op dat moment werd overal in China geschreven en gesproken over de wonderen die daar verricht waren. Op Dops school ging het er dagelijks over. Dazhai was straatarm en net als Midden-Tsao sinds mensenheugenis door droogte geteisterd. Maar onder leiding van de inmiddels beroemde Chen Yonggui, een analfabete, kettingrokende boer, hadden de bewoners met eigen handen grote reservoirs en irrigatiesystemen aangelegd. Sindsdien waren de oogsten ongekend en was de nationale campagne 'Leren van Dazhai' van start gegaan. Een bezoek aan het dorp werd voor de leiding van bedrijven en instituten hoog op de agenda gezet. Chang en zijn collega-directeuren moesten er ook heen om zich te laten inspireren. Samen met de legendarische Chen waren ze op de foto gegaan. Later zou Mao's opvolger Deng Xiaoping onthullen dat de oogstcijfers van Dazhai waren vervalst en dat het dorp grote bedragen van de staat had gekregen om de irrigatiekanalen te financieren. Op de terugweg was Chang eerder in Shijiazhuang uitgestapt en nam hij de bus naar Midden-Tsao. Aan zijn kinderen had hij nooit veel over het dorp verteld. Dop begon nu te begrijpen hoe arm de familie van zijn vader moest zijn geweest. Ze hadden geleefd van de schrale opbrengst van hun land. Een beetje cash geld verdienden ze met het maken van wierook van boombast. Maar sinds de communisten de macht hadden gingen weinig mensen naar de tempels en werd er geen wierook meer gebrand. Alle grond was door de communisten onteigend en verkaveld. Verschillende dorpen moesten samen een commune vormen. Het lapje grond dat ze voor zichzelf mochten bewerken was in de loop van de tijd steeds kleiner geworden.

CHINEES NIEUWJAAR IN MIDDEN-TSAO

1969

Greta liet vanuit Binnen-Mongolië weten dat ze van plan was met Chinees Nieuwjaar naar Midden-Tsao te komen. Eerst reisde ze samen met haar lotgenoten naar Peking. Bij vertrek had ze geen kaartje kunnen kopen voor de volgende trein die ze moest nemen. Tijdens de drukke feestdagen kon het wel een paar dagen duren voordat ze zou kunnen doordringen tot de drukke loketten van Peking. Ze moest dus in de hoofdstad overnachten. Daar zag ze tegen op. Bij het overlijden van haar vader had ze immers zulke grote problemen gekregen omdat ze geen hukou had. Een van haar klasgenoten kende een familie die bereid was haar onderdak te geven. 'Mensen met een pure arbeidersachtergrond, die konden het wel hebben,' zal Greta later zeggen. Ze voelde zich geroerd door hun gastvrijheid. Als logee kreeg ze het ouderlijke bed voor zich alleen; de moeder en de kinderen trokken zich voor de nacht terug in de enige andere kamer. De vader van het gezin sliep zolang op een tafel in de fabriek waar hij werkte. 'Ze hadden vreselijk veel medelijden met me omdat ik geen ouders meer had.' Na een paar dagen kon ze verder reizen. Dop had haar geschreven welke trein ze moest nemen om aansluiting te hebben op de bus die één keer per dag in de buurt van Midden-Tsao kwam. Hij stond haar op te wachten bij de halte.

Greta was al bekend met het leven op het platteland, al was Midden-Tsao, met rond de tweeduizend inwoners, veel groter dan het dorp van zeventien huizen waar ze in Binnen-Mongolië woonde. En hier woonde familie. Dop en Greta waren uitgenodigd voor de nieuwjaarslunch bij een tante, de weduwe van hun Tweede Oom. Haar zoon had een varken geslacht. Tante serveerde jiaozi gevuld met gehakt, een traktatie waar de rest van het jaar alleen van gedroomd kon worden.

Greta had in Peking een filmrolletje gekocht. Dop had daarom gevraagd omdat hij uit alle spullen een oude Kodak-camera had opgediept die hun ouders in Hongkong hadden gekocht en die door de Rode Gardisten niet de moeite waard gevonden was. Een enkele inwoner van Midden-Tsao had wel eens een portret laten maken in een studio in de stad, maar in het dorp zelf was nooit gefotografeerd. Binnen was het te donker, de camera had geen flits. Dop legde zijn oudste neef vast op het moment dat hij zijn huis uit kwam. Neef was op de winter gekleed. Op de foto draagt hij een gewatteerde broek en jas. Hij heeft zijn handen in zijn mouwen gestoken om ze warm te houden. Verlegen kijkt hij van de lens weg. Greta fotografeerde Dop met een achterneef met wie hij veel optrok. Zij poseerde met achternichtjes die dezelfde leeftijd hadden. De drie jonge vrouwen hebben zich mooi aangekleed voor het nieuwjaarsfeest en hun haar vastgezet met speldjes. Greta voelde zich welkom bij haar familie, maar het viel haar niet makkelijk de ondergeschikte vrouwenrol te spelen die haar was toebedeeld. Iedereen had het erover dat het tijd voor haar was om te trouwen. Vanzelfsprekend zou ze dan bij haar man en schoonouders moeten intrekken. Schoondochters deden het zware werk en hadden vrijwel niets in te brengen. In Binnen-Mongolië was dat niet anders, maar daar kon ze meer afstand houden omdat ze er niet bij hoorde. Bovendien had ze haar lotgenoten, met wie ze over van alles kon praten. Haar achternichtjes hier waren erg aardig, maar ze konden zich geen voorstelling maken van het leven dat zij in Peking had geleid.

's Avonds, alleen in het huisje van Dop, bespraken broer en zus hun toekomst. Volgend jaar zou Greta niet weer kunnen komen. Deze reis slokte de laatste yuans op die ze nog had. Andere verbannen jongeren op het platteland kregen zo nu en dan iets toegestuurd door hun ouders, zij stonden er alleen voor. Elkaar schrijven zou al moeilijk worden, want ook postzegels kostten geld. Dop liet Greta zien hoe ze een laagje lijm over de postzegels kon aanbrengen. Met water waste je dat er samen met het stempel vanaf, zodat de zegel nog een keer gebruikt kon worden en een paar keer op en neer kon reizen.

Na de feestdagen bracht Dop zijn zus naar de bushalte. Greta zou opnieuw bij het arbeidersgezin in Peking logeren. Ze liet de foto's ontwikkelen en stuurde die op naar Midden-Tsao. Daarna keerde ze terug naar haar leven in Binnen-Mongolië.

Toen het voorjaar begon en de grond ontdooide, werd Dop samen met een aantal andere jongemannen gevraagd een nieuwe waterput te graven. De oude put was drooggevallen. 'Dat werd het zwaarste werk dat ik ooit in mijn leven heb moeten doen,' zal Dop later zeggen. Het grondwater in Midden-Tsao zat honderdvijftig meter diep.

Een metalen holle pijp van ongeveer een meter lang werd door de mannen met behulp van stukken gespleten bamboe in de grond geperst. De pijp zat vast aan een touw en moest daarna weer naar boven worden getrokken. De aarde in de holte werd verwijderd en de pijp kon de volgende keer iets dieper geperst worden. Voor het optrekken van de buis was veel kracht nodig. Het touw waaraan die bevestigd was werd over een groot houten rad geleid waarin zich drie mannen bevonden. Zij brachten het rad met hun eigen gewicht in beweging. Dit was het meest riskante van de hele operatie. 'Als het touw niet goed vastzat of brak, zou het rad met een schok losschieten en kon je worden gekatapulteerd,' herinnert Dop zich. Als er niet continu werd doorgewerkt zou de put instorten. Daarom losten drie ploegen elkaar af, dag en nacht ging het werk door. Toen het grondwater eenmaal was bereikt, werden betonnen ringen in het gat geperst, het water welde nu naar boven. Tot slot werd er een dertig meter diepe cisterne gemetseld, waarin het omhoogstuwende water opgevangen werd en waarin de dorpelingen hun emmers konden neerlaten.

'Twee maanden waren we ermee bezig,' vertelde Dop later. Hij raakte onder de indruk van de vindingrijkheid van de boeren. 'Ze wisten te overleven met niets. Op die manier voorzagen ze zichzelf al eeuwenlang van water. Er was alleen geld uitgegeven aan die betonnen ringen. De holle metalen buis was gemeenschappelijk bezit van een aantal dorpen samen. Vroeger gebruikten ze daarvoor dikke bamboe.'

Toch zou Dop zich nooit thuis gaan voelen in Midden-Tsao. 'Ik zag er geen toekomst voor mezelf,' zal hij later zeggen. Zijn zus stuurde hij eenvoudige, algemene berichten. Het was nooit zeker wie meelas: 'We zijn begonnen aan de graanoogst.' 'Met het ploegen zullen we nog wel twee weken bezig zijn.' Greta antwoordde op eenzelfde manier terug. Het ging erom elkaar te laten weten dat alles in orde was. Dop schreef zo nu en dan ook een paar regels aan buurman Hsiung, die hen was blijven steunen toen iedereen hen in de steek had gelaten.

'Die kinderen hebben geen schuld,' had buurman Hsiung op het hof gezegd terwijl hij daar problemen mee kon krijgen. Dop vond het een geruststellende gedachte dat ten minste één persoon in Peking wist waar ze waren. Het contact met opa Max Vos in Nederland was verloren gegaan. Ze kregen geen post meer van hem en ze gingen ervan uit dat hun brieven niet aan zouden komen.

MAX VOS KRIJGT EINDELIJK ANTWOORD

1970

Omdat ze zo lang niets van Selma hadden gehoord, raadpleegden een paar jeugdvrienden van haar een paragnost. Marijke Kingma bracht hem de lichtblauwe ochtendjas die ze in 1966 van Selma had gekregen. Op het laatste moment had Selma besloten dat het kledingstuk, gemaakt van synthetisch materiaal, te westers was om mee terug te nemen naar Peking. De helderziende had de ochtendjas lange tijd vastgehouden en toen gezegd dat ze zich op het ergste moest voorbereiden.

Max Vos wilde van waarzeggerij niet horen, hij bewandelde het officiële pad. Inmiddels had hij diverse verzoeken om informatie over zijn dochter naar het ministerie van Buitenlandse Zaken gestuurd. Steeds kreeg hij te horen dat er niets bekend was. 'Mag ik u ook nogmaals vragen of het nut zou hebben contact op te nemen met de Chinese zaakgelastigde in 's-Gravenhage?' schreef hij op 24 april 1970, anderhalf jaar na de dood van Selma. Het antwoord dat hij daarop kreeg was: 'U is uiteraard vrij dit te doen als u hiertoe wenst over te gaan.' Terwijl de zaakgelastigde in Peking al geruime tijd wist dat Selma niet meer leefde.

Dat werd niet aan Max meegedeeld omdat de vrouw die dit verteld had, de Finse Armi, niet als officiële bron gold. Het ministerie van Buitenlandse Zaken in Den Haag was inmiddels gebeld door de advocaat van Max Vos. Nu werd de zaakgelastigde in Peking dringend gevraagd contact op te nemen met de autoriteiten en naar Selma te informeren.

Op 16 juli 1970 lukte het de zaakgelastigde H.J. van Oordt een afspraak te maken met de derde secretaris van het Chinese ministerie van Buitenlandse Zaken. Behalve het lot van Selma zou een door de Nederlanders verlangde radioverbinding tussen Peking en Den Haag aan de orde komen. Over de ontmoeting werd een codebericht naar Nederland geseind. Deze berichten werden op het Nederlandse ministerie van Buitenlandse Zaken weer gedecodeerd. Ze waren beknopt en hoofdletters kwamen er niet in voor. 'van oordt constateerde neiging zijn gesprekspartner om gedurende onderhoud aandacht op radio zaak te concentreren, alsof kwestie mevrouw tsao-vos onbehaaglijk'.

Vijf dagen later werd een tweede codebericht doorgeseind, wederom met het stempel 'confidentieel'. 'ontving zojuist telefonisch van consulaire afdeling waichiaopu schokkende bericht dat mevrouw tsao geboren selma vos in september 1968 overleden is tevens werd vermeld dat zij in 1955 chinese nationaliteit had verkregen en dat haar chinese naam luidde wuhsiuming. doodsoorzaak onbekend.'

Op 31 juli 1970 stuurde het Nederlandse ministerie van Buitenlandse Zaken deze informatie door naar Max Vos. Kort nadat hij de brief met behulp van zijn vergrootglas had gelezen kwam zijn jongste zoon Max jr. thuis. 'Van mijn vader was niet veel meer over dan een zielig hoopje mens,' herinnert hij zich.

BEZOEK VAN BLAUWE BERG

1970

Dop was naar Midden-Tsao gekomen om 'van de boeren te leren', maar de bewoners keken huizenhoog tegen hem op. Niemand in het dorp had meer opleiding dan hij. Veel boeren waren analfabeet. Ze vroegen hem honderduit over het leven in de grote stad. Ook legden ze hem gezondheidsklachten voor die hij opzocht in een medisch handwerk dat hij had meegebracht uit Peking. 'Er was een blotevoetendokter, maar die wist ook niks. Andere medische zorg was er niet. Naar een ziekenhuis gaan was onmogelijk, niemand had geld. Als je echt ziek was, ging je gewoon dood.'

Dop kreeg ook bekendheid als kleermaker. Hij had de naaimachine van zijn moeder in gebruik genomen. Uit een boek nam hij patronen over, zoals hij Selma had zien doen. De boeren gaven Dop zelfgeweven en blauwgeverfde katoenen lappen, hij maakte er broeken en jasjes van. Voor een bruid en bruidegom deed hij extra zijn best. Getrouwd werd er ook in blauwe maopakken. Desgewenst leverde Dop er katoenen schoenen bij. De zolen maakte hij van vele malen doorgestikte stof.

Dat najaar zou Dop drieëntwintig worden. De bewoners van Midden-Tsao vonden het tijd dat hij een vrouw zou kiezen. Regelmatig kwamen koppelaarsters langs om een kandidaat voor te dragen, maar Dop wilde er niet van horen. Door te trouwen zou zijn kans ooit weg te komen uit Midden-Tsao kleiner worden dan die al was. De voorstellen wees hij beleefd van de hand. Moeilijker was het buiten de dorpsroddels te blijven. 'Er werd continu gekletst, over iedereen. De sociale controle was immens,' herinnert Dop zich. Een ver familielid werd na overspel het middelpunt van een groot drama. Dop wilde nergens bij betrokken raken. Hij hield afstand. Het liefst was hij alleen.

Die zomer werd in Midden-Tsao een dieselgenerator bezorgd. Hiermee brak een nieuwe tijd aan. Voor het eerst in de geschiedenis hoefde niet alles met de hand gedaan. Graan kon machinaal worden gemalen en water kon worden opgepompt. Alleen haperde de machine vaak. Dop wist dat te verhelpen. Hij werd al snel benoemd tot generatoroperateur en vrijgesteld van werken op het land. Hij was blij met zijn nieuwe functie. 'In Peking speelde het geen rol of iemand verstand van zaken had. Daar zouden ze alleen iemand met een politiek zuivere achtergrond aanstellen voor zo'n baantje.'

Hij zat nu soms uren achtereen in zijn eentje aan de rand van land dat bevloeid moest worden, met naast zich de stampende pomp. Dop vulde de brandstof bij, maakte onderdelen schoon en zorgde dat het water op de juiste plaats terechtkwam. Op een hete middag zag hij vanuit de verte iemand in grote haast op hem toekomen. Het was de oudste zoon van zijn Tweede Oom, zag hij. De jongen gebaarde dat Dop moest komen. 'Iemand wil je spreken!' riep hij. 'Iemand uit Peking!'

Dop kon zijn ogen niet geloven. In zijn huisje trof hij zijn goede vriend Blauwe Berg. De weduwe van Tweede Oom had hem binnengelaten en een mok heet water gegeven. Blauwe Berg werd omringd door nieuwsgierige dorpelingen. Hij sprong op. Sprakeloos stonden de twee jonge mannen tegenover elkaar. Twee jaar hadden ze elkaar niet gezien.

Blauwe Berg begon als eerste te vertellen. Hij was op weg naar Peking om zijn moeder te bezoeken. Gisteren was hij vertrokken uit het dorp in de provincie Henan, waar hij naartoe verbannen was. Onderweg had hij besloten een omweg te maken en zijn goede vriend in Midden-Tsao op te zoeken. Dorpelingen bleven het huisje binnenstromen om geen woord te hoeven missen. Nadat Blauwe Berg een tweede mok heet water had gedronken, besloten de vrienden een wandeling te maken, zodat ze elkaar onder vier ogen konden spreken.

Nu vertrouwde Blauwe Berg Dop toe dat hij het dorp in Henan enige tijd geleden al had verlaten omdat hij er zo weinig te eten kreeg. Het quotum daar was nog lager dan in Midden-Tsao. Sindsdien reisde hij kriskras door het land als verstekeling op goederentreinen. Hij was helemaal in het noorden geweest, bij de Russische grens. Daar had hij goedbetaald werk gevonden in een mijn. Ze hadden in die streek gebrek aan arbeiders.

Dop wist dat Blauwe Berg ervan gedroomd had luchtvaarttechniek te gaan studeren, maar op de middelbare school had hij te horen gekregen dat hij nooit naar de universiteit zou mogen vanwege zijn 'kapitalistische' familieachtergrond. Blauwe Berg leefde nu van wat hij bij elkaar kon scharrelen. Autoriteiten leidde hij om de tuin. Hij was op drift geraakt. Wat hij zocht, zei Blauwe Berg, was een plek waar hij met zijn moeder ongestoord kon leven. Maar overal waar hij was geweest, in elk dorp, in elke vallei, in de meest afgelegen bergen, in het noorden of in het zuiden, overal was de Communistische Partij oppermachtig.

Thuis maakte Dop gestoomde maisbroodjes. Eindelijk had hij weer iemand met wie hij echt kon praten. De twee jongens bleven op tot diep in de nacht. Hun gezichten werden verlicht door het flakkerende vlammetje van een brandende lont in een oliekruikje. Het doofde een paar keer uit omdat ze met zoveel gebaren hun verhalen vertelden. Uiteindelijk viel Blauwe Berg uitgeput op de kang in slaap, de volgende ochtend wilde hij er vroeg vandoor. Dop vulde zijn ransel met verse maisbroodjes.

DOP LEGT IN PEKING ZIJN OOR TE LUISTEREN

1971

In juli 1971 kreeg Dop een krant in handen die iemand had meegebracht van een bezoek aan een groter dorp. Daarin stond een buitengewoon interessant bericht: een hoge Amerikaan had China bezocht – Henry Kissinger. Hij was alweer vertrokken. Dat het nieuws gebracht werd, betekende dat het bezoek voor China gunstig was verlopen, wist Dop, anders had de lezer er niets over te horen gekregen.

Tussen Amerika en de Volksrepubliek bestonden nog steeds geen officiële betrekkingen. De Amerikanen hadden tijdens de Tweede Wereldoorlog de nationalisten gesteund die naar Taiwan waren gevlucht en hadden een ambassadeur in Taipei, niet in Peking. Dat zou misschien gaan veranderen, hoopte Dop. Er werd zelfs gesuggereerd dat de Amerikaanse president naar China zou komen. Dop was verbijsterd. Amerika was in ieder geval niet meer de grootste vijand van China. Dat was nu de Sovjetunie.

Een paar maanden daarna gebeurde er weer iets wat stof tot nadenken gaf. In het dorp werd bekendgemaakt dat Lin Piao, de tweede man na Mao, enkele weken eerder was overleden. Iedereen moest met zijn werkeenheid bijeenkomen om te komen luisteren naar het officiële partijbericht hierover. Een kaderlid las het voor. Lin Piao had een coup tegen voorzitter Mao beraamd. Toen dit verwerpelijke plan was ontdekt, had hij geprobeerd per vliegtuig naar het revisionistische Moskou te vluchten. Het toestel bleek te weinig brandstof aan boord te hebben en was daardoor neergestort in de woestijn van Mongolië. Op de terugweg naar huis mompelde een achterneef van Dop: 'Zo zie je maar weer. Met de vertrouwelingen van de keizer loopt het vaak slecht af.'

Dop overdacht het nieuws. Het hoefde niet per se waar te zijn dat Lin Piao was neergestort, er kon ook iets anders zijn gebeurd. Misschien was hij wel vermoord. In Peking had Dop regelmatig het gerucht gehoord dat de Culturele Revolutie het gevolg was van een machtsstrijd in de top. Liu Shaoqi, de gedoodverfde opvolger van Mao, was aan het begin van de Culturele Revolutie uitgeschakeld. Hij en zijn vrouw waren onder grote publieke belangstelling door Rode Gardisten vernederd en mishandeld en kregen gevangenisstraf. Liu Shaoqi overleed in 1969 in zijn cel. Lin Piao was daarvoor al de nieuwe grote man naast Mao geworden. Diens dood betekende misschien dat de machtsstrijd was beslist, hoopte Dop. Als de Amerikaanse president nou maar niet zou gaan twijfelen aan de veiligheid van het Chinese luchtruim.

Tot zijn grote vreugde zag Dop in februari 1972 een foto in een krant van voorzitter Mao met president Nixon. Het bezoek was doorgegaan! Zou China nu een andere koers gaan varen? Wat betekende dit voor hemzelf? Dop werd erdoor gekweld dat hij in Midden-Tsao van alle nieuws was afgesneden. Het grootste probleem was niet eens dat hij bijna nooit een krant in handen kreeg, want wat er werkelijk gebeurde stond daar zelden in. Voor het echte nieuws moest je in Peking zijn. Je moest bij vrienden en kennissen langsgaan, luisteren naar hun geruchten en daaruit zelf verschillende mogelijke scenario's samenstellen. Maar hoe in Peking te komen?

Tegen het eind van het jaar 1972 werd in Midden-Tsao bitter geklaagd over het tekort aan blauwe textielverf. Niemand vroeg

Dop meer iets te naaien. De zelfgeweven witte katoen kon niet geverfd worden. Witte kleding was alleen voor de rouw en niet geschikt voor dagelijkse dracht op het land.

Dop liet vallen bereid te zijn in Peking op zoek te gaan. Wellicht zou hij daar de hand kunnen leggen op een voorraad blauwe textielverf. Zijn plan werd positief ontvangen. Hij vroeg alleen geld voor treinkaartjes, eten en slapen zou hij bij kennissen. De dorpsvoorzitter stempelde een reisvergunning af en Dop vertrok.

Aangekomen in Peking ging hij eerst bij buurman Hsiung langs. Die reageerde verheugd. Dop begreep daaruit meteen dat de sfeer in de stad iets ontspannen was. Hij kon blijven logeren. Buurman vertelde dat iemand was komen informeren naar hem en Greta, een oude kennis van hun vader. De man was docent op een school voor partijkader. Dop kreeg het gevoel dat het tij aan het keren was.

Buurman en hij gingen de volgende dag op bezoek bij de docent en diens vrouw. In het verleden, zo begreep Dop, was deze man in een politiek netelige situatie terechtgekomen en had Chang ervoor gezorgd dat hij een andere baan kreeg. Om voor die hulp iets terug te doen wilde het echtpaar nu Dop helpen. Hij kon bij hen logeren. Dat Dop geen hukou had voor Peking was geen probleem. De man bekleedde nu een hoge functie, in hun huis was hij veilig. Een week lang was Dop bij deze mensen te gast. Hij hoorde wat er in de tussentijd gebeurd was in de stad. Wie was overleden, wie nog steeds gevangenzat, wie op zijn oude functie was herbenoemd.

Het echtpaar adviseerde hem een brief te schrijven aan de Academie van Wetenschappen met het verzoek terug te mogen keren naar Peking. Je moest een eenheid hebben die achter je stond, zonder zo'n verklaring was terugkeer naar de stad vrijwel onmogelijk. Het nieuwe hoofd van de administratieve afdeling van de academie, zo wisten zij, was een vrouw die voor het Psychologisch Instituut had gewerkt. Haar man had drie jaar geleden een dodelijke val gemaakt uit een raam. Zij had sinds kort weer een redelijke positie. Deze vrouw zou Dops bericht onder ogen krijgen. Omdat zij wist hoeveel het gezin Tsao had geleden, zo voorspelde het echtpaar dat zich over Dop had ontfermd, zou ze vast en zeker bereid zijn alles te doen voor Greta en Dop wat binnen haar mogelijkheden lag.

Dop keerde zonder blauwe verf terug naar Midden-Tsao. Hij had in Peking niemand gevonden die hem kon introduceren bij een textielverfhandel. De teleurstelling in het dorp was groot, maar hij had zijn best gedaan. Diezelfde dag nog maakte hij de opzet van een brief aan de Academie van Wetenschappen. 'Mijn zus en ik hebben geen ouders meer om onze zaak te bepleiten,' begon hij.

GRETA IN BINNEN-MONGOLIË

1972

Greta zat op de kang, verdiept in *De droom van de Rode Kamer*. Het verhaal, dat zich afspeelt in de achttiende eeuw, gaat over een rijke clan die in ongenade valt bij de keizer. Hun huizen worden geplunderd en onteigend.

Greta had vriendschap gesloten met de onderwijzer van het dorp. Hij had geen gehoor gegeven aan de oproep aan het begin van de Culturele Revolutie om alle 'feodale' literaire werken te vernietigen. In het Binnen-Mongoolse dorp was er niemand die daar toezicht op hield. Greta mocht van de onderwijzer zijn verboden boeken lenen. Ze herlas de romans die ze in haar jeugd verslonden had.

Haar huisgenoten waren voor de feestdagen – en een aantal weken daaromheen – teruggegaan naar hun familie in Peking. Greta was alleen achtergebleven. Elke dag ging ze wel een keer op bezoek bij de buurvrouw, een jonge boerin met een paar kinderen. Bij haar was ze altijd welkom, de vrouw was een vriendin geworden. Ze was zwanger en had aan Greta toevertrouwd dat ze haar baby niet wilde houden. Greta wist inmiddels dat ze daarmee geen abortus bedoelde. In het dorp was het de gewoonte dat de vaders ongewenste pasgeboren kinderen de heuvels in brachten en daar naakt achterlieten, waarna ze snel onderkoeld raakten en stierven. Hun lichaam werd opgegeten door wolven. Toen deze procedure aan Greta werd uitgelegd, had ze het eerst niet kunnen geloven. Toch was dit de manier waarop de boeren ervoor zorgden dat ze niet meer monden kregen dan ze voeden konden.

Langzamerhand was Greta gewend geraakt aan het harde leven in Binnen-Mongolië. Gedurende de wintermaanden lag het werk op het land stil. De grond was bevroren. De mannen trokken er soms met paard-en-wagen op uit om in een afgelegen gebied hout te kappen. De vrouwen bleven thuis, ze zorgden voor de kinderen, weefden, breiden en herstelden oude kleding.

Vier jaar woonde Greta nu in het dorp. In die tijd had ze een schuld opgebouwd. De punten die haar werk opleverde waren onvoldoende om te betalen voor het graan dat ze at. Haar lotgenoten zaten met hetzelfde probleem, terwijl ze zich allemaal 'een slag in de rondte werkten', zal Greta later zeggen. Maar de scholieren zaten niet over de schuld in. Hij werd steeds groter, nou en?

Dat Greta niet meer over contant geld beschikte, was wel een probleem. Sommige zaken moesten worden aangeschaft. Toch kwam ze niets tekort: 'Als mijn zeep bijna op was, lag er ineens een nieuw stuk voor me klaar.' Haar lotgenoten hielpen haar. Hun ouders stuurden pakketten en geld vanuit Peking. 'Veel hadden we niet nodig, maar je kon niet zonder olie voor de lamp, zout, zeep en maandverband.' Ook de boeren leefden mee met de jonge vrouw die geen ouders meer had om op terug te vallen. Een keer kende het dorp Greta een kleine subsidie toe.

Ze las *De droom van de Rode Kamer* met een deken over zich heen geslagen. Buiten vroor het twintig, misschien wel dertig graden, niemand kon met zekerheid zeggen hoeveel. Greta probeerde nu ze alleen was zo min mogelijk brandstof te verstoken. Het voelde als een verspilling de hele kamer te verwarmen. Zo meteen zou ze naar de buurvrouw gaan. Daar was het altijd behaaglijk.

Straks zou het donker worden. Eerst moest ze eigenlijk nog

water halen. Rondom de put was het gemorste water in de loop van de winter bevroren tot een ijsbaan. Voordat je het wist gleed je uit. Water halen was eigenlijk mannenwerk. Een boerenzoon uit het dorp had het vaak gedaan voor Greta en haar huisgenotes. Nu wist ze waarom. Kort voor haar vertrek had Geurige Bloem haar toevertrouwd dat ze zwanger van hem was en met hem wilde trouwen. Greta had geprobeerd haar dat uit het hoofd te praten. Met een boer als echtgenoot en een kind zou ze nooit meer uit het dorp wegkomen. Ze dacht aan het lot van haar eigen moeder. Maar Geurige Bloem was vastbesloten: ze hield van de boerenzoon. In Peking zou ze dat aan haar ouders vertellen en als ze terugkwam trok ze bij haar schoonfamilie in.

Greta was inmiddels zeer gesteld geraakt op Kleine Wang, maar hij had het dorp verlaten. Ze miste hem. Kleine Wang had Greta naar Peking vergezeld toen haar moeder was overleden. Hij had Dop en haar gesteund toen hun vader stervende was. Kleine Wang en een huisgenoot van hem waren geronseld door een vertegenwoordiger van een staalfabriek in Hohhot. Ze hadden daar sterke jongens nodig voor het werk bij de hete ovens. Greta en de andere achterblijvers waren erg jaloers geweest. De uitverkorenen zouden maandelijks loon uitbetaald krijgen.

Greta las verder. Ze probeerde zo min mogelijk te denken aan haar overleden ouders, aan haar broer ver weg, en aan hun vroegere leven in Peking. Want wat had het voor zin? De toekomst was in mist gehuld. Ze was nu hier, alleen. Haar geest liet ze zo min mogelijk uit het heden ontsnappen.

Soms kwam ze in haar groene koffer het zilverkeurige horloge tegen dat ze van opa Vos had gekregen. Op de wijzerplaat stond de naam van het merk Shanghai in Chinese karakters aangegeven. Opa Vos had het in de Vriendschapswinkel gekocht, waar alleen buitenlanders mochten kopen. Het had honderd yuan gekost, wist ze, drie maandsalarissen van een fabrieksarbeider. De boeren in Binnen-Mongolië gaven zo'n bedrag in een heel jaar niet uit.

Dop had een iets groter herenmodel gekregen. Na opa's vertrek had hun vader hen streng toegesproken: voor een horloge waren zij nog te jong. Zo'n groot cadeau gaf geen pas. Gewone Chinezen konden horloges alleen met een speciale bon aanschaffen. Elke eenheid, van rond honderd mensen, had er daarvan één, misschien twee per jaar te vergeven. Als jonge werknemer moest je sparen en wachten tot je daarvoor in aanmerking kwam. Een tiener behoorde niet met een horloge rond te lopen. Ze mochten het niet dragen naar school. Daar zouden praatjes van komen.

Greta had daarna de schakelband van haar kleinood een enkele keer om haar pols geschoven. Nooit was ze ermee de deur uit gegaan. In het dorp hier in Binnen-Mongolië wilde ze het horloge helemaal niet tevoorschijn halen. Iedereen die het zag zou verbijsterd zijn. Ze wond het nooit op. Het horloge zat diep weggestopt in haar koffer als aandenken aan een andere tijd.

NEDERLANDSE MAOÏSTEN

Max Vos kwam de klap die de dood van zijn dochter voor hem betekende niet te boven. Hij raakte verzwakt, terwijl hij voordat het gruwelijke bericht hem bereikte al zelden meer buiten kwam zonder begeleiding van zijn vrouw omdat hij zo slecht zag, Corrie had al enige tijd ernstige hartklachten. Dat najaar verhuisde het echtpaar naar een pas gebouwde verzorgingsflat in Wolvega.

Vanuit Friesland schreef Max Vos nog een aantal keren naar het ministerie van Buitenlandse Zaken. Dankzij zijn jarenlange ervaring op kantoor kon hij vrijwel blind foutloos typen. Max Vos wilde een overlijdensakte van zijn dochter zien.

Het ministerie antwoordde: 'De Chinese autoriteiten stellen zich op het standpunt dat wijlen uw dochter de Chinese nationaliteit bezat, zodat er derhalve van afgifte van een akte van overlijden aan een niet-Chinese instantie geen sprake kan zijn.' Blijkbaar bracht de Nederlandse zaakgelastigde in Peking daar niet tegen in dat Selma ook in bezit was geweest van een Nederlands paspoort.

Max was er inmiddels ook van op de hoogte gesteld dat zijn schoonzoon aan leverkanker overleden was. Hij vroeg nu of bekend was hoe zijn kleinkinderen eraan toe waren. Nee, dat was niet het geval. 'Mochten zij zich tot bovengenoemde vertegenwoordiger wenden, dan zal niet worden nagelaten u hieromtrent onverwijld in te lichten,' werd daarop geantwoord.

Met behulp van zijn vergrootglas bleef hij het nieuws over China in de kranten volgen. Het zal hem niet zijn ontgaan dat er in Nederland een maoïstische beweging was ontstaan. Het begon ermee dat de CPN in 1964 leden met China-sympathieën royeerde. Nederlandse maoïsten richtten daarop hun eigen organisaties op. In 1970 werd in Rotterdam wekenlang gestaakt. Een kleine maoïstische organisatie, de Kommunistiese Eenheidsbeweging Nederland, de KEN, had dertigduizend arbeiders ertoe bewogen het werk neer te leggen.

De aanvoerder van deze groep maoïsten was Daan Monjé, een Rotterdamse pijpfitter. In 1965 en in 1967 bracht hij een bezoek aan China. Derk Sauer, later uitgever van *Playboy* en *Cosmopolitan* in Rusland, in die tijd een bewonderaar van Monjé, zei in het programma *Andere Tijden*: 'Hij werd in Peking ontvangen met banketten en pekingeenden, limousines, alsof hij de leider was van Nederland en niet de vertegenwoordiger van een groepje met een paar honderd leden.'

Tijdens het bezoek in 1967 had Monjé zich een rode armband laten aanmeten. Sindsdien was hij Rode Gardist. Dat alles was groots gebracht in het partijblad *Rode Tribune*. De Culturele Revolutie was Monjés inspiratiebron. Zijn volgelingen bestudeerden hun exemplaar van het *Rode Boekje* tot het uit elkaar viel, zullen ze laten zien in *Andere Tijden*. Inmiddels werd de KEN door Monjé en anderen voortgezet onder de naam Socialistiese Partij. Na de dood van Monjé zal deze partij onder leiding van Jan Marijnissen uitgroeien tot een van de grootste politieke partijen van Nederland.

Aanvankelijk waren de Nederlandse aanhangers van het maoisme vooral studenten, maar in de jaren zeventig werd de kring groter. SP-leden solliciteerden naar een baan in een fabriek om 'van de arbeiders te leren', maar vooral, zo vertelt de auteur Koos van Zomeren in *Andere Tijden*, om de arbeiders voor de maoïstische zaak te winnen. Onvermoeibaar gingen SP-leden langs de deuren en droegen hun boodschap uit. Ze werden daarom ook wel Rode Jehova's genoemd. 'Oudere broers of zussen brachten de marxistisch-leninistische ideeën mee naar huis en na enkele jaren waren hele families aan het werk voor Mao,' schreef Wouter Beekers in zijn doctoraalscriptie *Mao in de polder*.

NRC *Handelsblad* zal later berichten over een geheime gift uit China voor de SP. Daan Monjé zou in 1971 het equivalent van 400 000 gulden in dollars hebben ontvangen in de haven van Kopenhagen, volgens een van zijn oude kameraden. Daarvan werden een drukpers en een dure filmcamera gekocht, en later ook een Rotterdams pand waarin de partij zich vestigde.

De invloed van Mao op de SP was groot. Elke vergadering werd begonnen met kritiek en zelfkritiek. Een van de leden zal later zeggen: 'Voor sommigen werden de zelfkritieksessies een vreselijk gebeuren dat hun door de andere leden werd opgelegd, waarbij zij door de druk huilend toegaven dat zij fout zaten.'

Gedurende de eerste helft van de jaren zeventig wilden veel Nederlandse intellectuelen, net als de maoïsten, niet weten dat tijdens de Culturele Revolutie in China een groot aantal doden was gevallen en velen tot zelfmoord waren gedreven. Toch was het wel bekend. In 1971 verscheen *De nieuwe kleren van voorzitter Mao*, van de Belgische sinoloog Simon Leys, een gedetailleerd verslag van de Culturele Revolutie. Maar Leys werd binnen linkse kringen aanvankelijk weggewuifd als propagandist van de CIA. In 1973 verscheen *Gevangene van Mao*, van Bao Ruo-Wang, het ooggetuigenverslag van een zevenjarig verblijf in een Chinees strafkamp. De auteur, zoon van een Franse vader en een Chinese moeder, werd in 1957 in Peking gearresteerd. Ook zijn verhalen werden binnen linkse kringen in eerste instantie gebagatelliseerd of als verdacht bestempeld.

Veel studenten en intellectuelen behielden een grote bewondering voor de totalitaire Mao Zedong. Oud-leden van de SP doen in de documentaire van *Andere Tijden* lacherig over hun verheerlijking van de Chinese leider, of noemen het een jeugdzonde, alsof het allemaal niet zoveel om het lijf had. Jan Marijnissen weigerde mee te werken aan het programma en heeft in interviews nooit willen ingaan op vragen over het maoïstische verleden van de SP.

Een ex-maoïst die later wel bereid was terug te blikken is Erik van Ree, thans universitair medewerker van de UvA. In de bundel *Alles moest anders* van 1991 stelt hij dat hij in de jaren zeventig wat betreft communistische landen als Sovjet-Unie, China en Cambodja 'massamoord als een verkeerd middel voor een goed doel' zag. Terugkijkend vindt hij dat 'van een huiveringwekkende kilheid waar mij nu het hart bijna van stil blijft staan'.

Dop was nu ruim vier jaar in Midden-Tsao. In januari 1974 werd hij bij de dorpsvoorzitter van de Communistische Partij geroepen. 'Er is bericht voor je aangekomen in Xinji,' zei de man. Dop nam de eerste bus naar het stadje en meldde zich bij het partijkantoor daar. Een kaderlid dat hij te spreken kreeg ging informeren en kwam terug met een document. Hij las voor: 'Moeder buitenlandse met Chinese nationaliteit. Ouders overleden. Speciaal geval. Goedgekeurd voor terugkeer naar Peking.'

DOP EN GRETA TERUG IN PEKING

1974

De ober droeg een zwarte broek, een wit overhemd, maar de vroeger gebruikelijke vlinderdas ontbrak. Hij bracht een menu. Dop en Greta waren blij dat ze een tafel hadden gekregen. Boven hen hing een bestofte kroonluchter. Naast hen verrees een bladderende, met guirlandes versierde pilaar. Aangedaan lieten ze hun blikken over de ronde, met parket belegde dinerzaal van restaurant Moskou dwalen. Elf jaar geleden hadden ze hier met hun ouders en hun grootvader geluncht. Voor hen op tafel lagen dezelfde verzilverde messen en vorken die ze toen hadden gebruikt. Ze bestelden borsjtsj en kip Kiev.

De stad hing nog steeds vol leuzen: 'Voorzitter Mao is de roodste zon in ons hart!' 'Bekritiseer het egoïsme, bestrijd het revisionisme!' 'Vergeet nooit de klassenstrijd!' en 'Leren van Daqing!' Maar er trokken geen bendes Rode Gardisten meer door de straten. Een groot deel van hen was jaren geleden net als Greta en Dop naar het platteland verbannen. De revolutionaire koorts was gezakt.

Restaurant Moskou was een oase van luxe in de verwaarloosde stad. In de meeste eetgelegenheden was het gebruikelijk achter mensen te gaan staan die al bezig waren aan hun maaltijd. Zodra zij klaar waren, nam jij hun plaats in. Hier hadden Greta en Dop mogen wachten op een bank in de hal tot hun nummer werd omgeroepen.

Een maand eerder was Dop terug naar Peking gekomen. Een

week later haalde hij Greta van het station. Na het vervullen van een lange reeks formaliteiten kregen broer en zus hun hukou terug en was de spaarrekening van hun ouders gedeblokkeerd. Dop vermoedde dat veel van de andere gasten in restaurant Moskou op dezelfde manier geld tot hun beschikking hadden gekregen. Bankbeslag werd nu op grote schaal teruggedraaid.

De woning op het oude hof, waarin ze met hun ouders hadden gewoond, was kort voor de dood van hun vader aan anderen toegewezen. De meeste meubels hadden ze daar noodgedwongen moeten achterlaten en waren ze kwijt. Het Psychologisch Instituut bood hun nu tijdelijk onderdak op een terrein tegenover het Vriendschapshotel, waar het over enkele uitgewoonde appartementen beschikte die nu door verschillende mensen werden gedeeld. Greta had een bed op een kamer met twee andere vrouwen, Dop sliep in een vertrek met een paar mannen. De andere bewoners waren jonge medewerkers van het Psychologisch Instituut. Zij hadden tot de groep Rode Gardisten behoord die destijds hun huis hadden doorzocht en hun spullen hadden meegenomen. Die tegen hen hadden geschreeuwd en hadden gedreigd. Hoogstwaarschijnlijk waren zij ook degenen die hun vader wreed hadden behandeld en wier gedrag ertoe had geleid dat drie van de vier leidinggevenden van het instituut onder erbarmelijke omstandigheden waren overleden. Chang had niet de medische zorg gekregen die hij nodig had, zijn collega overleed in gevangenschap aan een hartaanval. De derde, een oudere man met ernstige reuma, stierf in handen van Rode Gardisten. De doodsoorzaak was nooit vermeld. Dop en Greta walgden van deze mensen. Greta was voortdurend bang dat ze haar zelfbeheersing zou verliezen en een van hen zou aanvliegen.

Uiteindelijk waren deze Rode Gardisten samen met alle nog levende medewerkers van het Psychologisch Instituut in 1969 verbannen naar een 'kaderschool' op het platteland, een heropvoedingskamp. Daar moest overdag boerenwerk worden verricht en 's avonds op de teksten van Mao gestudeerd.

Het Psychologisch Instituut zelf, het prachtige oude hof, voormalig verblijf van een Mantsjoeprins, was tot de grond toe afgebroken. Jiang Qing, de vrouw van Mao, had hoogstpersoonlijk op de sloop aangedrongen. Op het vrijgekomen terrein had ze een grote woning voor zichzelf laten bouwen. Er werd nu gewerkt aan de heroprichting van het instituut, dat voorlopig her en der in een paar kamers was gehuisvest. Greta en Dop behoorden officieel tot deze eenheid.

Onder de kroonluchter van restaurant Moskou probeerden Greta en Dop niet aan hun verachtelijke kamergenoten te denken. Eerst lepelden ze langzaam hun borsjtsj, daarna sneden ze hun kip. Ze waren nu vierentwintig en vijfentwintig jaar. Dop had nog niet de moed opgegeven ooit elektrotechniek te gaan studeren, maar inmiddels wist hij dat je alleen tot een universiteit werd toegelaten als een werkeenheid je voordroeg. Het Psychologisch Instituut gaf hun een bed maar geen werk, en geen enkele andere 'eenheid' wilde zich aan hun dossier branden. De weg naar de academische wereld was dus afgesneden.

Greta en Dop probeerden de maaltijd in restaurant Moskou zo lang mogelijk te rekken, maar al snel kwam de ober ongevraagd met de rekening. Op weg naar buiten keken ze even bij de gebakswinkel in de hal. Restaurant Moskou was een van de zeldzame plaatsen in Peking waar westerse taarten werden verkocht. Met felgekleurde room versierde exemplaren stonden geëtaleerd in vitrines. Goedkoop waren ze niet, stelde Greta vast. Wie kon zich voor zoiets een half weekloon veroorloven? Ze stootte haar broer aan. 'Kijk daar eens,' zei ze. 'Dat lijkt Groot Hoofd wel.' Greta knikte naar een jongeman die juist een taartdoos in ontvangst nam. 'Het ís Groot Hoofd,' stelde Dop vast.

Hun vroegere buurjongen had ook hen herkend. 'Jullie zijn terug!' reageerde hij verheugd. Net als zij had hij een aantal jaren gedwongen op het platteland doorgebracht. Nu studeerde hij in de noordelijke stad Changchun, vertelde hij, en was nu voor het Chinese Nieuwjaar in Peking voor familiebezoek. Dop vroeg zich af hoe het hem was gelukt toegelaten te worden. Ze zouden elkaar later zien, spraken ze af. 'Ik ben nooit vergeten dat jullie moeder voor mijn verjaardag appeltaart bakte,' zei Groot Hoofd nog voordat ze afscheid namen.

Bij de Hsiungs, hun vroegere buren, die hen altijd hadden gesteund, waren Greta en Dop al langs geweest. Van hen hoorden ze dat de familie Tang, de andere familie van het oude hof die hen had geholpen, was verhuisd. Op het nieuwe adres waren Dop en Greta door moeder Tang en haar dochter Lieverdje binnengehaald als verloren zoon en dochter. In een bus kwamen ze toevallig Annick tegen, de dochter van Germaine, de Franse vriendin van hun moeder. Ze waren welkom bij hen thuis, zei ze.

De familie Ou ging gebukt onder groot verdriet. Na een inbraak had de oudste zoon de doodstraf gekregen van de Partij. De jongste, die er ook bij betrokken was, zat nog steeds gevangenisstraf uit. Hun moeder Germaine leek een oude vrouw geworden. Toch deed het goed weer met vrienden samen te zijn. Daarmee bracht je elkaar niet langer in de problemen.

DE HUNKERING NAAR HET WESTEN

1976

Dop en Greta maakten nu deel uit van een groep leeftijdsgenoten waartoe ook de half-Franse Annick, Lieverdje Tang en vroegere klasgenoten behoorden. Ze gingen vaak bij elkaar op bezoek. Soms wist een van hen aan een zeldzame verboden roman te komen, die aan de brandstapels van de Rode Gardisten was ontsnapt. Er was weleens iets bij dat door iemand woord voor woord was gekopieerd, zoals monniken deden in de Middeleeuwen. Greta en Dop kregen een handgeschreven versie van *De dame met de camelia's* te lezen. Twee dagen mochten ze het houden. Om de beurt lazen ze het liefdesverhaal in één adem uit.

Daarna verslond Dop een kritische analyse van president Kennedy's Vietnampolitiek, geschreven door de Amerikaanse journalist David Halberstam, maar voor Dop was dat niet het enige verhaal. Uit het betoog begreep hij ook hoe de Amerikaanse democratie in elkaar stak. Er was een gekozen congres met daarin vertegenwoordigers van een aantal politieke partijen. Binnen dezelfde partij konden mensen van mening verschillen en daarover mocht door journalisten geschreven worden. Voor Dop was het een openbaring dat een land op zo'n manier bestuurd kon worden.

Als een boek uit was, sloeg de verveling toe. Behalve door de stad wandelen en parken bezoeken was er niet veel te doen voor broer en zus. In de theaters werden sinds het begin van de Culturele Revolutie uitsluitend de 'acht modelwerken' opgevoerd die door Jiang Qing waren goedgekeurd, zoals *Het Vrouwen regiment*. Greta en Dop kenden die voorstellingen inmiddels uit hun hoofd. Zij en hun vrienden hongerden naar westerse films. Vroeger hadden de bioscopen Engelse, Tsjechische en Russische producties op het programma staan, die waren nu al acht jaar officieel in de ban, maar het gerucht ging dat de hoge leiders, onder wie Mao en zijn vrouw Jiang Qing, er al die tijd wel naar hadden gekeken in speciaal voor hen ingerichte bioscopen. De lijfarts van Mao, dokter Li, zal dat later bevestigen.

Nu de controle iets losser werd, begonnen die films in een groter gebied te circuleren. Een openbare vertoning was nog steeds ondenkbaar, maar een besloten evenement, met een zogenaamd educatief doel, kon wel door de beugel. Een en ander moest wel gebeuren onder de dekmantel van een werkeenheid. Via via werd contact gelegd met een andere eenheid, die over een bioscoopzaal beschikte. 'Iedereen wilde westerse films zien. Een uitnodiging daarvoor was hetzelfde als een relatiegeschenk. Het was een manier om de vastgelopen economie weer op gang te brengen,' zegt Dop later. 'Want voor wat, hoort wat.' De eeuwenoude wijze van Chinees zakendoen maakte schoorvoetend een rentree. Lieverdje Tang was bedreven in dit spel. Zij wist regelmatig aan uitnodigingen te komen die ze deelde met haar vrienden.

Dop, Greta en Lieverdje zagen hun eerste film in het Vriendschapshotel, waar ze sinds de dood van Selma niet meer waren geweest. Met de uitnodigingen kwamen ze zonder probleem voorbij de portier. In de theaterzaal, met marmeren vloer en gouden plafond, was een groot publiek samengestroomd. Geen stoel bleef onbezet. Op het programma stond *Waterloo Bridge*, een film uit 1940. De dialogen werden simultaan vertaald door een tolk. Greta, Dop en Lieverdje genoten van het verhaal over een gedoemde liefde, maar meer nog van The Big Ben, de Theems, en de dubbeldekkers, het Londense leven. Een raam op het Westen werd geopend. 'En dat was nog maar een oude zwart-witproductie,' zal Dop later zeggen. 'Daarna zagen we een modern kostuumdrama over de familie Strauss, met prachtige muziek.' De kleuren waren van het scherm gespat.

Het gerucht ging dat de Academie van Wetenschappen banen beschikbaar zou stellen aan de van het platteland teruggekeerde zoons en dochters van werknemers. Ouders wisten niet wat aan te vangen met hun inmiddels volwassen kinderen die hele dagen thuis zaten en hun opleiding niet hadden afgemaakt. Dop en Greta, nu al meer dan een jaar terug in Peking, hoopten ook in aanmerking te komen. Omdat ze geen ouders hadden die achter de schermen voor hen konden lobbyen, besloten ze zelf een brief te schrijven. Die begon met beleefde woorden, daarna zeiden ze waar het op stond, alsof hun directe Nederlandse moeder de tekst had ingefluisterd.

'Wij hebben nog steeds geen werk. Tot nu toe zijn onze verzoeken genegeerd. Is dat wegens onze gemengde afkomst? Is dat omdat onze ouders tijdens de Culturele Revolutie tot vijand zijn bestempeld? Of is dat omdat ons gedrag niet naar wens is? Wij volgen de regels, anderen lappen die aan hun laars en krijgen via hun goede connecties wel alles voor elkaar. We hopen dat deze brief niet in een bureaulade verdwijnt. Het werkloos zijn en de hele dag weinig uitvoeren stoort ons enorm. Wij willen graag onze bijdragen leveren aan de opbouw van ons land. Dank voor uw tijd.'

De gekozen aanpak wierp vruchten af. Dop kon aan de slag als onderhoudsmonteur op het Chemisch Instituut. Samen met hem werden nog drie andere van het platteland teruggekeerde jongemannen aangenomen. Hun vaders hadden ook hoge functies binnen de academie gehad en waren tijdens de Culturele Revolutie aangevallen. Samen vormden de mannen meteen een hechte groep. De andere werknemers vielen hen niet lastig. Een van de eerste dagen gaf het afdelingshoofd een distributiebon aan Dop waarmee een fiets kon worden gekocht. Niemand op de afdeling had geld en de bon zou binnenkort verlopen. Dankzij de spaarrekening van zijn ouders kon Dop nu zijn eigen vervoer aanschaffen.

Zijn nieuwe jonge collega's hadden al fietsen. Op hun vrije dag trokken ze gezamenlijk langs de parken en bezienswaardigheden van Peking. Vrolijk lachend lieten ze zich door beroepsfotografen vastleggen. Bij mooi weer spraken ze 's ochtends vroeg af bij het Zomerpaleis om te gaan zwemmen in het keizerlijk meer. Daarna fietsten ze snel terug naar de stad om op tijd op hun werk te zijn. Voor het eerst sinds jaren maakte Dop weer onbevangen plezier.

Greta werd aangesteld op de graveerafdeling van het ijkbureau, dat onder de hoede van de Academie van Wetenschappen viel. Ze moest streepjes en cijfers aanbrengen op onderdelen van meetapparatuur. 'Een heel secuur en erg saai werkje,' zegt ze later. Greta sloot vriendschap met de vrouw die haar het vak leerde. 'Als ik iets niet af kon krijgen, hielp ze me. Ze was geweldig aardig voor me. Haar man ging vaak slakken zoeken buiten de stad en die bracht ze voor me mee, heel lekker klaargemaakt.' Ook Greta kon aan een fiets komen. Ze hoefde niet meer naar het bureau met verschillende overvolle bussen.

Dop was ineens de enige bewoner van het tweekamerappartement dat hij eerst met vijf mannen had moeten delen. Zijn kamergenoten hadden elders werk gekregen of zich bij vrouw en kinderen gevoegd, die geen hukou voor Peking konden krijgen. Greta verhuisde haar spullen naar het leeggekomen vertrek. Dop hing een nieuw slot aan de deur van het appartement. 'We hebben die woning gewoon gekraakt,' zal Greta later zeggen.

De spullen die achtergebleven waren in Midden-Tsao konden ze nu ophalen. Lieverdje Tang wist via haar eenheid een auto met chauffeur te regelen die met Dop mee zou gaan. Veel meer dan de koffers met kleding en wat praktische zaken ging daar niet in. Dops oudste achterneef zou de meubels die hij niet mee kon nemen onder familieleden verdelen. De achterneef was blij voor hem dat hij de weg terug naar de stad had gevonden. Geen van de dorpelingen had verwacht dat Dop in Midden-Tsao zou blijven als het niet moest.

In de naaidoos die Dop meebracht vond Greta een envelop met knopen. Achterop stond het adres van grootvader Max Vos. Broer en zus besloten hem te schrijven dat ze weer terug waren in de stad. Oud-buurman Hsiung vroegen ze te helpen met een Engelse tekst.

De Hsiungs bleken bezoek te hebben uit de Verenigde Staten. De zus van mevrouw Hsiung was overgekomen. Tijdens de Culturele Revolutie waren zij vaak aangevallen omdat ze familie in het buitenland hadden, nu bleek dat juist weer gunstig te zijn. De zus wilde haar moeder, die al die tijd bij de Hsiungs had ingewoond, naar Amerika laten overkomen. Omdat de oude vrouw niet alleen kon reizen, zou hun nu zeventienjarige dochter, Sprinkhaantje, haar begeleiden. Het was een geweldige kans voor haar om in de Verenigde Staten een nieuw leven op te bouwen, al zou het vertrek door het papierwerk nog enige tijd op zich laten wachten. 'Jullie moeten ook zien weg te komen,' vond buurman Hsiung.

Max Vos antwoordde vrijwel per omgaande, ook al moest de brief uit China eerst nog door de nieuwe bewoners van het huis in Santpoort doorgestuurd worden naar Wolvega. Max Vos was buitengewoon gelukkig van zijn kleinkinderen te horen. Hij had vaak gevreesd dat ook zij niet meer in leven waren.

AFSCHEID VAN PEKING

1976

Op de ochtend van 9 september 1976 hoorde Greta op haar werk dat er die middag om drie uur een belangrijke radio-uitzending zou zijn waar iedereen naar moest luisteren: voorzitter Mao was overleden. Mooi zo, dacht ze. Eindelijk zijn we van hem verlost. Daarna werd alle werknemers opgedragen naar de kantine te komen met een portret van de voorzitter. Uit respect voor zijn overlijden moest daaroverheen een zwarte doek zijn gedrapeerd. In elke fabriek, op elke school, in elk bedrijf in China werd eenzelfde ceremonie gehouden. 'Van ons werd verwacht dat we huilden,' herinnert Greta zich. 'Dat kostte me geen enkele moeite. Ik huilde om wat Mao had aangericht. Om de dood van mijn ouders.'

Een wervelwind aan geruchten ging rond. Namen werden genoemd van partijbonzen die waren gevallen of wier ster juist rijzende was. Hua Guofeng, eerder door Mao als premier benoemd, kwam aan de macht, maar achter de schermen zou Deng Xiaoping aan de touwtjes trekken. Een paar weken na de dood van Mao werden zijn weduwe Jiang Qing en haar handlangers gearresteerd. De Bende van Vier heetten ze nu. De Culturele Revolutie was eindelijk voorbij.

Het showproces tegen de Bende van Vier werd op de televisie uitgezonden. De herinnering aan Mao Zedong werd hooggehouden, hem trof geen enkel verwijt. Alleen de Bende van Vier werd gestraft, er werd in het land geen schoon schip gemaakt. Wel kregen partijleiders en intellectuelen die door Rode Gardisten waren vervolgd te horen dat hun zaak was herzien en dat ze waren gerehabiliteerd. Drie jaar na de dood van Mao was Chang aan de beurt: hij stond niet langer te boek als vijand van het volk.

Dop kreeg van het Psychologisch Instituut opdracht de as van zijn vader op te halen in Midden-Tsao, waar het een plaats had gekregen in de familiegrafheuvel. Van bovenaf was het besluit doorgegeven dat de as van Chang moest worden bijgezet op de begraafplaats Babaoshan, de Berg van de Acht Schatten in een westelijke buitenwijk van Peking.

Tijdens de Ming-dynastie was hier een tempelcomplex gebouwd waar gepensioneerde eunuchen, die de keizer hadden gediend, hun laatste jaren konden doorbrengen. Vijf eeuwen had het deze bestemming gehad. Na hun machtsovername besloten de communisten dat Babaoshan de begraafplaats moest worden van hoge partijleden. In verschillende vertrekken van het oude tempelcomplex werden urnen bijgezet.

Dop reisde naar Midden-Tsao en groef samen met een achterneef de as van zijn vader op. Ze deden dit in een nieuw kistje, gedecoreerd met een uit hout gesneden landschap. Voor de plaatsingsceremonie werden oud-collega's van Chang uitgenodigd, ook degenen die hem naar het leven hadden gestaan. Dop en Greta deden alsof ze hen niet zagen.

Oud-studiegenoten van Chang waren opgespoord, zelfs iemand uit de Cambridgetijd. Lieverdje en de familie Hsiung waren aanwezig. Ruth Weiss kwam alleen. Haar zoons waren naar hun vader in de Verenigde Staten gegaan. Het hoofd van de afdeling Politieke Zaken van de Academie van Wetenschappen gaf een toespraak waarin de Bende van Vier verantwoordelijk werd gesteld voor de onjuiste behandeling van Chang en zijn Nederlandse vrouw Selma. Een fotograaf legde de bijeenkomst vast.

Changs oudere collega's staan vooraan, allen hadden zwaar geleden. De mannen luisteren met geheven gezicht waarop de sporen te zien zijn van de droevige jaren die achter hen liggen. Ook zij waren ten onrechte beschuldigd en zagen het werk waaraan ze hun leven hadden gewijd vernietigd worden, maar daarover werd met geen woord gerept. De toespraak ging over 'vooruitzien' en 'verdergaan'. De voormalige Rode Gardisten hadden zich achteraan opgesteld. Het Psychologisch Instituut was niet van plan te reconstrueren wat er was gebeurd, zij zouden niet worden gestraft.

Na de rehabilitatie van Chang veranderde de situatie van Dop en Greta niet. Ze mochten nog steeds niet studeren. Hun dossier bleef belastend. Het werk dat ze nu deden, zouden ze vermoedelijk hun hele leven moeten blijven doen. Sprinkhaantje was met haar grootmoeder vertrokken naar New Jersey. De oudste zoon van Armi had een Fins paspoort gekregen en was tot zijn grote vreugde opgeroepen voor de Finse militaire dienst. Hij was afgereisd om die te vervullen. De half-Franse Annick had haar Franse nationaliteit weer terug en woonde nu bij familie in Parijs. Zij had beloofd Max Vos te schrijven dat Dop en Greta in China geen toekomst hadden en hem te vragen of hij hen kon uitnodigen voor familiebezoek. Zelf durfden ze dat niet te doen. Als hun brief werd onderschept zou het hun aangerekend worden dat ze zich over hun situatie beklaagden bij iemand in het buitenland.

Max Vos schrok ervoor terug zijn kleinkinderen uit te nodigen. Hij had geen plaats voor twee jonge mensen in zijn verzorgingsflat. Bovendien: wat kon hij voor hen betekenen? Hij liep slecht en was vrijwel blind. Zijn drie zoons boden aan het contact met Dop en Greta over te nemen. Als de zoon en dochter van Selma naar Nederland wilden komen, waren ze welkom. Ze konden bij hen logeren totdat ze op eigen benen konden staan. De drie broers stuurden Dop en Greta de documenten die ze nodig hadden om te beginnen met de voorbereidingen van hun reis naar Nederland.

Eerst moesten hun werkeenheden toestemming geven, daarna de afdeling Buitenlandse Betrekkingen van de Academie van Wetenschappen. Vervolgens meldden ze zich bij het Bureau van Openbare Veiligheid waar paspoorten konden worden aangevraagd. Toen ze die in bezit hadden vervoegden ze zich bij de Nederlandse vertegenwoordiging, sinds 1974 een ambassade, om visa aan te vragen. Een Chinese secretaresse legde hun een stapel in te vullen documenten voor. Drie dagen later kreeg Dop een bericht op het Chemisch Instituut waar hij werkte. Hij werd op de Nederlandse ambassade verwacht. Deze keer werd hij ontvangen door een Nederlandse medewerker. Er was een telegram gekomen: oma Corrie was overleden en de gezondheid van opa Max ging snel achteruit. De man beloofde de visa snel in orde te maken.

Daarna kon de vlucht worden geboekt. De baliemedewerker van de CAAC, de Chinese luchtvaartmaatschappij, vertelde dat ze over Boekarest moesten reizen. De vluchten naar Moskou waren afgelast. De enige verbinding met Europa was de lijndienst naar Roemenië, twee keer per week. De meeste plaatsen waren al gereserveerd voor delegaties. Zes weken later konden Dop en Greta mee, als er nu contant werd betaald. De spaarrekening van hun ouders kwam opnieuw van pas. Broer en zus wisten precies wat ze zouden gaan doen in Nederland. Eerst de taal leren, daarna studeren als dat mogelijk was en vervolgens werk zoeken zodat ze in hun eigen levensonderhoud konden voorzien.

Dop had sinds enige tijd een vriendin. Zij was half-Duits. Haar familie had tijdens de Culturele Revolutie ook zwaar geleden. Zij wilde net als Dop proberen weg te komen. Naar Duitsland of misschien naar Amerika, in beide landen had ze familie. Ze zouden zien hoe het hun beiden verging en hun plannen daar verder op afstemmen. Greta had zich nog aan geen enkele partner willen binden. Zij was bang daardoor in dezelfde situatie te belanden als haar moeder.

Vrienden en collega's wisten dat Greta en Dop in Nederland zouden blijven als dat mogelijk was en kwamen afscheid nemen. Ook Groot Hoofd kwam langs. Hij was inmiddels afgestudeerd en getrouwd met Binbin, de Rode Gardiste die Mao Zedong een armband had omgedaan tijdens de massale bijeenkomst op het Plein van de Hemelse Vrede op 18 augustus 1966. Dat zij ook verantwoordelijk was voor de moord op de directrice van haar school, wisten Greta en Dop nog niet, dat zou pas veel later bekend worden. Binbin had net als Groot Hoofd in Changchun gestudeerd. Zo hadden de twee elkaar leren kennen. Ze waren ook van plan te vertrekken, vertelde Groot Hoofd. De papieren voor zijn vrouw waren bijna rond. Hij had nog steeds zijn Amerikaanse nationaliteit en familie die daar woonde. Van een tante had hij Amerikaanse dollars gekregen. Groot Hoofd haalde twee biljetten van honderd uit zijn zak en gaf Greta en Dop er elk één. 'Voor de reis,' zei hij. 'Jullie moeder is altijd zo goed voor mij geweest.'

Na de dood van Corrie had Max Vos zijn laatste levenslust verloren. Zijn zoons brachten hem over naar een tehuis in Alkmaar, zodat hij dichter bij hen was, maar ze zagen hun vader alleen maar verder wegzinken in somberheid. 'Je kleinkinderen uit China komen binnenkort,' probeerden ze hem op te monteren. Max kon het zich niet voorstellen. Hij vroeg om zijn Joods gebedenboek. In Santpoort had het altijd in de boekenkast gestaan, nu was het na twee verhuizingen onvindbaar. De drie zoons waren zonder enig geloof opgegroeid, ze begrepen niet dat hun vader wilde teruggrijpen naar zijn jeugd. 'Achteraf gezien hadden we er natuurlijk een rabbi bij moeten halen,' zullen ze later alle drie zeggen. 'Op dat moment kwam het niet in ons op.' De dag dat Greta en Dop uit Peking vertrokken, stierf Max Vos.

Om vijf uur 's morgens klopte Blauwe Berg bij hen aan. Hij was per fiets uit de binnenlanden gekomen om hen uit te zwaaien. Treinreizen had hij afgezworen. Blauwe Berg bood Dop en Greta aan voor de as van hun vader te zorgen zolang als zij wegbleven. Regelmatig zou hij naar Babaoshan gaan om zijn respect te betuigen. Even later was Groot Hoofd er ook. De vriendin van Dop zou ook meegaan naar de luchthaven. Een auto van het Chemisch Instituut reed het gezelschap erheen. Voor de vertrekhal maakte Groot Hoofd een paar foto's. Later zou hij de kleurenfilm in de Verenigde Staten laten ontwikkelen. In China was dat nog niet mogelijk.

In Boekarest werden Dop en Greta met een busje naar een hotel gebracht. Pas de volgende dag zouden ze doorreizen naar Amsterdam. Communiceren ging moeizaam. Het jarenlange verblijf op het platteland had hun vreemdetalenkennis uitgewist. Op Schiphol werden Dop en Greta door hun drie ooms en hun vrouwen opgewacht. 'We zagen hen meteen,' zal Max Vos jr zich herinneren. 'Ze droegen van die blauwe maopakjes.'

Even stonden de familieleden onwennig tegenover elkaar. Toen herkenden de drie broers in Dop hun juist overleden vader. Niet de man waarmee ze waren opgegroeid, maar de jeugdige Max Vos in het familiefotoalbum die naast een paar collega-diamantslijpers zit. De foto van 1915 kwam hun alle drie helder voor de geest. Het was net alsof hun vader daaruit was gestapt en nu als Dop voor hen stond. Greta begon als eerste te praten in een mengeling van Nederlands en Engels. De drie broers werden opnieuw verrast. Haar manier van praten, haar stem – ze klonk precies als Selma.

DANK EN BRONNEN

In 2008 ontmoette ik Greta en Tseng Y Tsao tijdens de pauze van een lezing die ik gaf in Castricum. Ze vertelden over hun Nederlandse moeder Selma, die in 1950 had besloten met hun vader mee te gaan naar China. Gedurende de jaren die volgden leerde ik broer en zus Tsao beter kennen. In 2012 gaven ze mij de brieven ter inzage die hun moeder vanuit China naar hun grootvader in Nederland had geschreven. Deze brieven van Selma vormen de basis van dit boek, samen met de verhalen van haar kinderen Greta en Tseng Y. Zij waren bereid tientallen uren met mij te praten en honderden vragen per email of telefoon te beantwoorden. Zonder hun herinneringen, uitleg en duiding was dit boek nooit tot stand gekomen.

De drie (stief)(half)broers van Selma: Siert van der Laan, Robert Vos en Max Vos Jr, en hun vrouwen Joke van der Laan, Anneke Vos en Edmay Vos, maakten het voor mij mogelijk Selma's jeugd en haar bezoek aan Nederland in 1966 te reconstrueren. Ook stelden ze mij gul documenten uit hun familiearchief ter beschikking.

Diana Lary maakte bereidwillig tijd voor mij vrij gedurende haar bezoeken aan Nederland. Johan Jutten gaf genereus toestemming voor het opnemen van een aantal citaten van zijn hand. Tang Jian-Ping was zo vriendelijk vragen te beantwoorden tijdens een verblijf in Amsterdam. Verder ben ik dank verschuldigd aan Marijke Groot-Kingma, Gien Klatser-Oedekerk, Albertien

Jongmans, Andries Minderhout, Ria Kraai, Roland van den Berg, Tonny Schröder,Yvonne Kunst-in 't Hof, Jan van de Velde en Marijke Heshof.

In China ontmoette ik verschillende leden van de familie Tsao (ook gespeld als Cao). Ik dank hen voor de geweldige ontvangst in Midden-Tsao, vooral Cao Wu-Jiu. In Beijing sprak ik Ji Chu-Qing, Wang Xing-An en Zhao Li-Ru. Li Ping (Sally) dank ik voor haar hartverwarmende gastvrijheid. Huang Hong Fei stond me vanuit Sydney telefonisch te woord, Norman Yeh vanuit Minnesota. Mikko Rautio ontving me in Helsinki. In Cambridge kreeg ik hulp van Les Culank en Victoria Woodword. Bert van der Zwan maakte mij wegwijs in het Nationaal Archief. Justus van de Kamp gaf advies inzake Jiddisch taalgebruik. Lambert van der Aalsvoort was mij tot grote steun tijdens het schrijven van dit boek met zijn opbouwende kritiek en kennis van China. Jeroen Visser, Emma Visser, Arnout Visser, Frank Dikötter en W.J.M.J. Cuijpers dank ik voor hun opmerkingen, Anita Roeland voor haar zorgvuldige eindredactie. Tot slot dank ik mijn uitgever Tilly Hermans, die vele verschillende versies van *Selma* las en mij steeds weer nieuwe energie wist te geven met haar uitmuntende adviezen en bemoediging.

BRONNEN

Naast de in de tekst genoemde boeken heb ik geraadpleegd:

Chang, Jung en Halliday, Jon, *Mao, the unknown story.* Uitgeverij Vintage 2005

Chang, Jung, *De keizerin*, vertaald door Bart Gravendaal. Boekerij 2013

Dikötter, Frank, *Mao's Great Famine, The History of China's Most Devastating Catastrophe 1958-1962*. Bloomsbury 2011

Dikötter, Frank, *The Cultural Revolution, a People's History 1962-1976*. Bloomsbury 2016
Fokkema, Douwe, *Standplaats Peking: verslag van de Culturele Revolutie*. De Arbeiderspers 1970
Kloubert, Rainer, *Peitaiho*. Elfenbein Verlag Berlin 2012
Li, Zhishui en Thurston, Anne F., *Het privé-leven van Mao*, vertaald door Jan Braks. Balans 1995
Schoots, Hans, *Gevaarlijk Leven, een biografie van Joris Ivens*. Uitgeverij Jan Mets 1995
Spence, Jonathan, *Op zoek naar het Moderne China 1600-1989*, vertaald door Jaap Engelsman. Agon 1991

Het hoofdstuk over de Nederlandse Maoïsten is onder meer gebaseerd op informatie uit artikelen van Roelof Bouwman in *HP/ de Tijd* (2004 en 2010) en een artikel van Tom-Jan Meeus in *NRC Handelsblad* (20-2-1999). De genoemde aflevering van *Andere Tijden* betreft 'Daan en zijn onderdanen' (11 september 2001), gezien op www.npogeschiedenis.nl.

Feiten over de 'Lassersaffaire' zijn overgenomen uit 'De Chinese affaire', een aflevering van *Andere Tijden*. Het programma, dat ik zag via www.npogeschiedenis.nl, werd uitgezonden op 24 mei 2001.

Ik maakte gebruik van het Nationaal Archief, het Noord-Hollands archief, het archief van Academie van Wetenschappen te Beijing, Delpher.nl, het archief van *De Groene Amsterdammer* en het archief van de familie Vos.

OVER CAROLIJN VISSER

Carolijn Visser (1956), de grande dame van de Nederlandse reisliteratuur, debuteerde in 1982 met *Grijs China*, een reis door het toen nog vrijwel vergrendelde China, en schrijft nu al ruim dertig jaar over dit land, zoals in *Buigend bamboe* (1990) en *Shanghai Skyline* (2008). In 2013 ontving ze de Bob den Uyl Prijs voor *Argentijnse avonden*.

Grijs China
Alle dagen vrij
Aan het einde van de regenboog
Verre reizen
Buigend Bamboe
De koude heuvels van Mongolië
Hoge bomen in Hanoi
Brandend zout
Het goud van Bonanza
De kapers van Miskitia
Ver van hier
Uit het moeras
De hele wereld
Tibetaanse perziken
Vroeger was de toekomst beter
Een tuin in de tropen
Miss Concordia
China
Shanghai Skyline
Argentijnse avonden
Selma. Ontsnapt aan Hitler, gevangene van Mao